Le chevalier noir

Connie MASON

Le chevalier noir

*Traduit de l'américain
par Anne Ferréol-de-Dieu*

Titre original
THE BLACK KNIGHT

Éditeur original
A Leisure Book published by Dorchester Publishing Co., Inc.,
New York

Pour la traduction française
© Éditions J'ai lu, 2007

À Joe, Matt, James, Alex, Arron, Nick et Mason.
Que mes sept petits-enfants deviennent des
chevaliers aux armures brillantes.

Prologue

Nul ne naît chevalier.

Pays de Galles, 1336

Le chevalier toisa le gamin.

— Sais-tu bien qui je suis ?

— Non, messire.

— Ta mère ne t'a-t-elle jamais parlé de ton père ?

Le garçon considérait avec curiosité l'imposant personnage, deux fois plus grand que lui, mais il n'avait pas l'air inquiet.

— Elle m'a dit que c'était un Anglais et qu'il s'était vite lassé d'elle, répondit-il d'une voix claire. Il l'a épousée et puis il l'a abandonnée. Tout ce dont je suis sûr, c'est que je le déteste. Je ne l'ai jamais vu mais ce n'est pas ce qui m'empêchera de le détester toute ma vie.

— Hum ! fit le chevalier en triturant sa barbe bien taillée. Pour un garçon de ta condition, la haine est un sentiment fécond. Entretiens bien la tienne. Tu en auras besoin. Le monde n'est pas tendre pour les bâtards.

Le garçonnet se redressa fièrement, pointa le menton d'un air bravache et déclara :

— Je ne suis pas un bâtard, messire ! Grand-mère Nola m'a dit que mon père et ma mère avaient été mariés par un prêtre dans l'église du village et elle ne ment pas.

— Tu aurais du mal à le prouver, mon garçon, dit le chevalier avec rudesse. Arrête de croire aux contes de nourrice ou tu n'iras pas loin dans l'existence.

— Qu'est-ce que cela peut vous faire? demanda le gamin avec aplomb. Qui êtes-vous?

— Il paraît que ta mère t'a appelé Drake, reprit le chevalier, ignorant les questions du garçon. Elle a bien choisi. Cela veut dire dragon. C'est un beau nom. N'oublie jamais ce qu'il signifie et tâche de t'en montrer digne.

Drake regarda par-dessus son épaule vers la chaumière qu'il partageait avec sa grand-mère. Figée dans l'encadrement de la porte, Nola ap Howell se tordait les mains. Elle avait l'air terrifiée. Le chevalier anglais était-il là pour leur faire du mal?

— Qui êtes-vous? redemanda Drake. Et que nous voulez-vous, à ma grand-mère et à moi?

— Je suis Basil de Lleyn, ton père.

— Non! s'exclama Drake en sursautant comme devant un démon. Allez-vous-en! Je n'ai pas besoin de vous! Je vous hais!

Basil de Lleyn posa sa grande main sur l'épaule de Drake.

— Il y a beaucoup de colère dans ton cœur, mon garçon, mais ce n'est pas nécessairement un mal. Car, pour progresser dans la vie, tu devras te battre à chaque pas. Tu comprends ce que je te dis?

Drake hocha négativement la tête.

— Tu apprendras, dit Basil. Comment ta mère est-elle morte?

— Est-ce que cela vous regarde?

Basil lui donna une taloche sur le sommet du crâne.

— Ne me manque pas de respect! Comment Leta est-elle morte?

— Une espèce de fièvre l'a emportée. Nous l'avons tous eue. Il n'y a que maman qui en est morte. Elle était plus fragile que nous autres.

Basil se radoucit fugitivement, le temps de murmurer:

— Quelle tristesse!

Puis ses traits reprirent leur expression sévère.

— Sais-tu pourquoi je suis ici? demanda-t-il.

— Non, et je m'en moque. Laissez-nous tranquilles, ma grand-mère et moi. Nous n'avons pas besoin de vous.

— J'arrive à point nommé ! dit Basil de Lleyn. Maudit galopin, il est grand temps que quelqu'un t'enseigne les bonnes manières. Je vais te confier à mon ami Nyle de Klyme. C'est à l'occasion d'un séjour chez lui que j'ai rencontré ta mère. J'avais dix-huit ans à l'époque et je n'aimais rien tant que la chasse. Les terres de Nyle longent la frontière. En pourchassant un sanglier, nous nous sommes retrouvés au pays de Galles. J'ai croisé par hasard Leta qui cueillait des mûres dans un sous-bois. Mais c'est bien loin, tout cela, dit-il en congédiant ses souvenirs d'un revers de main. Tu vas préparer ton baluchon et venir avec moi.

Le menton de Drake se mit à trembler.

— Et quitter ma grand-mère ? Non, je n'irai nulle part avec vous. Peu importe qui vous êtes.

— Tu vas venir avec moi, que cela te plaise ou non, insista Basil.

— Comment avez-vous su, à propos de maman ? Qui vous a dit qu'elle était morte ?

— Il y a des années que Nyle de Klyme me donne régulièrement de tes nouvelles. Dès que Nyle a appris que ta mère était morte, il m'a envoyé un messager.

Drake trépigna de colère.

— Pourquoi ? Vous n'avez jamais voulu de nous.

— La vie est plus compliquée que ne peut l'imaginer un enfant de ton âge, répondit Basil. Mon père m'avait déjà promis à Elise de Leister et il n'aurait jamais accepté que je rompe mes fiançailles. J'ai une épouse et un fils, qui est un peu plus jeune que toi. Tu n'as pas besoin d'en savoir davantage. Maintenant, va préparer tes affaires.

— Où m'emmenez-vous ?

— Au château de Klyme. Waldo, mon fils légitime, s'y trouve déjà, il est page chez Nyle de Klyme. Dans quelques années, il sera armé chevalier, et nous allons te préparer à devenir son écuyer.

Drake hocha la tête avec la dernière vigueur.

— Non! Je ne veux pas être écuyer! Je veux être chevalier!

— Seuls les enfants bien nés peuvent devenir chevaliers, pas les bâtards.

— Un jour, je serai chevalier, déclara Drake en tapant du pied.

— Tu as du caractère, mon garçon, dit Basil. Tant mieux. Il va t'en falloir.

1

La terre a vu jadis errer des paladins.

Château de Klyme, 1343

Raven de Klyme l'attira dans une alcôve à l'écart de la grande salle. Elle lui avait demandé de venir la retrouver après les vêpres pour discuter d'une affaire de première importance. Il fut pris au dépourvu lorsqu'elle lui dit tout de go :

— Drake, embrasse-moi !

— Cela ne se peut, lui répondit-il avec un aimable sourire pour adoucir son refus. N'oublie pas que tu es promise à Aric de Flint.

— Je ne veux pas épouser Aric ! proclama Raven avec véhémence. Je veux me marier avec toi. Oseras-tu dire que tu ne m'aimes pas, Drake ? Ne serait-ce qu'un petit peu ?

— Holà, Raven, tu sais très bien que c'est ta sœur que j'aime. Daria est tout pour moi.

— Daria est fiancée à Waldo, rappela Raven.

— Peux-tu garder un secret ? demanda Drake en baissant la voix.

La jeune fille hocha la tête.

— Daria et moi, nous allons nous enfuir ensemble, dit Drake sur le ton de la confidence.

— Non, tu ne peux pas faire cela ! s'écria Raven, stupéfaite. Daria se joue de toi. Elle n'épousera jamais un homme sans titre ni fortune. Elle n'a que quatorze ans

11

et elle est capricieuse. Elle ne t'aime pas comme je t'aime.

La colère fit passer une ombre dans les yeux du garçon.

— Et toi, tu n'en as que douze ! Et tu es folle d'espérer que je me marierai avec toi.

— Je ne suis pas folle, répondit la jeune fille d'un ton rageur. Daria n'est pas la femme qu'il te faut.

— Quoi ! Tu prétends savoir mieux que moi quelle femme il me faut ? De quel droit ?

— Père ne consentira jamais à ce que tu épouses sa fille aînée. Tu n'es qu'un apprenti écuyer. Waldo sera bientôt reçu chevalier et un jour il héritera d'un comté, lui.

— Tu n'avais pas besoin de me rappeler que je suis un bâtard, repartit Drake avec aigreur. Waldo s'en charge fort bien. Depuis mon arrivée à Klyme, je ne crois pas qu'un seul jour a passé sans qu'il cherche à me rabaisser. Nous avons peut-être le même père mais là s'arrête la comparaison. Daria, du moins, me voit sous un autre jour.

— Je te conjure de bien réfléchir avant d'entreprendre quoi que ce soit, recommanda Raven. N'agis pas inconsidérément. Daria est fantasque. Elle envisage peut-être de s'enfuir avec toi, mais ce sera pour son amusement et sa récréation. Je te prédis qu'elle sera soulagée quand père la retrouvera et la ramènera de force au bercail. C'est toi qu'on punira.

À dix-sept ans, Drake était seul au monde. C'était ainsi depuis son arrivée au château de Klyme. Il comptait quelques amis parmi les apprentis écuyers. Mais les futurs chevaliers n'avaient que dédain pour « Drake sans Nom » ou pour « messire Bâtard », selon les méchants sobriquets dont l'avait affublé son demi-frère Waldo.

Depuis deux ans, il aimait passionnément Daria de Klyme et il avait toutes les raisons de s'en croire aimé.

— Tu te trompes sur Daria, dit Drake d'un ton sévère. Elle m'aime. Waldo trouvera facilement une autre héritière à épouser.

Raven poussa un soupir navré. C'était Drake qui se trompait sur Daria, pas elle. Daria se laissait sans doute voler quelques baisers, elle l'encourageait même à croire qu'elle s'enfuirait avec lui, mais jamais au grand jamais elle ne braverait la volonté de son père. À l'opposé, Raven aurait été capable de pactiser avec le diable pour l'amour de Drake. Raven connaissait bien sa sœur. Daria appréciait les attentions d'un beau jeune homme comme Drake, évidemment. Mais de là à l'épouser ! Elle était destinée à devenir comtesse un jour et elle ne ferait rien pour compromettre ses futures épousailles avec Waldo. Drake aurait bien dû s'en rendre compte !

Quelqu'un passa le bout du nez par l'ouverture de l'alcôve où Raven et Drake tenaient leur conciliabule. C'était Duff de Klyme, le fils de lord Nyle. Derrière lui, son inséparable ami, Waldo de Lleyn.

— Que faites-vous là tous les deux ? demanda Duff d'un ton soupçonneux. Essaies-tu de séduire ma petite sœur, Drake sans Nom ?

— Messire Bâtard est toujours en train de convoiter des choses qui ne sont pas pour lui, commenta Waldo en ricanant.

Les deux demi-frères étaient aussi différents que possible, comme le jour et la nuit. Drake ressemblait trait pour trait à leur père et Waldo aucunement. Waldo était certes grand pour ses seize ans, d'aspect robuste, mais avec ce genre d'embonpoint voué à se transformer en bouffissure au fil des ans. Il était blond avec des yeux bleu pâle alors que Drake avait des cheveux noirs comme le jais et des prunelles d'aigue-marine. Cela expliquait peut-être pourquoi Waldo avait pris Drake en aversion de prime abord.

— C'est moi qui ai demandé à Drake de me rejoindre ici, reconnut Raven sans ambages. Nous ne faisions que parler. Drake est mon ami.

— La prochaine fois que vous aurez à parler, faites-le au vu et au su de tous, conseilla Duff. Si père se doutait que Drake courtise sa fille, il le bannirait du château, ou pire.

— Je viens de te dire... commença Raven.

Drake s'interposa.

— Je n'ai pas pour habitude de m'en prendre aux petites filles, dit-il. Et je suis tout à fait capable de me défendre tout seul, Raven, merci bien.

Waldo fit un pas en avant, son visage sanguin encore plus rouge que d'habitude car il avait abusé de la bière à table. Il se pencha tellement qu'il se retrouva quasiment front contre front avec Drake.

— Écoute-moi bien, messire Bâtard, dit-il, offensant les narines de Drake avec son haleine qui sentait l'aigre. Tu n'es qu'un apprenti écuyer. Si tu manques de respect à tes supérieurs, tu n'y gagneras rien que la colère de lord Nyle. Tu es un bâtard, tâche de ne pas l'oublier.

Le visage de Drake prit une expression terrible.

— Je ne risque pas de l'oublier, vu que tu me le rappelles tout le temps, rétorqua-t-il. Maintenant, écoute-moi bien, Waldo de Lleyn : je ne serai pas toujours Drake sans Nom. Un jour, je ferai la preuve de ma vaillance et j'aurai un nom.

— En tant qu'écuyer ? demanda narquoisement Duff de Klyme.

— En tant que chevalier, répondit Drake avec conviction.

— *Pfft !* firent en chœur Waldo et Duff.

Raven vint à la rescousse.

— Moi, je le crois, dit-elle.

— Tu n'es qu'une impertinente petite donzelle, dit Duff. Je me demande ce qu'Aric penserait s'il savait que sa fiancée se laisse conter fleurette dans les coins sombres par une espèce de manant.

Duff, fils unique de Nyle de Klyme, avait beaucoup de muscles et peu de cervelle. C'était tout sauf un chef-né. De trois ans plus âgé que Waldo, il en subissait l'ascendant, le suivait partout, l'imitait en tout. Lorsqu'il avait remarqué que Waldo méprisait Drake, il s'était empressé d'en faire autant.

14

Nyle de Klyme était absent la plupart du temps, appelé en France par les guerres du roi Édouard le troisième, mais, lorsqu'il était au château, il ne faisait rien pour empêcher Duff et Waldo d'insulter Drake ou de le houspiller. En fait, il ne s'abaissait pas à ces petites choses, il ne les voyait même pas. Il n'y avait que les deux délicieuses filles de lord Nyle pour traiter Drake avec délicatesse.

Drake était plus grand et plus svelte que la plupart des hommes, et il avait reçu en apanage, à défaut d'un fief, un beau visage et un regard pénétrant. Les demoiselles du comté n'avaient d'yeux que pour lui et lui n'avait d'yeux que pour Daria, la dame de ses pensées, sa future épouse. Raven était fraîche et mignonne mais trop hardie pour son goût. Et puis, surtout, il lui manquait l'angélique beauté de sa grande sœur. Dans l'idée de Drake, donner une Daria à un Waldo, c'était comme donner une perle à un pourceau.

Raven adressa à Duff un regard assassin.

— Peu importe ce que dit père, je n'épouserai jamais Aric, proclama-t-elle.

Là-dessus, belle d'indignation, elle s'en alla, ses longs cheveux auburn lui battant les reins.

— Je n'aimerais pas être à la place d'Aric, dit Waldo en la regardant s'éloigner, alors que ses yeux remplis de convoitise démentaient ses paroles. Raven ne sera pas facile à dresser.

— Tu as été bien avisé de choisir Daria, dit Duff obséquieusement. Elle est gentille et docile.

— Toutefois, reprit Waldo, l'air songeur, une femme de caractère, cela peut aussi avoir son charme. Si Raven était à moi, je crois que j'aurais du plaisir à la dompter.

— Tu n'as que seize ans, dit Drake avec toute la condescendance qu'autorisait le privilège d'en avoir dix-sept. Que sais-tu des femmes ?

— J'en sais toujours plus long que toi, messire Bâtard.

Drake rongea son frein, comme chaque fois qu'il s'entendait appelé par ce détestable surnom.

— Tu ne réponds rien, messire Bâtard ? insista Waldo. As-tu déjà eu une femme ou bien ton code d'honneur t'interdit-il les délices de la luxure ?

— Je reste pur pour celle que j'épouserai, repartit Drake en pensant à Daria.

— Il est bon d'avoir un code d'honneur, dit Waldo. Seuls les vilains n'en ont pas, mais seuls les imbéciles respectent le leur à ce point-là. Les femmes sont faites pour le plaisir des hommes. Les théologiens disent qu'elles sont les auxiliaires du péché et que, si elles se rebiffent contre la volonté des hommes, comme Ève devant Adam, c'est le signe qu'elles ont le diable au corps et qu'il faut les soumettre, quitte à les battre. Je n'ai peut-être que seize ans mais j'ai appris à jouir des femmes de la façon prévue par Dieu – et même de deux ou trois autres façons. Quand elles me procurent du désagrément, je fais en sorte qu'elles s'en repentent. Es-tu d'accord avec moi, Duff ?

Duff ravala des flots de salive et sa pomme d'Adam s'agita le long de son cou.

— Eh bien, euh, je n'aimerais pas savoir que quelqu'un maltraite l'une ou l'autre de mes sœurs.

— Je tuerai de ma main quiconque ferait du mal à Daria, menaça Drake en regardant Waldo droit dans les yeux.

Waldo éclata de rire mais fit quand même un pas en arrière.

— Ah, c'est donc sur Daria que tu as des vues ! s'exclama-t-il. Laisse ma fiancée tranquille, messire Bâtard. C'est moi qui en aurai l'étrenne, ne l'oublie pas.

— N'aie crainte, il y a beaucoup de choses que je n'oublierai pas, promit Drake, parlant entre ses dents.

Pour Waldo, la discussion était close.

— Viens ! dit-il à Duff. Il y a deux accortes pucelles qui nous attendent au village. Nous trouverons bien un tapis de mousse ou une botte de foin pour les culbuter.

Drake les regarda partir. Il bouillonnait de colère contre Waldo, qui prétendait épouser la sublime Daria, alors qu'il ne songeait qu'à déshonorer toutes les dames et toutes les demoiselles qui passaient à sa portée.

Drake n'était certes pas un chevalier mais il respectait le code de la chevalerie. Il ne pensait pas que Waldo puisse jamais devenir un chevalier digne de ce nom. Un vrai chevalier estimait hautement les femmes.

Une semaine plus tard, Drake vit Daria qui s'en allait vers la fauconnerie. Il lui emboîta le pas, désireux de lui parler seul à seule. L'entendant venir, elle se retourna et lui sourit.

— Je t'ai vu t'exercer à la quintaine et j'espérais que tu me suivrais, dit-elle avant de se hisser sur la pointe des pieds et de l'embrasser sur les lèvres. Je suis venue prendre des nouvelles de mon épervier préféré. Il a été blessé par un gros faucon, hier.

Drake ne se souciait guère de l'épervier. Il avait envie de prendre Daria dans ses bras et de la serrer contre son cœur mais il se refrénait. À dix-sept ans et plein d'ardeur, il brûlait de connaître enfin une femme mais aucune autre que Daria ne pouvait lui suffire et il se refusait à la déshonorer.

— Ton père rentre aujourd'hui, dit-il.

— Eh oui ! Il est question de me marier à Waldo le plus tôt possible. Je vais sur mes quinze ans, et Waldo presse mon père de fixer une date.

— Est-ce là ce que tu souhaites ?

Elle baissa les yeux ainsi qu'on l'enseigne aux chastes demoiselles.

— Je dois obéir aux ordres de mon père.

Drake la saisit par ses frêles épaules.

— Non, tu ne peux pas épouser Waldo. Tu ne sais pas de quoi il est capable. C'est un rustre.

Une étincelle de malice brilla dans les yeux de Daria, chose que Drake aurait remarquée s'il n'avait pas été aussi énamouré.

— Je ne peux rien y faire, dit-elle sur un ton triste et résigné.

Drake la serra dans ses bras, en prenant garde toutefois à ne pas l'offenser en la plaquant contre la part durcie en bas de son ventre.

— Nous pouvons partir ensemble, dit-il. Nous en avons déjà parlé. Lorsque nous serons mariés, je te protégerai jusqu'à la dernière goutte de mon sang.

Comme elle le regardait avec des yeux ronds, il ajouta :

— Pourquoi t'étonnes-tu à ce point ? Nombreux sont les jeunes gens qui fuient leurs familles pour se marier.

— Je sais, mais... eh bien, je n'ai jamais cru que tu étais sérieux quand tu parlais de m'enlever.

— Je t'aime, Daria. Tu ne dois plus l'ignorer aujourd'hui. Tu es en âge de te marier et je suis en âge de te protéger.

Daria se tourna brusquement vers l'entrée de la volière.

— Chut ! J'ai entendu un bruit.

— Ce n'est rien, dit Drake, qui n'avait pas envie de se laisser distraire. Écoute-moi bien, ma chérie. Je te demande de venir me retrouver cette nuit. Je t'attendrai près de la poterne. J'aurai pris deux bons chevaux dans les écuries. N'emporte pas trop d'affaires.

— Fuir, murmura Daria en minaudant, mais je n'ai jamais vraiment... enfin, c'est-à-dire... es-tu sûr que ce soit la meilleure chose à faire ?

— M'aimes-tu, Daria ?

— Oh, oui, comment pourrais-je ne pas t'aimer ? Tu es mignon, brave... et tellement chevaleresque.

— Alors, viens me rejoindre près de la poterne après matines. Ne sois pas en retard.

Puis, il l'embrassa sur la bouche avant de s'éloigner à grands pas.

Daria était consternée. Son amourette avec Drake avait été divertissante et savoureuse, pourtant elle n'avait jamais perdu de vue que son sort était de finir comtesse. Waldo n'était peut-être pas le mari idéal, mais c'était l'héritier d'une lignée prestigieuse et riche. Tandis que Drake, avec sa belle figure, sa bravoure et son âme chevaleresque, était un bâtard sans le sou. Cependant, pensa-t-elle, ce serait exaltant de s'enfuir avec lui. Son père ne manquerait pas de la retrouver, mais du moins se serait-elle amusée un peu avant de se résigner au mariage.

Daria, cela va de soi, resterait chaste, sa virginité devant revenir à son mari. Elle se fiait à Drake pour ne prendre que ce qu'elle voudrait bien lui donner.

Le sourire aux lèvres, le cœur battant, elle quitta la fauconnerie.

Raven attendit que Daria soit retournée dans le donjon pour sortir de sa cachette derrière la grande volière. Comment croire que Daria envisageait sérieusement d'épouser Drake et de renoncer à devenir comtesse ? Daria était espiègle, capricieuse, écervelée, d'accord, mais pas à ce point ! « Dois-je tout dire à père ? se demanda Raven. Ou vaut-il mieux que je fasse comme si je n'avais rien vu, rien entendu ? » Après mûre réflexion, elle décida d'aller trouver sa sœur et de lui parler sans détour.

— Quoi ! Tu m'espionnes ! Tu écoutes aux portes ! s'écria Daria, scandalisée, lorsque Raven lui eut dit tout le mal qu'elle pensait de son projet d'escapade avec Drake.

Raven ne fut même pas tentée de mentir.

— J'ai suivi Drake jusqu'à la fauconnerie, je l'admets.

— Tu le veux pour toi, dit Daria sur un ton d'amer reproche.

— Si c'était le cas, cela n'aurait pas d'importance. Drake ne veut personne d'autre que toi.

Daria, à ces mots, se rengorgea.

— Il va jusqu'à dire qu'il m'aime.

— Je n'arrive pas à croire que tu vas vraiment te laisser enlever. Cela ne te ressemble pas. Selon moi, tu t'amuses aux dépens de Drake.

— Et alors ? Si Drake avait un blason et un fief, c'est avec joie que je m'enfuirais avec lui. Il est plus beau que Waldo et d'un tempérament plus doux. Hélas, Drake sans Nom n'a rien à faire valoir, à part sa jolie figure et sa prestance !

— Donc, tu ne vas pas t'en aller, dit Raven avec soulagement. Tu en as parlé à Drake ?

— Non, je le lui dirai cette nuit, lorsque je le rejoindrai sous les remparts. Peut-être que Waldo me traitera plus doucement quand il saura que j'ai été sur le point de m'enfuir avec Drake.

Raven haussa les sourcils.

— Encore faudrait-il que Waldo vienne à l'apprendre…

— Il l'apprendra, affirma Daria d'un air entendu.

— Mais… comment ?

— J'ai des affaires à régler, dit Daria pour en finir. Nous reparlerons de tout cela plus tard.

Révulsée par l'attitude de sa sœur, Raven décida de tout avouer à Drake. Une occasion de lui parler se présenta après le repas du soir. Elle le suivit dans la cour.

— Drake ? appela-t-elle presque timidement. J'aurais deux mots à te dire, s'il te plaît ?

— Je veux bien mais sois brève. J'ai des préparatifs à faire.

— C'est justement ce dont que je voudrais t'entretenir. Je sais que tu as le dessein d'enlever Daria ce soir. Tu es sur le point de commettre une grave erreur. Quoi qu'elle ait pu te dire, ma sœur n'a nullement l'intention de partir avec toi.

Le jeune visage de Drake se rembrunit, et son regard devint féroce.

— N'essaie pas de m'embrouiller l'esprit avec des mensonges et des calomnies, Raven. Ce serait indigne de toi.

— Il ne s'agit ni de mensonges ni de calomnies. La vérité, c'est que Daria se sert de toi pour exciter la jalousie de Waldo. Ne te rends pas au rendez-vous de ce soir. J'ai un affreux pressentiment.

— Va-t'en, Raven. Ton inquiétude est sans objet.

— Puisqu'il en est ainsi, je vais tout avouer à mon père ! lança Raven, à bout d'arguments.

Drake fit un pas vers elle, les poings fermés, les dents serrées, bouillant de colère. Elle ne l'avait jamais vu ainsi et elle prit peur. Sans chercher à savoir quel sort il s'apprêtait à lui réserver, elle tourna les talons et décampa.

Il aurait pourtant dû savoir qu'elle était incapable de le trahir ! Elle voulait juste le mettre en garde car elle savait que Daria visait plus haut qu'un bâtard sans terre ni titre.

Quitte à encourir les foudres de Drake, Raven avait l'intention de s'embusquer près de la poterne, cette nuit, et de tout faire pour empêcher cette folie.

Drake faisait les cent pas devant la poterne. Daria était en retard, et il s'impatientait. Les chevaux qu'il avait pris dans les écuries attendaient sagement derrière un bosquet hors les murs. Il s'était entouré d'infinies précautions pour dissimuler leur départ. Un bruit alerta ses sens. Il se retourna et, soudain, il la vit. Daria. Ce fut comme une apparition. Dans l'impulsion du moment, il la serra dans ses bras et l'embrassa sur les lèvres.

— Je commençais à craindre que tu n'aies changé d'avis, murmura-t-il. Es-tu prête ? Où est ton ballot d'effets ?

Daria regarda furtivement par-dessus son épaule.

— Je... euh... j'ai oublié.

— Peu importe, dit Drake. J'ai eu de la chance au jeu et j'ai réussi à économiser quelque argent. Nous nous arrêterons en chemin pour t'acheter tout ce qu'il te faut. Maintenant, viens ! commanda-t-il. Il est grand temps de partir.

Soudain, il y eut des bruits de pas. Drake se retourna. Des hommes s'approchaient, précédés par le flamboiement de leurs torches. D'instinct, Drake agrippa Daria par la main et l'entraîna vers la porte. Mais quelqu'un lui ordonna de s'arrêter : lord Nyle de Klyme.

Un court instant plus tard, il se retrouva encerclé par Nyle, Waldo, Duff et plusieurs hommes d'armes. Du coin de l'œil, il vit Raven qui sortait de l'ombre et il comprit ce qui s'était passé : Raven les avait dénoncés à son père.

La haine s'empara de lui. Trahi par une femme jalouse. Non, par une méchante gamine qui se prenait pour une femme.

Voilà quelque chose qu'il n'oublierait jamais, n'excuserait jamais, ne pardonnerait jamais. Jusqu'à son dernier jour, il se souviendrait que Raven de Klyme l'avait trahi.

Découragé, Drake n'esquissa aucun mouvement de résistance quand Waldo s'empara de Daria et la poussa vers Duff.

— Tu es un félon, Drake sans Nom, dit lord Nyle. Je pourrais te tuer sur place pour avoir déshonoré ma fille. Ou, à tout le moins, je pourrais te faire fouetter. Mais, en considération de l'amitié qui m'unit à ton père, je vais me montrer clément.

— Il ne mérite pas la moindre clémence, s'écria Waldo.

Drake vit Raven qui se rapprochait timidement et il lui lança un regard si dur qu'elle en frémit. « Toi, mauvaise garce, si je pouvais te mettre la main dessus, tu ne te contenterais pas de frémir », pensa-t-il.

— Pour tout châtiment, poursuivit lord Nyle, tu seras banni de Klyme. Tu as dix-sept ans, tu n'es ni chevalier ni écuyer. Tu auras du mal à faire ton chemin dans la vie sans mon patronage. Mais je ne peux pas te pardonner les libertés que tu as prises avec ma fille. Daria est fiancée à Waldo de Lleyn, s'il veut toujours d'elle.

Le sang de Drake ne fit qu'un tour.

— Je ne me suis accordé aucune privauté avec votre fille, monseigneur. Je n'aurais jamais rien entrepris contre son honneur.

— Bien dit, Drake, mais cela ne change rien à ma décision, repartit lord Nyle. Tu n'as plus ta place, ni dans mon château ni sur mes terres. Va-t'en maintenant. Dépêche-toi avant que je ne change d'avis et ne te fasse jeter dans les oubliettes du donjon.

Waldo regarda Drake avec dédain.

— Sache que je suis toujours disposé à épouser Daria, lui dit-il. Elle n'a jamais été pour toi. C'est ma couche qu'elle partagera, ce sont mes enfants qu'elle portera. Tu n'as plus qu'à t'y résigner, messire Bâtard.

Ayant rendu son jugement, lord Nyle prit Daria par le bras et l'entraîna sans ménagement. Tous les autres suivirent. « C'est le pire moment de mon existence », pensa Drake, seul dans la pénombre. Il venait de perdre d'un seul coup son gîte et l'amour de sa vie. Tout cela à cause d'une petite morveuse. Ah, que la trahison de Raven lui coûtait cher !

Raven hésita et s'avança vers lui.

— Je ne t'ai pas trahi, dit-elle comme si elle lisait dans ses pensées. Drake, je t'en prie, je ne supporte pas l'idée que tu pourrais me haïr.

— Il va pourtant falloir t'y faire, répondit Drake, parce que j'ai bien l'intention de te haïr jusqu'à mon dernier souffle. Pourquoi as-tu fait cela, Raven de Klyme ? Je croyais que nous étions amis.

— Nous étions amis et nous le sommes toujours. Je t'en conjure, écoute-moi, Drake. Je suis incapable de te vouloir du mal. Je t'aime.

Pour toute réponse, il fit *pfft !*. Il n'avait pas besoin d'en dire plus. Son regard furieux parlait à sa place. Et ce regard disait : « Nie tant que tu voudras, je ne te croirai jamais. »

Il ouvrit la poterne, abaissa la passerelle et sortit.

— Où vas-tu ?

— Qu'est-ce que cela peut te faire ?

— Te reverrai-je un jour ?

— Si cela ne dépend que de moi, non.

Cela dit, il disparut dans la nuit. Raven referma la porte derrière lui, pleurant comme seules savent pleurer les fillettes au cœur brisé.

L'humeur de Drake s'améliora quelque peu lorsqu'il vit que ses chevaux étaient toujours à l'endroit où il les avait attachés. L'un était le destrier que lui avait offert son père, l'autre une jument de parade qu'il avait pris dans les écuries de lord Nyle. Il n'éprouvait aucun remords d'avoir dérobé la superbe jument. Au contraire, il se félicitait d'avoir choisi un animal aussi coûteux. En plus des chevaux, il avait des vivres pour plusieurs jours, les vêtements qu'il portait et les quelques shillings qu'il avait gagnés aux dés ou en joutant contre les autres écuyers. Des tas de gens avaient survécu et prospéré avec beaucoup moins que cela.

À part la perte de son amante, Drake pouvait s'estimer heureux. Il était jeune, en bonne santé et beaucoup plus vigoureux que les autres apprentis écuyers. Après la vente de la jument, il aurait même de quoi partir chercher fortune au loin.

Il se fit le serment qu'un jour le dénommé Drake sans Nom aurait tout à la fois un titre et un fief. Et il envisageait, pourquoi pas, de se conduire comme Waldo avec les femmes. N'en attendre que du plaisir et rien d'autre, pour ne pas être déçu. La vie venait de lui enseigner une cruelle mais salutaire leçon. À savoir que l'amour est un péril dont il convient de se protéger. Désormais, il allait se fier à sa tête plutôt qu'à son cœur et, avant toute chose, se garder des femmes comme Raven de Klyme.

2

Nul chevalier sans prouesse.

Château de Klyme, 1355

Il traversa la cour sur son destrier noir. Raven regardait par la fenêtre de sa chambre, au sommet du donjon. À la hampe de sa lance flottait une superbe bannière à lambeaux ornée d'un dragon rouge sur fond noir.

Le Chevalier Noir.

Il est magnifique et terrifiant à la fois, pensa Raven en se penchant pour mieux le voir. On aurait dit une statue d'acier, toute noire et luisante du casque jusqu'aux pieds. Il caracolait en tête d'un contingent de chevaliers et de gens d'armes.

Les jongleurs et les ménestrels qui sillonnaient le pays vantaient partout les exploits du Chevalier Noir et répandaient à son propos de mirifiques légendes. Leurs chansons racontaient qu'il avait sauvé la vie du Prince Noir, qu'il avait été fait chevalier sur le champ de bataille, que c'était le roi lui-même qui lui avait donné la paumée en disant simplement : « Chevalier sois ! » S'il avait un nom, personne ne s'en souvenait. On l'appelait le Chevalier Noir depuis l'époque où, devenu le héraut du Prince Noir, il portait une armure noire comme son seigneur.

Lorsqu'il leva la tête et regarda vers sa fenêtre, Raven se recula promptement, juste assez pour pouvoir continuer de l'observer sans être vue.

Elle fut impressionnée par la carrure du Chevalier Noir et par sa manière de se tenir en selle. Sa posture était fière, presque arrogante. Raven avait entendu dire tant de choses à son propos qu'il l'intriguait beaucoup.

Ce n'était pourtant pas le moment de s'éprendre d'un inconnu. Elle était sur le point d'épouser messire Waldo, comte de Lleyn. Plus que quatre jours avant la parodie de mariage. Elle avait eu beau pleurer et implorer, Duff ne s'était pas laissé fléchir. Quelques années plus tôt, elle avait perdu père et mère lors d'une épidémie qui avait semé la désolation et la mort dans le pays. Raven savait que, s'ils avaient encore été de ce monde, ils ne l'auraient jamais contrainte à se marier avec Waldo.

Surtout après ce qui était arrivé à Daria.

À seize ans, après quelques mois de mariage, Daria avait succombé à un étrange mal de ventre. Le médecin avait affirmé qu'aucun remède ne peut agir contre la volonté de Dieu. Mais Raven soupçonnait que c'était la volonté de Waldo plutôt que celle du bon Dieu qui avait fait périr sa sœur. Peu après, Duff, Waldo et Aric étaient partis guerroyer en France contre Philippe de Valois. À la bataille de Crécy-en-Ponthieu, les Français avaient perdu onze princes et au moins quatre-vingts grands seigneurs. En revanche, rares étaient les chevaliers anglais à avoir donné leur vie ce jour-là. Parmi ces quelques-uns, figurait, hélas ! Aric.

Sans tarder, Waldo avait demandé la main de Raven à son ami Duff, puisqu'il était veuf et qu'elle se retrouvait sans fiancé. Duff avait consenti, à la seule condition que Waldo obtienne la dispense du pape, car c'était un inceste d'épouser sa belle-sœur.

La dispense avait tardé quatre longues années. Après quoi, Duff avait fait célébrer en grande pompe les fiançailles de sa sœur avec Waldo de Lleyn. Pendant ces quatre années, qui avaient été pour Raven comme un délai de grâce, elle avait peu vu Waldo et avait vécu à sa guise, qu'il s'agisse de chevaucher dans la lande sur son palefroi préféré, de veiller sur sa chère fauconnerie ou d'administrer le château. Maintenant, le jour de son mariage était proche.

Raven descendit l'escalier en colimaçon jusqu'au rez-de-chaussée, sortit dans la cour et partit vers les cuisines. En tant que maîtresse de céans, c'était à elle de surveiller les préparatifs du banquet de ce soir, offert en l'honneur des chevaliers qui venaient d'arriver. Il en accourait de toute part, pour boire, ripailler et tenter leur chance dans le tournoi que Duff avait fait publier. Ensuite ils assisteraient aux noces de messire Waldo de Lleyn avec Mlle Raven de Klyme.

Bientôt, Raven serait comtesse, titre auquel elle n'avait jamais aspiré. Elle haïssait Waldo et appréhendait le moment où il faudrait consommer le mariage.

— Maîtresse, attendez!

Raven s'arrêta pour permettre à sa servante de la rattraper.

— Comment faites-vous pour être aussi calme? demanda la servante d'une voix haletante. Le Chevalier Noir est dans nos murs! J'ai grande hâte de voir à quoi il ressemble!

— J'ai guetté son arrivée, reconnut Raven. Tu sais, Thelma, ajouta-t-elle, il n'y a pas de quoi s'échauffer l'imagination. C'est un chevalier de fortune comme il y en a tant.

— C'est un chevalier de fortune comme il y en a *peu*! rectifia la servante avec fougue. Il paraît que, pour avoir sauvé la vie du Prince Noir, le roi l'a fait chevalier sur le champ de bataille, ce qui est un honneur sans égal, et qu'en plus il lui a donné un titre et une terre.

— C'est aussi ce que j'ai entendu dire. Il est maintenant comte de Windhurst. On m'a rapporté que le château de Windhurst est en réalité une vieille forteresse perchée sur une falaise sinistre, là-bas, dans le Wessex. Elle date du règne de Richard Cœur de Lion et il y a au moins trente ans qu'elle est à l'abandon. Je me demande s'il aura les moyens de réparer cette ruine et d'engager des hommes pour la défendre.

— Oh, voici messire Waldo ! s'exclama soudain Thelma. Je vous laisse, ajouta-t-elle avant de s'en aller rejoindre d'autres servantes affairées près de la citerne.

Raven regarda venir Waldo sans chercher à cacher son déplaisir. C'était une espèce d'ours, avec un gros thorax et des jambes épaisses, courtes et légèrement arquées. Il n'était pas très haut, manquait de grâce, mais ça ne l'empêchait pas de dégager une impression de force et d'autorité.

— Tu souhaites me parler ?

— Oui, dit Waldo. Nous n'avons pas eu beaucoup le temps de nous voir depuis que je suis revenu à Klyme pour le tournoi et le mariage. Tu seras bientôt mienne, Raven de Klyme. Il y a longtemps que j'attends ce moment. J'ai épousé Daria pour complaire à ton père, et pour sa dot, mais c'est toi qui me faisais envie. Lorsque Aric de Flint a été tué à Crécy, je mentirai en disant que j'en ai été attristé. J'ai surtout vu qu'avec la mort d'Aric tu redevenais libre. J'ai convaincu Duff de ne te donner à personne tant que le pape n'aurait pas statué sur ma demande de dispense. Pour t'avoir, j'aurai montré plus de patience et de constance que bien des hommes, n'est-ce pas, ma mie ?

Raven se crispa.

— Tu sais que ce mariage n'a pas mon agrément. Ce que tu t'apprêtes à faire est mal. C'est un inceste d'épouser la sœur de sa défunte épouse.

— J'ai attendu pendant de longues années que le pape daigne répondre. Tu n'es plus si jeune que cela, Raven de Klyme, mais je te trouve toujours à mon goût.

Raven eut un mouvement de recul lorsqu'il lui passa la main dans les cheveux.

— Ceux de Daria étaient tellement blonds et tellement fins qu'ils étaient sans couleur et sans vie. Ce n'est pas comme les tiens, dit-il en jouant avec une mèche. Ils sont drus et flamboyants. Tu as du tempérament. Tu n'es pas du genre à rester immobile comme une bûche en prenant des airs de martyre pendant l'acte. Même si tu n'as aucun goût pour moi, tu n'auras pas de mal à être plus ardente que Daria. Parfois, quand je lui faisais la chose, j'avais l'impression de violer une morte.

À ces mots, Raven ne put s'empêcher de tressaillir.

— Comment oses-tu parler ainsi de ma pauvre sœur ? s'écria-t-elle, ulcérée. Elle méritait mieux qu'un goujat de ton acabit.

— Et toi, peut-être préférerais-tu un homme comme le Chevalier Noir ?

— Cela se peut, en effet, répondit Raven sur un ton farouche. N'importe qui vaudrait mieux que toi.

Waldo sourit.

— Ton humeur de diablesse, c'est ce que j'aime le mieux chez toi, dit-il. Je vais t'apprendre l'obéissance, moi. Quant au Chevalier Noir, n'y pense plus. Les femmes ne sont que des proies pour lui. On dit qu'il s'en détourne dès qu'il est arrivé à ses fins.

La curiosité de Raven fut piquée.

— Comment le sais-tu ?

— C'est notoire. En Angleterre comme en France, ses exploits amoureux sont encore plus célèbres que ses exploits guerriers.

— L'as-tu déjà vu sans son heaume ?

— Non, répondit Waldo. Il y a onze ans, à Crécy, quand nous avons battu les Français à plate couture, il y était. Et puis, l'année suivante, à la prise de Calais, il s'est encore illustré. Duff et moi, nous étions dans le sillage du roi, alors qu'il faisait partie de l'entourage du Prince Noir. Nous n'avons jamais eu l'occasion de le côtoyer. Par contre, je connais un grand nombre de demoiselles qui l'ont vu dans le simple appareil et qui jurent qu'il est très beau et très bien fait. Pourquoi poses-tu toutes ces questions ? poursuivit-il en la regardant d'un air soupçonneux. Ce n'est guère convenable pour une fiancée de penser à un autre homme que son futur époux.

— Tous les serviteurs et toutes les servantes parlent du mystérieux Chevalier Noir. Ma curiosité s'en trouve excitée malgré moi, expliqua Raven. A-t-il un nom ?

Les traits de Waldo prirent subitement une expression très dure.

— Pas que je sache. Je te le répète, ne pense plus à lui. Même s'il désarçonne tous ses adversaires, il faudra encore qu'il me batte pour gagner la bourse que Duff a promise au gagnant du tournoi. Et moi, personne ne m'a jamais fait vider les étriers, dit-il en faisant le fanfaron. La bourse sera pour moi.

Raven prit congé sans ajouter un mot. Mais, en secret, elle pria pour que le Chevalier Noir étrille et estourbisse le comte Waldo de Lleyn.

Le Chevalier Noir venait d'entrer dans la cour du château quand un bruit lui avait fait lever la tête. Puis, il avait vu une cascade de cheveux cuivrés et il avait reconnu celle qui l'observait. Sous son casque, il avait esquissé une moue de mépris.

Raven de Klyme.

Son seul nom réveillait des souvenirs cuisants. Il avait découvert au dernier moment que le tournoi faisait partie des réjouissances prévues pour le mariage du comte Waldo de Lleyn, son demi-frère, et de Raven de Klyme. C'était l'énormité de la bourse offerte au vainqueur qui l'avait dissuadé de rebrousser chemin.

Raven de Klyme.

Après toutes ces années, il la détestait encore. C'était elle, à cause de sa trahison, qui lui avait mis toute cette amertume au cœur. Jadis, il avait été un damoiseau généreux qui ne rêvait que de défendre la veuve et l'orphelin. Elle avait fait de lui cet homme âpre, plus orgueilleux que fier, plus téméraire que courageux, qui écrivait sa légende à la pointe de sa lance. Après avoir été banni de Klyme, le roi avait dû le trouver prometteur car il l'avait pris à son service comme écuyer. À Crécy, lorsque le Prince Noir avait appelé à la rescousse, il s'était jeté seul au milieu de vingt piques ennemies, faisant preuve d'une bravoure insensée. Il avait été bien récompensé.

Peu de temps après avoir été fait chevalier, il avait revêtu, à l'imitation du prince, une armure noire. Ainsi était né le Chevalier Noir, dénomination bien plus seyante que Drake sans Nom ou messire Bâtard.

Encouragé par la victoire de Crécy, Édouard avait mis le siège devant Calais. Le Chevalier Noir y avait pris une si grande part qu'il y avait gagné un comté. Le vaste domaine de Windhurst était désormais à lui. Drake aurait aimé que son père soit encore là pour le voir. Par malheur, monseigneur Basil était mort depuis longtemps, assassiné, disait-on, par des braconniers.

Après la capitulation de Calais, le Chevalier Noir était rentré en Angleterre, où il avait entretenu sa gloire dans les tournois. Celui-ci devait être le dernier. Lorsqu'il aurait gagné le prix, il aurait assez d'argent pour restaurer, entretenir et défendre sa vieille forteresse.

Drake savait que Daria était morte. La nouvelle l'avait assommé. Daria, bouton de rose piétiné avant d'avoir eu le temps de s'épanouir. Sans la trahison de Raven, Drake se plaisait à penser que Daria l'aurait épousé, qu'elle serait heureuse… et, surtout, qu'elle serait encore en vie. Car il suspectait Waldo d'avoir, d'une façon ou d'une autre, hâté son trépas.

Le cœur de Drake s'était racorni le jour où il avait appris la mort de sa bien-aimée. Son deuil avait achevé de lui gâter le caractère, et il était soudain devenu aussi avide de richesses que de gloire. Lui qui avait jadis rêvé d'incarner l'idéal chevaleresque, il était arrogant et implacable. Lui qui avait autrefois chéri et vénéré des femmes, il ne les considérait plus que comme de jolis objets destinés à la satisfaction de ses désirs. La seule chose qui n'avait pas changé, c'était sa haine envers Waldo de Lleyn et Raven de Klyme.

Le Chevalier Noir vit un homme qui sortait du donjon et s'avançait à sa rencontre.

— Le très bon jour, messire. Je suis Melvin Stuart, l'intendant de monseigneur Duff de Klyme. Soyez le bienvenu au château de Klyme.

Le Chevalier Noir salua messire Melvin d'un hochement de tête.

— Les chevaliers qui sont venus prendre part au tournoi camperont hors des murs avec leurs valets et leurs hommes d'armes, poursuivit l'intendant. Des pavillons de toile ont été dressés à cette fin, vous les avez sans doute vus en arrivant. Vous êtes tous invités à dîner dans la grande salle. Cela vous sied-il, monseigneur ?

Drake daigna enfin relever la visière de son casque.

— Merci de votre hospitalité, répondit-il. Mes hommes et moi, nous serons très heureux de partager votre repas.

Ces formalités accomplies, l'intendant s'en fut accueillir un autre groupe de chevaliers qui venaient de faire leur entrée dans la cour. Drake aurait sans doute repris le cours de ses moroses pensées mais John de Marlow, l'un des chevaliers de sa suite, vint à sa rencontre.

— Si j'ai bien compris, Drake, nous allons camper, lui dit-il en le regardant du coin de l'œil.

— Oui, John. Allez vous installer sans m'attendre. Moi, j'ai une affaire à régler. Je vous rejoindrai aussitôt que j'aurai fini.

Messire John sourcilla.

— Je sais que tu n'aimes pas ton demi-frère, dit-il, mais, je t'en conjure, ne fais pas de folie.

Sans attendre de réponse, il éperonna son cheval et s'éloigna au petit trot, suivi par les autres chevaliers et les hommes d'armes. Drake regarda le château dont il avait été banni douze ans plus tôt. S'il avait envie de revoir Waldo maintenant, ce n'était pas pour en découdre mais seulement pour lui révéler le nom du chevalier qui allait le vaincre dans le tournoi et empocher la prime promise au vainqueur.

Le destrier de Drake piaffa.

— Du calme, Zeus, dit Drake. Demain, tu auras tout loisir de te défouler.

Il ôta son casque, s'ébouriffa les cheveux, descendit de cheval et confia la bride à son écuyer. Autour de lui, tout était comme dans son souvenir. Des constructions par dizaines s'appuyaient contre les remparts : des échoppes, des ateliers, des étables, des appentis, des chenils... Il y avait des gens partout. Des femmes avec d'énormes fagots sous les bras, des gosses gardant des cochons, des charpentiers en train de gourmander leurs apprentis, des maréchaux-ferrants ou des forgerons ayant sans cesse quelque chose à marteler, des valets et les femmes de chambre vaquant à leurs occupations, des chiens qui rasaient les murs, des chats au poil roussi, des poules qui se jetaient de côté pour éviter les coups de sabots. Plusieurs hommes d'armes, assis sur le perron de la salle de garde, lorgnaient une jolie servante qui tirait de l'eau à la citerne.

Waldo survint. Il contourna un chariot à bœufs rempli de tonneaux de vin. Drake s'avança à sa rencontre. Waldo le regarda, en s'y reprenant à plusieurs fois. Lorsqu'il le reconnut enfin, il pâlit.

— Par le sang de Dieu ! s'exclama-t-il. C'est *toi* ! Je te croyais mort ! Tout le monde te croyait mort.

Drake le considéra avec dédain, la tête penchée sur le côté et les paupières mi-closes.

— Qu'est-ce qui t'a fait penser cela ?

— Eh bien... je...

Le front de Waldo se constella de grosses gouttes de sueur.

— Eh bien, répéta-t-il d'une voix haletante, il y a plus de dix ans que personne n'a entendu parler de toi.

— Personne, sans doute, n'était très curieux d'avoir de mes nouvelles, répondit Drake avec une pointe d'ironie dans la voix. Je suis bien vivant.

Waldo examina en détail l'armure de Drake, incontestablement noire. Le casque, surtout, parut le fasciner.

— Non ! C'est impossible ! s'écria-t-il en faisant un pas en arrière. Ce n'est pas toi le fameux Chevalier Noir, l'homme dont on chante les louanges dans tout le royaume !

Mais il était bien obligé de croire ce que ses yeux lui montraient.

— Comment se fait-il que je n'en ai rien su ? ajouta-t-il.

— Tu n'avais peut-être pas envie de savoir, suggéra Drake.

— Comment est-ce possible ? Comment as-tu fait pour accomplir tant de prouesses ?

— Tu n'écoutes donc pas ce que racontent les troubadours ? répliqua narquoisement Drake.

Waldo lui lança un regard mauvais.

— Tu es parti d'ici les mains vides et aujourd'hui tu es…

— Aujourd'hui, je suis comte, j'ai une terre, des vassaux et le droit de porter bannière à l'armée.

— Windhurst, dit Waldo avec dédain. Ce n'est qu'un éboulis de vieilles pierres.

— Peut-être, mais c'est à moi, et le titre de noblesse qui va avec.

— Que viens-tu faire ici ? Daria est morte. Tu n'as aucune bonne raison de revenir à Klyme.

Les yeux de Drake lancèrent des éclairs.

— À propos de Daria, comment est-elle morte ? Tu t'es retrouvé veuf après quelques mois de mariage.

— C'est de l'histoire ancienne, messire Bâtard, répondit Waldo. Daria est morte, et je suis sur le point d'épouser Raven.

Drake fit un pas en avant.

— Comment m'as-tu appelé ? demanda-t-il d'une voix menaçante.

— Édouard pourra te donner autant de titres qu'il voudra, tu seras toujours un bâtard, persista Waldo.

— Prends garde, mon cher frère, dit Drake. Je ne suis plus le gentil damoiseau qui endurait sans broncher tes moqueries et tes piques. Mon nom et ma réputation ont été acquis dans le fracas des armes. Je suis le Chevalier Noir, comte de Windhurst par la grâce de notre roi Édouard. Si tu m'appelles encore une fois messire Bâtard, ou bien Drake sans Nom, tu t'en repentiras. Je ne crains personne, Waldo de Lleyn. Et toi moins que quiconque.

— Es-tu venu pour perturber mon mariage ?

Drake esquissa un sourire sardonique.

— Que non ! Raven est aussi fourbe que toi. Vous êtes faits pour vous entendre. Je suis ici pour une bonne et simple raison. J'ai l'intention de gagner le tournoi et la prime.

Waldo plissa les yeux.

— Il faudra me passer sur le corps.

— Ce n'est pas exclu, répondit Drake avec un haussement d'épaules.

Après la soudaine réapparition de son frère, Waldo était beaucoup plus inquiet qu'il n'y paraissait. Il avait fait des choses terribles pour devenir comte, et il espérait bien que Drake ne les découvrirait jamais.

En sortant des cuisines, Raven vit le Chevalier Noir en conversation avec Waldo. Le Chevalier Noir avait ôté son casque. Elle se dévissa le cou pour mieux le voir. Il lui tournait le dos. Tout ce qu'elle pouvait en distinguer, c'étaient ses cheveux noirs, qui lui tombaient sur les épaules, la longueur à la mode. Mue par la curiosité, elle contourna la carriole chargée de barriques, afin de le contempler de face.

Un cri de stupeur s'échappa de sa gorge. Ce visage, elle l'avait vu en rêve presque toutes les nuits.

Drake.

Depuis qu'il était parti, elle n'avait cessé d'espérer qu'il revienne un jour pour lui expliquer que c'était Daria elle-même qui s'était arrangée pour que son père soit mis au courant de leur projet de fugue. Raven avait appris que Daria s'était confiée à la plus pipelette de ses servantes, sachant bien que la fille s'empresserait d'aller tout répéter à messire Nyle pour se faire bien voir.

Drake était revenu. Ce n'était pas le Drake dont elle se souvenait. C'était le Chevalier Noir, un homme célèbre pour sa vaillance, pour son ardeur au combat et pour ses succès sans nombre auprès des femmes et des filles. Un homme qui la haïssait comme la peste.

Lorsque Drake l'aperçut, il tressaillit. Leurs regards se rencontrèrent. Raven aurait voulu détourner les yeux mais elle n'en eut pas la force. Elle était comme pétrifiée.

— Drake, dit-elle d'une voix tremblante. Alors, c'est toi, le Chevalier Noir?

— Est-ce vraiment si difficile à croire? demanda Drake avec rudesse.

— Oui... euh, non... euh, je ne sais pas... Tu as changé.

Il ricana sinistrement.

— Eh oui, dit-il, je ne suis plus le petit page que tu as connu. La vie s'est chargée de piétiner ma candeur. J'ai fait la guerre, ma gente dame, j'ai vu des carnages, cela vous change un homme.

Drake considéra tour à tour Waldo et Raven, promenant de l'un à l'autre des regards pleins de dédain et de moquerie.

— Si j'ai bien compris, des félicitations sont de rigueur, dit-il. Je suis grandement étonné que vous ayez été autorisés à vous marier. L'inceste n'est pas un péché véniel.

— J'ai attendu des années la dispense du pape, répliqua Waldo. Il est grand temps que je jouisse de ma femme.

Drake regarda Raven comme s'il la voyait pour la première fois. En un sens, c'était vrai. La Raven dont il se souvenait avait été plus proche de l'enfant que de la femme, avec des bras osseux et des taches de rousseur sur le nez.

La femme sous ses yeux avait un teint de lys. Elle portait une chemise de lin écru sous une tunique de satin bleu brodée d'or. Dans ses manches étroites, ses bras paraissaient joliment potelés. Son abondante chevelure châtain roux débordait d'un voile de soie. Ses yeux en amande, vert émeraude, s'ornaient de longs cils. Sa bouche était pourpre. La lèvre du bas, plus pulpeuse que l'autre, suggérait un certain penchant pour la volupté.

— Es-tu là pour participer aux joutes? demanda Raven à Drake lorsque le silence devint insupportable.

Drake confirma d'un hochement de tête.

— J'ai besoin d'argent pour réparer Windhurst, expliqua-t-il. La meilleure façon de m'en procurer, c'est encore de gagner des tournois.

— Le Chevalier Noir s'est acquis un grand renom, dit Raven à mi-voix. Tu es devenu une légende.

Drake ne pouvait pas se résoudre à sourire à celle qui l'avait trahi jadis. Il lui aurait peut-être pardonné si Daria n'était pas morte dans des circonstances obscures. Daria n'était plus qu'un vague souvenir aujourd'hui mais Drake en voulait toujours à la personne qui était en définitive responsable de sa mort.

— Légende ou pas, nous verrons bien qui sera le vainqueur, intervint Waldo. Quant à toi, ajouta-t-il en s'adressant à Raven, je suis sûr que tu as des choses urgentes à faire au logis.

Raven le foudroya du regard mais, n'osant pas le défier en public, elle se drapa dans sa dignité, tourna les talons et partit.

— Il va falloir la dresser, bougonna Waldo, vexé. Raven et moi, il y a longtemps que nous serions mariés s'il n'y avait pas eu la dispense papale qui se faisait attendre. Mais Duff n'aurait jamais permis que cela se passe autrement.

Avec un sourire mauvais, il ajouta :

— Raven va apprendre à ses dépens que la poule ne doit pas chanter devant le coq !

Drake se raidit.

— Daria l'avait-elle appris aussi ?

Pendant une seconde, Waldo parut dérouté.

— Daria ? répéta-t-il, songeur. Elle n'a pas eu besoin d'apprendre. Elle était plutôt docile dans l'ensemble, jusqu'à ce que…

Il laissa sa phrase en suspens.

— Jusqu'à quoi ? demanda Drake en le dévisageant.

— Rien, répondit Waldo. Cela fait si longtemps, je ne m'en souviens plus. Nous sommes restés mariés peu de temps, nous n'avons guère eu le loisir de nous connaître.

As-tu su que notre père était mort peu de temps avant Daria ? Il a été tué par des braconniers.

— Oui, je l'ai entendu dire.

Waldo baissa les yeux devant Drake, qui continuait de le toiser.

— Ah, s'exclama-t-il, je vois Duff en train de parler avec son intendant ! Il faut que je te quitte. J'ai quelques mots à leur dire à propos du banquet de ce soir.

La bouche pliée par un rictus, Drake regarda Waldo s'éloigner. Il pensa que son demi-frère, décidément, n'avait pas beaucoup changé.

Pressé de rejoindre ses hommes, Drake se retourna et partit vers la sortie. Les gens le regardaient avec curiosité, certains faisaient le signe de croix en le voyant passer. Dans son armure noire, il avait l'air aussi terrible, aussi funeste que son nom le laissait présager.

Au moment de franchir le pont-levis, Drake songea qu'il n'aurait jamais dû revenir au château de Klyme.

Il n'avait pas prévu que Raven serait devenue si belle.

Au banquet, ce soir-là, Raven était assise à la table d'honneur, entre son frère et son fiancé. Toute cette pompe la laissait froide, toutes ces réjouissances l'ennuyaient. Duff avait embauché des escamoteurs, des jongleurs, des acrobates et des bouffons. Il en aurait fallu davantage pour la divertir. Après avoir rencontré Drake dans la cour, elle ne pensait qu'aux coups d'œil haineux qu'il lui avait lancés. C'était pénible de savoir qu'il lui gardait toujours rancune pour quelque chose qu'elle n'avait pas fait.

Elle regarda Waldo et fit la grimace. Il enfournait la nourriture dans sa bouche comme un glouton et ce qu'il recrachait tombait sur son pourpoint de velours grenat. Waldo n'était pas gras mais Raven trouvait que ses jambes ressemblaient à des saucisses et elle ne pouvait envisager la nuit de noces sans frémir. Faire l'amour avec Waldo la répugnait d'avance. Elle aurait été prête à tout, positivement *tout*, pour échapper à ce mariage.

Les mets défilaient : pâtés, poissons farcis, porcelets rôtis, gibier à poil et à plume, tourtes et tartes. Raven goûtait à peine aux plats. Son dégoût fut à son comble lorsqu'elle vit Waldo qui essayait d'avaler une alouette entière.

La grande salle était remplie de chevaliers, d'écuyers et d'hommes d'armes. Des tables avaient été dressées en grand nombre. Raven chercha des yeux Drake parmi l'assistance et ne le vit pas. Pourtant, tout le monde avait été informé en arrivant qu'un banquet serait donné chaque soir jusqu'à la fin du tournoi.

Quel dommage que Drake la haïsse à ce point-là ! pensa-t-elle. S'ils avaient été en meilleurs termes, elle aurait peut-être pu s'en faire un allié…

Une idée, tout à coup, lui traversa l'esprit. Une idée saugrenue, indigne qu'on s'y attarde. Mais elle n'avait pas tant de choix que cela. Elle avait hâte de raconter à Drake ce qui s'était réellement passé, autrefois, quand il avait essayé de s'enfuir avec Daria. En admettant qu'il la croie, il l'aiderait peut-être à échapper à cet affreux mariage.

Soudain, le silence se fit dans la grande salle. Raven releva les yeux pour voir ce qui se passait. Il était là. Le Chevalier Noir. Sanglé dans un pourpoint et des chausses noirs. À son apparition, les conversations s'étaient interrompues.

Raven le regarda attentivement. Elle aurait bien aimé toucher ses lèvres pour voir si elles étaient aussi fermes qu'elles en avaient l'air. Sa physionomie était anguleuse. La lumière et les ombres y contrastaient violemment. On aurait cherché en vain sur ses traits le souvenir de son visage d'autrefois, tout en rondeurs.

Il était, par ailleurs, si bien bâti qu'elle en eut le souffle coupé. Des muscles et pas une once de gras. Parmi les nombreux hommes présents, pas un seul n'était digne de le déchausser.

Lorsqu'il fut assis au milieu de ses hommes, les conversations reprirent peu à peu. Quelqu'un lui parla à l'oreille et il sourit. C'était la première fois que Raven le voyait sourire, et ce spectacle la mit en émoi. Elle se hâta de détourner les yeux, par crainte que Waldo ne s'aperçût qu'elle continuait de s'intéresser au Chevalier Noir.

— Tu ne manges pas, lui dit Waldo. Ne trouves-tu rien à ton goût ?

— Je n'ai pas très faim, répondit-elle.

Waldo se rembrunit.

— Tu es trop maigre, lui lança-t-il en la regardant de haut en bas. Je n'aime pas les sacs d'os. Quand tu porteras mon enfant, tu auras intérêt à manger plus que cela et à faire du lard.

À cette idée, Raven n'eut plus faim du tout.

Drake essayait de faire comme s'il ne se rendait pas compte que Raven avait les yeux fixés sur lui. La maigrichonne qu'il avait connue jadis était devenue une vraie beauté : un œil exercé décelait aisément sous l'étoffe de sa tunique des courbes pleines et charmantes.

Mais il ne voulait pas y penser. Il ne se souciait guère de Raven de Klyme, si délectable fût-elle.

— Pourquoi fais-tu cette mine de dix pieds de long ? lui demanda messire John. Nous sommes à la fête, que diable ! Ce n'est pas le moment d'avoir l'air sombre.

Il regarda dans la même direction que Drake.

— Ne s'agit-il pas de la future mariée ? reprit-il en souriant.

— Raven de Klyme en personne, confirma Drake. Je l'ai connue toute petite.

— Tu as été page ici dans ton jeune temps, si j'ai bonne mémoire ?

— C'est vrai. J'ai été éduqué parmi les écuyers de monseigneur Nyle. C'était avant qu'il ne me bannisse.

— Ah, oui, ça me revient ! dit John, l'air pensif. Tu étais tombé amoureux de Daria de Klyme, la sœur aînée de Raven, mais elle était fiancée à ton demi-frère… Qu'est-il arrivé à Daria ? Et comment se fait-il que Raven s'apprête à épouser Waldo ?

— Daria est morte quelques mois après son mariage. Selon ce que j'ai compris, Waldo a demandé une dispense au pape lorsque Raven s'est retrouvée libre, son fiancé en titre ayant été tué à Crécy.

— D'après le son de ta voix, dit John, j'ai l'impression que tu n'aimes guère Mlle Raven. À moins que tu ne l'aimes un peu trop ?

— Voilà bien de la finesse ! s'exclama Drake. Je n'aime pas du tout Raven de Klyme. Autrefois, c'était une menteuse, une trompeuse et une comploteuse. À mon avis, elle a tout pour s'entendre avec un Waldo.

Drake mangea et but sans excès. Il voulait avoir l'esprit clair le lendemain, pour l'ouverture du tournoi. Laissant ses hommes s'amuser, il finit par s'éclipser vers minuit.

Lorsque Raven le vit s'en aller, elle décida de le suivre, avec l'espoir de le rattraper avant qu'il n'ait franchi l'enceinte du château. Prétextant une indisposition, elle quitta la grande salle. Mais, au lieu de prendre l'escalier jusqu'à son appartement, elle sortit dans la cour par une porte dérobée.

3

Deux loups après une brebis.

Raven rattrapa Drake dans les écuries, où il était allé récupérer son cheval. Entendant venir quelqu'un dans son dos, il se retourna, la main sur la poignée de son épée.

Stupéfaite, Raven se figea et ravala son souffle.

— Drake, c'est moi, Raven! murmura-t-elle d'une voix étouffée.

Drake se détendit. Mais visiblement, il se méfiait de tout le monde dans ce château.

Avec une trace de dédain dans la voix, il demanda:

— Que viens-tu faire ici, milady?

— Je voudrais te parler.

— Ton fiancé est-il au courant?

Elle détourna les yeux.

— Je, euh… non, balbutia-t-elle.

— Ce que tu peux avoir à me dire ne m'intéresse nullement.

Il se détourna. Elle l'agrippa par le bras.

— Drake, je t'en prie, écoute-moi. C'est important. Il faut que tu saches ce qui s'est vraiment passé la nuit où tu as essayé d'enlever Daria.

— C'est sans conséquence, dame Raven. Daria est morte depuis longtemps.

— Nous étions amis, autrefois, Drake. Je me suis même cru amoureuse de toi.

Il ricana.

— Tu n'étais qu'une petite fille à l'époque. Beaucoup d'eau a coulé sous les ponts depuis lors. Je ne suis plus le candide jouvenceau que tu as connu.

— Crois-tu que je ne le sais pas ? Il suffit d'un coup d'œil pour voir le changement. Tu es devenu un homme extraordinaire.

Drake hocha la tête d'un air navré.

— Il n'est point de vile flatterie sans vil motif, énonça-t-il. Qu'attends-tu de moi ?

— Je voudrais que tu me croies.

— Pourquoi y tiens-tu ?

— Si je peux te convaincre que ce n'est pas moi qui vous ai trahis cette nuit-là, peut-être accepteras-tu de me rendre un service.

Drake lui sourit avec malignité.

— Je commence à comprendre. Une fois, tu m'as demandé de t'embrasser et j'ai refusé... Est-ce un baiser que tu veux ? demanda-t-il d'une voix dure. Je suis un homme, j'ai du sang dans les veines. Je ne refuserais pas cette fois, Raven de Klyme.

Machinalement, elle recula d'un pas.

— Non, ce n'est pas...

Sans lui laisser le temps de terminer sa phrase, il la prit par les bras et la plaqua contre lui. Elle essaya de le repousser, de toutes ses faibles forces.

— Drake, je n'ai jamais...

— Je sais exactement ce que tu attends de moi.

Sans plus de formalité, Drake appliqua sa bouche contre celle de Raven. Elle trouva qu'il avait les lèvres brûlantes mais, tout compte fait, moins fermes qu'elle ne l'aurait cru. Il l'embrassait avec ardeur, avec férocité. Lorsqu'il lui prit le sein et le palpa, elle poussa un petit gémissement de volupté.

Emportée par un mystérieux élan, elle se serra contre lui. C'est le moment qu'il choisit pour la repousser. Elle leva vers lui des yeux ronds de stupeur. Il la regarda d'un air moqueur.

— Est-ce cela que tu voulais, milady ? Avais-tu envie de comparer ma façon d'embrasser avec celle de ton futur époux ?

Raven fit plusieurs pas en arrière, comme si elle avait reçu une gifle.

— Non, il ne s'agit pas de cela ! protesta-t-elle sur le ton de l'innocence outragée. Si je t'ai suivi jusqu'ici, c'est parce que j'espérais qu'au nom de notre ancienne amitié tu m'accorderais ton aide.

Drake la dévisagea. Elle avait perdu son voile et son serre-tête lorsqu'il l'avait attirée contre lui sans ménagement et ses tresses cuivrées brasillaient dans la clarté de la lune. Elle était si belle qu'il en eut le souffle coupé.

Il s'exhorta à ne pas oublier que sous cette apparence adorable se cachait une âme noire. Mais, en même temps, il se demandait pourquoi elle avait l'air aussi désemparée.

— Comment pourrais-je t'aider ? demanda-t-il. Tu as tout ce qu'une femme peut désirer. Tu es promise à un riche et puissant seigneur et tu seras bientôt comtesse.

— Tu ne comprends toujours pas ?

— Non. Il commence à se faire tard, dame Raven. Je dois me reposer si je veux être frais et dispos pour le tournoi de demain.

Elle le retint par la main. Il sentit une vague de chaleur lui remonter le long du bras et se répercuter dans toutes les parties de son corps – en particulier celles qu'on appelle honteuses. Ce ne fut pas aussi fulgurant que lorsqu'il l'avait embrassée mais très agréable quand même.

— Écoute-moi jusqu'au bout, dit Raven sur un ton suppliant. Je ne veux pas épouser Waldo. Il me répugne. Je le hais. Je le suspecte d'être responsable de la mort de Daria et… et j'ai peur de lui.

Drake s'efforça de paraître impassible. S'il avait eu le moindre indice que Waldo était responsable de la mort de Daria, il lui aurait crevé la panse sans pitié ni remords.

— Quelle raison aurait-il eue d'assassiner Daria ?

— Je n'en sais rien, chuchota Raven. Je n'ai pas de preuve. C'est juste un je-ne-sais-quoi... ici, précisa-t-elle en se touchant le cœur.

— Si ce mariage représente pour toi l'abomination et la désolation, pourquoi y as-tu consenti ?

— Je n'y ai pas consenti ! Duff et Waldo sont les meilleurs amis du monde. Après la mort d'Aric, Duff a promis de ne me donner à personne tant que le pape ne se serait pas prononcé sur la demande de dispense que lui avait adressée Waldo. Il paraît que Waldo a dépensé une fortune pour graisser la patte à des personnes influentes et finalement la dispense est arrivée. J'ai eu beau pleurer et supplier, Duff ne s'est pas laissé convaincre de me fiancer à quelqu'un d'autre, ou bien de m'autoriser à rester fille.

Drake sourcilla.

— Qu'attends-tu exactement de moi, milady ?

Raven regarda furtivement en direction du donjon avant de se diriger vers un recoin obscur de l'écurie. Intrigué par son manège, Drake la suivit.

— Le mari d'une de mes tantes exerce une charge dans la maison du roi d'Écosse, dit Raven en parlant tout bas. Elle habite près d'Édimbourg. Tout ce que je te demande, c'est de m'y conduire avant que le mariage n'ait lieu. J'ai l'intention de me jeter aux pieds de ma tante et d'implorer sa protection.

— Je n'ai pas de temps à perdre avec toi, bougonna Drake. Tu n'es qu'une mijaurée. Le mariage te fera le plus grand bien, crois-moi !

— Quelle insensibilité ! soupira Raven. Ce n'est pas digne d'un chevalier.

— Tu ne t'attendais quand même pas que je mêle mes larmes aux tiennes ? rétorqua-t-il.

— Allons, Drake ! Waldo te répugne autant qu'à moi, affirma Raven. Tu n'éprouves donc aucune colère ni aucune révolte quand c'est lui qui hérite alors que c'est toi l'aîné ?

Les paroles de Raven rouvraient d'anciennes blessures. Quand il était petit, sa mère et sa grand-mère n'avaient cessé de lui répéter que l'union de Basil avec Leta était légale et bénie et qu'il n'était pas né en dehors des liens du mariage. Nola avait juré qu'il en existait la preuve et que, le moment venu, Drake l'aurait. Mais, aujourd'hui, que lui importait la légalité de sa naissance ? Il n'avait plus rien à prouver à personne. Il était le Chevalier Noir. Grâce à ses talents et à sa bravoure, il s'était acquis un nom glorieux. Il n'en avait pas besoin d'un second.

— Waldo possède le duché de Lleyn, grand bien lui fasse ! Moi, j'ai Windhurst, et un titre que le roi lui-même m'a conféré.

— Je t'en conjure, aide-moi, messire Drake, supplia Raven. Je suis au désespoir.

Son beau visage était pâle comme un linge. Avec ses grands yeux mouillés, elle ressemblait à une biche aux abois. Drake faillit compatir. Il savait qu'elle n'aurait pas la vie facile avec Waldo comme mari. En France, Waldo s'était acquis une épouvantable réputation. On disait qu'il aimait mieux le carnage que la guerre, le pillage que la bataille. Entre Crécy et Calais, lui et ses hommes avaient été incapables de croiser une ferme sans la brû-ler, un bourg sans le mettre à sac, une femme ou une fille sans la violer. Sa cruauté envers les prisonniers était sans limites et la clémence d'Édouard à Calais l'avait fait grin-cer des dents : si cela n'avait tenu qu'à lui, les six bour-geois auraient été pendus haut et court et le reste des Calaisiens passés par le fil de l'épée ! Drake ne lui aurait pas donné son chien à garder.

Mais il était devenu dur, incapable de pitié.

— Je ne puis te venir en aide. Tu ne représentes rien pour moi, Raven de Klyme. Notre amitié est morte le jour où tu m'as trahi. Je t'ai confié un secret et tu t'es empressée de le répéter à ton père. Trouve-toi un autre champion, milady.

Fâchée de ne pouvoir le rallier à sa cause, Raven faillit répliquer vertement et se mordit la langue juste à temps.

— Qu'est-ce qui pourrait encore te faire changer d'idée ? demanda-t-elle sur un ton calme et conciliant.

Il promena sur elle un regard de maquignon, admira longuement les seins, le ventre et, pour finir, contempla d'un air rêveur l'endroit où les cuisses se rejoignent. Il avait envie qu'elle souffre autant qu'elle l'avait fait souffrir.

— Peut-être que quelques cabrioles dans la litière fraîche que je vois ici…

— Quoi ! s'exclama Raven en l'interrompant, estomaquée par tant d'impudence. Tu m'outrages ! Je suis une chaste fille et tu me demandes ce que je ne peux pas donner.

Il sourit d'un air narquois.

— Je comptais précisément là-dessus, ma gente demoiselle.

Ensuite, il fit quelque chose qu'il n'aurait jamais dû faire et qu'il n'aurait jamais fait si Raven de Klyme n'avait pas été aussi appétissante. Il la prit dans ses bras et l'embrassa de nouveau.

Tout à l'heure, Raven avait réagi comme si elle n'avait jamais connu la passion. Le baiser qu'elle s'était laissé voler avait été trop sage. Il voulait goûter toutes les saveurs de son adorable bouche, il voulait lui caresser les seins et l'entendre haleter de désir.

Lorsqu'il s'empara de ses lèvres, elle laissa échapper une petite plainte de protestation mais il passa outre, l'embrassant avec encore plus de fougue, la forçant, avec la pointe de sa langue, à desserrer les dents, pour mieux lui dévorer la bouche. Dans le même temps, sa paume se posa sur un sein rond et ferme. Ce n'était pas encore assez. Il lui suçota la langue. Elle poussa un soupir quand il trouva le mamelon et se mit à le titiller. Il le sentit durcir entre ses doigts.

Puis il glissa son genou entre les jambes. Elle ne protesta plus, ne soupira plus. Au contraire, elle poussa même un petit cri de volupté lorsqu'il lui frictionna doucement l'entrejambe avec sa cuisse. Il comprit qu'elle était à sa merci et il l'aurait peut-être renversée dans la paille si une voix n'était venue les interrompre.

— Raven, es-tu là ?

Drake commença par s'écarter mais, comme Raven flageolait sur ses jambes, il se hâta de la prendre de nouveau dans ses bras pour l'empêcher de tomber et la soutint le temps qu'elle se ressaisisse.

— Raven ? répéta la voix. Ta servante m'a dit que tu n'étais pas retournée dans ta chambre.

— Waldo, articula-t-elle dans un souffle.

Drake la libéra lorsqu'il vit Waldo marcher vers eux d'un pas droit. Il s'éclairait avec une torche. Ç'aurait été vain de songer à s'enfuir car il les avait déjà repérés.

Sitôt qu'il les eut rejoints, Waldo saisit Raven par le bras et la fit passer derrière lui.

— Par le diable ! s'exclama-t-il. Que fais-tu ici avec *lui* ? Tu n'as pas honte ? Je devrais te corriger !

— Je n'ai rien fait de mal, protesta Raven avec ardeur. Il faisait trop chaud dans la grande salle. J'étais sur le point de me sentir mal. Alors, j'ai décidé de prendre l'air avant de retourner dans mes appartements.

— Et le hasard a voulu que tu rencontres messire Bâtard ? rétorqua Waldo, toujours prompt à l'insulte.

Drake fut tenté de dégainer son épée mais il se ravisa. Tuer Waldo dans les écuries ne lui rapporterait pas un liard. Il valait mieux attendre d'être en face de lui dans la lice pour le traiter comme il le méritait.

— Retourne dans ta chambre, Raven, ordonna Waldo. Tu t'expliqueras plus tard. Tu auras beaucoup de choses à te faire pardonner, ma mie. Mais, pour l'heure, je n'ai pas le temps de m'occuper de toi. Le tournoi commence demain matin à 9 heures et je dois économiser mes forces.

Raven tourna les talons et s'éloigna. Avant de sortir de l'écurie, elle lança un dernier regard à Drake par-dessus son épaule. Un regard où se lisait tout le désespoir du monde.

— Ainsi, mon frère, c'est plus fort que toi, reprit Waldo, les lèvres aussi frémissantes que les babines d'un chien enragé. Il faut toujours que tu convoites ce qui m'appartient. Autrefois Daria et aujourd'hui Raven. Déjà à l'époque où père m'a fiancé à Daria, c'est Raven que je voulais. Raven a un tempérament de feu, comme tu l'as sans doute remarqué, et j'ai hâte de la dresser. J'ai attendu longtemps pour l'avoir, continua-t-il. Sans parler des sommes folles que j'ai dépensées en pots-de-vin ! Elle est à moi. Elle sera le plus beau fleuron de ma couronne comtale. Essaie de me la prendre et je te jure qu'il t'en cuira.

— Daria a rudement bien fait de mourir, n'est-ce pas ? Cela t'a permis de demander la main de Raven.

— Oui, elle a rudement bien fait, répéta Waldo. Tout cela est légal, Drake. Le pape lui-même m'a donné licence d'épouser Raven.

— Tous mes vœux de bonheur, lança Drake d'un ton narquois.

Dans son for intérieur, il n'était pas aussi détaché qu'il essayait de le paraître, loin de là. Raven était devenue une femme extraordinairement belle. Comment la côtoyer sans la désirer ? Elle semblait dotée de tous les charmes. Innocente et ardente à la fois, elle avait de quoi affoler plus d'un homme.

Mais était-elle vraiment aussi innocente qu'elle en avait l'air ?

— Raven et moi ne faisions que parler du bon vieux temps, dit Drake.

— Ne t'approche plus d'elle, mon frère. Tu n'as pas eu Daria et tu n'auras pas non plus Raven. Il faut te faire une raison : son pucelage est pour moi.

Waldo recula vers la sortie.

— Oh, il me vient une idée ! dit-il subitement. Je vais te faire porter une bouteille de bon vin.

Il sourit et ajouta sur un ton mielleux :

— En gage de fraternité, tu comprends ?

Drake mit un point d'honneur à ne pas lui rendre son sourire.

— Je comprends tout à fait, mon cher frère, répondit-il en le regardant s'en aller.

Drake remarqua quelque chose sur le sol et se baissa pour le ramasser. C'était le voile de Raven, celui qui était tombé quand il l'avait prise dans ses bras. En souriant, Drake le fourra sous son pourpoint.

Lorsqu'il revint au campement, il trouva son écuyer qui l'attendait. Le garçon était assis sur la couchette, polissant l'armure et le casque de Drake à la lueur d'une bougie. Il se leva d'un bond lorsque Drake entra dans le pavillon.

— Tout est en ordre, messire, annonça-t-il. Votre armure brille comme de l'or et vos armes sont bien fourbies. Y a-t-il quelque chose d'autre pour votre service ?

— Non, Evan. Tu peux rejoindre ta couche.

En quittant la tente, Evan buta contre le musculeux poitrail de messire John de Marlow.

— Monseigneur Drake est-il là ? demanda John.

— Oui, messire John, il vient juste de revenir.

John laissa partir Evan, écarta le rideau qui bouchait l'ouverture et entra. Drake l'accueillit aimablement.

— Je vois que tu as quitté le banquet avant d'être fin soûl, lui dit-il pour le taquiner.

— Tout comme toi. Je dois jouter demain matin. Ce serait sot de boire à tire-larigot la veille d'un tournoi. Sans compter que messire Duff nous a servi une bière infecte. Il doit garder la bonne pour lui.

Drake entendit des pas devant l'entrée du pavillon.

— Qui va là ? demanda-t-il d'une voix ferme, la main sur la poignée de son épée.

— Un envoyé de messire Waldo, monseigneur. Je vous apporte de sa part une carafe de son meilleur vin pour vous aider à trouver le sommeil.

— Ai-je bien entendu ? s'exclama John de Marlow en prenant une mine gourmande. Il a parlé de vin ! Je t'en conjure, Drake, ne le laisse pas moisir dehors avec son précieux fardeau.

D'ordinaire, Waldo n'était pas si prévenant. Drake se demanda ce qu'il tramait.

— C'est bon, qu'il entre ! bougonna-t-il.

L'homme d'armes entra. Il portait, par-dessus sa cotte de mailles, une tunique à carreaux bleus et jaunes, les couleurs des comtes de Lleyn depuis toujours. Après avoir salué les deux seigneurs présents, il déposa la carafe sur la table.

— Messire Waldo prie le Chevalier Noir d'accepter ce vin en gage de fraternelle affection, récita le soldat.

Drake regarda la carafe d'un œil soupçonneux.

— C'est du vin français, ajouta l'homme. Du vin de Guyenne. Il n'y en a pas de meilleur dans le cellier du château.

— À la bonne heure ! s'exclama John de Marlow, qui n'avait aucune raison d'éprouver les mêmes réticences que Drake. Le vin de Guyenne est une rareté. Sors les gobelets, mon ami, nous allons boire à nos futurs succès.

Le soldat fit mine de s'en aller mais Drake l'arrêta.

— Toi, attends ! ordonna-t-il d'une voix qui claqua comme un fouet. Comment t'appelles-tu ?

— Gareth.

— Tu es au service de Waldo depuis longtemps, Gareth ?

— Depuis qu'il est comte. J'ai combattu sous ses ordres en France comme valet d'armes.

— Waldo doit avoir confiance en toi ?

Le gaillard bomba le torse.

— Autant qu'en lui-même, monseigneur.

— Alors, tu vas boire avec nous.

John ouvrit des yeux ronds.

— Allons, Drake, protesta-t-il, ce serait du gâchis. Ce goujat préfère sans doute la bière.

— C'est tout à fait vrai, messire, dit Gareth avec jovialité. Je vous en prie, ce vin est pour vous, profitez-en bien.

— J'insiste, dit Drake.

— Pardieu, Drake, qu'est-ce qui te prend ? s'exclama John.

— Il y a des gobelets dans mon bagage, dit Drake. S'il te plaît, John, sors-en trois.

John ne comprenait toujours pas pourquoi Drake insistait tellement pour partager de l'excellent vin de Guyenne avec ce soudard, mais il obéit malgré tout. Il sortit trois gobelets d'étain et les posa sur la table à côté de la carafe. Sur un signe de Drake, il emplit les trois gobelets. Puis, il en choisit un et le porta à ses lèvres.

— Non, John, ne bois pas, dit Drake.

À son tour, il prit un gobelet de vin, l'approcha de ses narines et le huma.

— Enfin, pas tout de suite, ajouta-t-il. Gareth va boire en premier.

Il tendit le gobelet à Gareth et observa sa réaction. Comme il l'avait un peu prévu, Gareth ouvrit des yeux horrifiés.

— Goûte-moi ça, mon brave, proposa Drake en souriant. Tu ne dois avoir souvent l'occasion de boire du bon vin français.

— As-tu perdu l'esprit ? dit John.

— Bois, Gareth ! ordonna Drake, sans faire le moindre cas de la protestation de John.

— Non ! s'écria Gareth. C'est impossible !

Il renversa le vin sur le sol, tourna le dos et s'en alla aussi vite que s'il avait eu des ailes aux talons. Du coup, John considéra son gobelet avec perplexité.

— Mais, enfin, que se passe-t-il ?

— Ne bois pas ce vin, John, dit Drake. Il est empoisonné.

John frémit et reposa délicatement son gobelet sur la table.

— Morbleu, Drake, en es-tu sûr ?

— Non, mais tu as vu comment le messager de Waldo s'est comporté quand je lui ai demandé de boire en premier ? Tu peux le goûter si tu veux mais je ne te le conseille pas.

— Je ne vais pas m'y risquer, dit John. J'aime mieux te croire sur parole. Qu'est-ce qui t'a rendu méfiant ?

— Je connais Waldo, il ne fait rien sans motif. Il m'a toujours haï. Pourquoi, d'un seul coup, me ferait-il parvenir une carafe de son meilleur vin ? J'ai tout de suite soupçonné une perfidie. Peut-être que ce vin nous aurait seulement mis hors d'état de prendre part au tournoi de demain, mais je pense plutôt qu'il nous aurait tués.

John frémit de nouveau.

— Waldo, t'empoisonner ? Mais quel intérêt trouverait-il à ta mort ? C'est lui qui est comte de Lleyn, pas toi. Il est clair pour tout le monde que c'est lui l'héritier de monseigneur Basil et que tu es…

— Un bâtard, dit Drake, achevant la phrase que John avait laissée en suspens. Écoute-moi bien, John : un jour, j'établirai que c'est moi l'héritier légitime du comté de Lleyn. Il en existe une preuve, j'en suis persuadé. Ma grand-mère Nola m'a dit qu'il faudrait qu'un jour je connaisse la vérité et que, le moment venu, elle m'aiderait à la découvrir.

— Ta grand-mère est une femme d'une grande sagesse, dit John.

— Oui, et puis, malgré son âge, elle a toujours bon pied bon œil… et une excellente mémoire. À une certaine époque, j'ai craint que Waldo ne s'en prenne à elle. Mais il n'y avait que lord Nyle et mon père qui savaient où elle était et ils sont morts tous les deux.

John regarda fixement la carafe et demanda ce qu'ils allaient faire de ce vin. Drake le versa dans la terre derrière le pavillon et il réveilla son écuyer.

— Que puis-je faire pour votre service, monseigneur ?

Drake lui tendit la carafe.

— J'ai une course pour toi, mon garçon. Porte ceci à messire Waldo. Dis-lui que son vin était un vrai nectar et que je lui suis infiniment reconnaissant de son geste attentionné… Tu sauras t'en souvenir ?

— « Vrai nectar », « infiniment reconnaissant de son geste attentionné », répéta le garçon d'une voix monocorde. C'est entendu, monseigneur.

— Et tu ne donnes cette carafe à personne d'autre que messire Waldo. Tu la lui remets en main propre. S'il le faut, tu insistes, c'est bien compris ?

— Oui, monseigneur, vous pouvez compter sur moi ! répondit Evan avant de décamper.

John de Marlow rit doucement.

— J'ai dans l'idée que messire Waldo va être surpris de te voir en pleine forme demain matin, dit-il.

— Je le crois aussi, mon cher John. Je le crois aussi.

John s'en alla et Drake retourna dans son pavillon. Il repensa à Raven et à tout ce qui s'était passé ce soir. Elle n'avait cessé de le surprendre, autant avec ses pathétiques appels au secours qu'avec ses doux baisers et ses élans passionnés. Il avait voulu lui jouer une mauvaise farce en l'embrassant. Mais, au lieu de manifester son dédain, il s'était enflammé de désir et il avait failli la culbuter dans la paille, la trousser et la prendre.

Sacrebleu ! Que lui arrivait-il ? Raven était précisément le genre de créature dont il avait appris à se méfier : perfide et belle en même temps. Une diablesse comme Raven de Klyme ne méritait pas mieux qu'un démon comme Waldo de Lleyn. Drake n'oubliait pas que c'était à cause de Raven qu'il avait été empêché d'épouser Daria. Même s'il ne pouvait pas savoir ce qui se serait passé ensuite, il était au moins certain d'une chose : que Daria serait encore en vie. Mais Raven les avait dénoncés à son père et l'histoire avait changé de cours.

Il dormit mal cette nuit-là car une sublime créature aux yeux verts et aux tresses auburn ne cessa de hanter ses rêves.

Raven était assise sur le rebord de la fenêtre, tout habillée et pas fatiguée du tout. Depuis sa chambre au sommet du donjon, elle pouvait voir la myriade de pavillons érigés de l'autre côté des remparts. Elle savait exactement où se trouvaient Drake et sa suite car elle était montée sur le chemin de ronde dans l'après-midi et elle avait demandé à l'une des sentinelles de lui montrer le campement du Chevalier Noir. Elle avait reconnu la tente de Drake à la bannière noire ornée d'un dragon rouge qui flottait au-dessus.

Raven poussa un soupir navré. Drake lui avait infligé la pire humiliation de sa vie en la repoussant. Elle porta la main à ses lèvres, qui picotaient encore d'avoir été goulûment embrassées. Et son corps ! Oh, c'était comme si elle venait de découvrir soudain, à vingt-quatre ans, qu'elle était faite de chair et de sang. Et elle n'aurait jamais cru que le corps d'un homme puisse être aussi ferme. Que Dieu la damne mais elle aurait été capable d'embrasser Drake jusqu'à la fin des temps.

Perdue dans ses rêveries, Raven sursauta lorsque Thelma fit irruption dans sa chambre avec Waldo sur ses talons.

— Je lui ai dit que vous dormiez, maîtresse, et que ce n'était pas convenable d'entrer dans votre chambre sans se faire annoncer mais il n'a rien voulu écouter.

— Toi, la souillon, dehors ! hurla Waldo. Et referme la porte derrière toi !

Thelma lança à Raven un regard d'excuse et s'empressa de filer. Raven se prépara à affronter la colère de Waldo. Elle n'eut pas longtemps à attendre.

— Ta conduite est inqualifiable, Raven, lui reprocha-t-il d'une voix grondante. Je ne peux pas tolérer que ma femme se mette dans des situations compromettantes.

— Je ne suis pas encore ta femme, répondit Raven sur un ton raisonnable. Et la situation n'avait rien de compromettant. Drake et moi, nous ne faisions rien de pire que d'évoquer de vieux souvenirs.

— Je ne suis pas idiot, Raven. Je sais que Drake t'a embrassée. Regarde-toi ! Tes lèvres sont gonflées et tu es toute rouge.

Il avança vers elle, l'air menaçant. Elle battit en retraite jusqu'à ce qu'elle se retrouve adossée au mur.

— Ça ne va pas se passer comme ça, éructa-t-il en séparant bien les mots.

— Tu m'accuses à tort, protesta Raven. Tu crois que je ne sais pas que tu as couché avec l'une des servantes la nuit dernière ?

— Quand bien même ce serait vrai, cela ne te regarde pas ! Écoute-moi bien, Raven de Klyme, il y a longtemps que j'ai envie de toi. Tu m'obsèdes depuis l'époque où tu n'étais encore qu'une insupportable gamine avec une tignasse rouquine. J'ai patiemment attendu mon heure. Sous peu de jours, tu seras ma femme. Tu gouverneras ma maison et tu porteras mes enfants. Mais, si belle sois-tu, n'oublie jamais que je suis ton seigneur et maître.

— Tais-toi, tu me soulèves le cœur ! s'écria Raven. Je n'ai nulle envie d'être ta femme et je n'ai nulle envie d'être la mère de tes enfants.

Waldo la saisit par la collerette de sa robe et l'attira vers lui.

— Ne t'avise plus jamais de me parler comme ça ! dit-il d'un ton menaçant. Lorsque tu seras ma femme, je t'apprendrai l'obéissance. Tu as eu trop de liberté étant fille. La plupart des femmes de ton âge sont mariées depuis longtemps et ont donné une descendance à leur époux.

— Laisse-moi ! ordonna Raven en essayant de lui faire lâcher prise.

— Jamais de la vie ! Tu es mienne, Raven. Les voies du Seigneur sont impénétrables, dit-on. Si Dieu n'avait pas voulu que tu m'appartiennes, il n'aurait pas rappelé à lui Daria et puis Aric. Comme j'ai hâte d'être au soir de nos noces pour enfin prendre ton pucelage.

Joignant le geste à la parole, il colla son ventre contre celui de Raven et remua le bassin d'avant en arrière de façon obscène. En même temps, il l'embrassa. Ou plutôt, sa bouche se posa sur celle de Raven avec la délicatesse d'un épervier qui s'abat sur une colombe. Il ne réussit qu'à lui faire mal, redoublant son désir d'échapper à ce mariage.

Elle devait absolument convaincre Drake de l'aider. Il existait sans doute un moyen de le faire revenir sur son refus.

S'armant de courage, Raven plia une jambe. Elle avait prévu de repousser Waldo avec son genou. Mais elle atteignit l'entrejambe. Il poussa un cri de douleur et répliqua par un coup de poing au jugé. Elle le reçut au milieu de la joue. Sous la violence du choc, elle fit un quart de tour et tomba par terre.

Waldo, pendant ce temps-là, était plié en deux, le souffle coupé, le visage écarlate, les yeux brillants de larmes.

Raven le regarda avec stupeur. Son petit mouvement de rébellion venait de lui apprendre quelque chose d'utile et qu'elle n'oublierait pas de sitôt, à savoir que les hommes avaient tendance à prendre pour leur point fort ce qui était précisément leur point faible.

Le curé du village dit une messe le lendemain matin. La célébration eut lieu dans un champ car ni la chapelle du château ni l'église du village n'étaient assez grandes pour accueillir un tel concours de seigneurs, de chevaliers et d'écuyers.

Ensuite, Drake retourna à son pavillon afin de se préparer pour le tournoi qui devait bientôt commencer. Avec l'aide de son écuyer, il s'équipa. Son armement consistait en une lance et une épée. Mais il n'était pas question de combattre à fer émoulu : le fer de la lance et la lame de l'épée étaient garnis d'un anneau de fer appelé *frette*. Les armes rendues moins dangereuses par ce moyen étaient dites *courtoises*. Un épais bouclier de bois doublé de cuir devait suffire à encaisser les coups. L'armure de Drake était noire, ainsi que son casque et son panache. Par-dessus son armure, il portait une tunique à ses couleurs : noire, ornée d'un dragon rouge. Lorsque le héraut d'armes demanda aux jouteurs de se tenir prêts, Drake monta sur son destrier, tout harnaché et caparaçonné de noir, chevaucha jusqu'à la lice et attendit son tour.

Raven était assise à la place d'honneur dans la tribune, au milieu d'autres grandes dames. Elle portait une robe de velours pourpre bordée d'hermine. Cette couleur aurait dû jurer avec sa chevelure flamboyante mais ce n'était pas le cas. Raven n'en paraissait que plus magnifique. Elle ne portait pas de ces hennins à la nouvelle mode mais une résille de perles dans ses cheveux et un voile qui lui couvrait presque tout le visage.

Waldo chevaucha jusqu'à la tribune et abaissa sa lance devant Raven en signe d'allégeance. Elle tira un ruban de sa manche et le noua au bout de la lance. Waldo porta la main à son cœur, fit demi-tour et éperonna son cheval. Drake, qui n'avait rien perdu de ce manège, sourit en pensant au voile de Raven qu'il avait ramassé hier dans les écuries et qu'il portait sur lui.

Alors qu'il s'en allait prendre place au bout de la lice, Waldo croisa le regard de Drake. Drake se doutait bien que son frère ne s'attendait pas à le voir ce matin aussi fringant. D'ailleurs, Waldo resta bouche bée et pâlit. Drake le salua avec désinvolture.

Un court instant plus tard, deux chevaliers entrèrent en lice et prirent place chacun à un bout de la barrière. Sur un signe du héraut d'armes, ils foncèrent l'un vers l'autre, lance en avant.

Le chevalier que Drake encourageait, messire William de Dorset, reçut un coup terrible au milieu de son écu. En même temps, il atteignit son adversaire en pleine visière. Les deux cavaliers vidèrent les étriers, se relevèrent, sortirent leurs épées et continuèrent le combat à pied. Messire William gagna haut la main. Sa victoire fut saluée par des hourras.

Les joutes se succédèrent. Messire John de Marlow fut le suivant. Drake eut la joie de le voir désarçonner facilement son adversaire. Messire Richard, un autre chevalier de son contingent, fut le suivant à entrer en lice et gagna.

Ensuite vint le tour de Drake. Il rabattit sa visière et se mit en place. Lorsque le héraut d'armes donna le signal, Drake fonça sur son adversaire et lui fit vider les étriers. Le vaincu s'assomma en tombant. Ses écuyers se précipitèrent, le couchèrent sur une civière et l'emportèrent en dehors de la lice.

Drake jouta encore trois fois ce jour-là. Un chevalier marquait des points quand il faisait tomber un adversaire, quand il lui touchait le heaume ou quand il rompait une lance contre son écu. À la fin de la journée, Drake et Waldo avaient engrangé beaucoup plus de points que les autres jouteurs. Ils devinrent, dès lors, les deux favoris pour la victoire. Comme il ne pouvait y avoir qu'un seul vainqueur, tout le monde comprit que l'affrontement entre le Chevalier Noir et Waldo de Lleyn serait le temps fort du tournoi.

4

Qui a lancé au poing, tout lui vient à point.

Au banquet, ce soir-là, il y eut du vacarme. Les chevaliers qui avaient gagné célébrèrent bruyamment leur victoire et ceux qui avaient été désarçonnés protestèrent à cor et à cri contre l'énormité du tribut à payer. Selon la coutume, les vainqueurs faisaient payer l'amende aux battus et s'appropriaient leurs chevaux, armures et armes. Ainsi, de tournoi en tournoi, les chevaliers les plus doués gagnaient de riches butins tandis que les perdants rentraient chez eux saignés aux quatre veines.

Drake s'était acquis gloire et fortune en participant à des tournois aux quatre coins de l'Angleterre. Après celui-ci, il aurait les moyens de restaurer Windhurst, sa forteresse décatie, là-bas, dans les landes du Wessex, et d'engager des mercenaires pour la garder.

Les conversations s'interrompirent lorsque Drake entra dans la grande salle à pas lents. Tout de noir vêtu, il ressemblait à un oiseau de proie au milieu d'une volée de paons multicolores. Et Waldo était le plus bariolé de tous. Son pourpoint ocre chargé de broderies jurait péniblement avec son teint rouge brique, et ses chausses à raies jaunes et bleues ne faisaient rien pour affiner sa silhouette courtaude.

Au lieu de s'asseoir à sa place, Drake se dirigea vers la table d'honneur, s'arrêtant au passage pour remercier les chevaliers qui le complimentaient. Arrivé à destination, il gratifia son demi-frère d'un sourire moqueur.

— Tu étais très impressionnant, Drake, lui dit Duff en guise de bienvenue. Tu n'es plus du tout le galopin que Waldo et moi avions…

Il s'interrompit et baissa les yeux, l'air embarrassé.

— Que vous vous plaisiez à traiter de messire Bâtard ? suggéra Drake. C'est ma foi vrai.

— Tu as *vraiment* été magnifique, Drake, lui dit Raven.

— Tu es trop aimable, milady, répondit Drake.

Autant le compliment de Raven avait été chaleureux, autant la repartie de Drake avait été glaciale. Il n'osait trop la regarder, même si elle était spécialement adorable ce soir dans sa robe de velours vert foncé. Il ne voulait pas se laisser distraire. Depuis deux jours, il pensait un peu trop à elle.

— Tu as l'air en pleine forme malgré les fatigues de la journée, lui dit Waldo.

Drake comprit sans peine de quoi il voulait parler.

— Oui, j'ai eu de la chance. Aucun de mes adversaires ne m'a fait vider les arçons. Et je n'ai pas une égratignure. Garde tes compliments pour des gens qui sont capables de les apprécier, mon cher frère. À propos, le vin que tu m'as envoyé hier était délicieux. Messire John et moi, nous nous sommes régalés.

Waldo encaissa sans broncher l'allusion au vin empoisonné.

— Puisque tu l'as trouvé bon, dit-il, je t'en ferai porter un pot tout à l'heure.

— Non, ne te donne pas cette peine, surtout pas !

Le refus de Drake contenait une subtile menace que Waldo, apparemment, perçut fort bien car il détourna les yeux.

— Il faut que j'aie l'esprit clair, demain, tu comprends ? ajouta Drake.

— Je ne savais pas que tu avais fait porter du vin à Drake, dit Duff. J'espère que tu as choisi une bouteille de notre excellent vin de Guyenne.

— Il était un peu râpeux pour mon goût, dit Drake sur un ton plein de sous-entendus.

Puis, il se tourna vers Raven et fit un simulacre de révérence avant d'aller s'asseoir au milieu de ses hommes.

— Quel salaud, maugréa Waldo lorsque Drake fut hors de portée de voix.

— Sachant ce que tu penses de Drake, dit Raven, j'ai du mal à comprendre que tu lui aies offert du vin.

— Ma foi, oui, approuva Duff. Cela ne te ressemble pas, Waldo.

— Effectivement, cela ne te ressemble pas, répéta Raven en écho.

Au même moment, un soupçon lui traversa l'esprit. Un soupçon terrible, difficile à justifier... mais impossible à écarter tout à fait.

— Il faut reconnaître que Drake sans Nom a fait beaucoup de chemin en douze ans, murmura Duff. C'est quelqu'un aujourd'hui. Le Chevalier Noir ! Qui aurait prédit une chose pareille ? C'est probablement lui qui sera déclaré vainqueur du tournoi et la récompense tombera dans son escarcelle.

— Je ferai tout pour empêcher que cela n'arrive, dit Waldo d'un ton rageur.

Cela ne fit que renforcer les soupçons de Raven. Elle savait que Waldo agissait toujours par intérêt. Oubliant toute prudence, elle dit :

— Je te connais, mon cher seigneur. Quelle sorte de poison avais-tu versé dans le vin que tu as fait porter à Drake ?

Waldo lui lança un regard malveillant.

— Il n'y avait pas de poison dans le vin. Ne viens-tu pas de le voir de près ? Est-ce que mon frère t'a semblé malade ?

Raven baissa les yeux. Waldo n'avait pas l'air de quelqu'un qui proteste de bonne foi. Elle avait soif mais, en signe de défiance, au lieu de boire dans la même coupe que lui, comme c'était la coutume, elle s'en fit apporter une autre, qu'elle vida d'un trait. Waldo, mécontent, grogna, mais Raven ne fit pas attention à lui.

Pendant le repas, Raven se surprit plus d'une fois à observer Drake. Il avait l'air de prendre du bon temps. Les attractions se succédaient aussi vite que les mets. Après les jongleurs vinrent les acrobates et, après les acrobates, un trouvère, qui célébra dans un chant les hauts faits du Chevalier Noir – de quoi réjouir Raven et horripiler Waldo.

Lorsque, la bière aidant, les hommes se mirent à parler de plus en plus fort, avec des voix de plus en plus rauques, pour dire des choses de plus en plus grossières, Raven alla se coucher. Elle aurait voulu parler avec Drake, le mettre en garde contre les vils procédés de Waldo, mais elle ne voyait pas comment faire. Finalement, elle se dit que Drake devait savoir à quoi s'en tenir avec Waldo. Mais, ô, comme elle avait envie de le revoir ! Elle aurait été prête à tout pour échapper à cet abominable mariage – au besoin se donner à lui, si cela pouvait suffire à l'amadouer.

Tout n'était pas perdu. Elle avait encore un peu de temps devant elle. Demain, elle essaierait encore d'obtenir l'aide de Drake. Car il était sa seule planche de salut.

Si seulement le Chevalier Noir avait gardé quelque chose du Drake qu'elle avait connu ! songea-t-elle tristement. Mais non ! Il était devenu un rude guerrier au cœur sec, sans une once de compassion, sans charité non plus. Son amour pour Daria lui avait fait dépenser toute sa tendresse en pure perte. Aujourd'hui, il avait l'âme d'une bête de proie, pétrie d'orgueil et de rapacité.

« Que pourrais-je faire pour le persuader de m'aider, se demanda Raven, alors que la chose qui n'a pas changé pendant toutes ces années, c'est la haine que je lui inspire ? »

Le tournoi recommença le lendemain après la messe. Il faisait beau et chaud, ce que tout le monde considéra comme de bon augure. Drake entra en lice vers midi. Dès le premier assaut, il transperça l'écu de son adversaire, qui fut désarçonné. Le combat continua à pied. Les deux chevaliers tirèrent l'épée. Le duel, là encore, fut bref. Drake frappait de taille et d'estoc avec une vigueur extraordinaire. Son adversaire reçut un coup sur le sommet du crâne. La lame lui glissa sur le casque et s'abattit, avec une violence à peine moindre, sur son épaule. De saisissement, il lâcha son épée et son sort fut scellé. Il y perdit son cheval, son armure et ses armes, qui allèrent s'ajouter au grand nombre de trophées que Drake avait déjà remportés et qu'il entendait bien restituer à leurs propriétaires contre monnaie sonnante et trébuchante.

La journée passa. Le soir venu, Drake se retrouva fatigué mais content de lui. Il avait remporté toutes les joutes auxquelles il avait pris part et il s'était enrichi considérablement.

Drake ne resta que peu de temps au banquet ce soir-là. Au cours du repas, il ne cessa d'observer Raven. Il fut bien obligé de remarquer sa tristesse. Elle n'avait pas l'air de se plaire à côté de Waldo. Chaque fois qu'il se penchait vers elle, immanquablement elle avait un mouvement de recul. S'il mettait devant elle un bon morceau, elle n'y touchait pas. Drake faillit éclater de rire lorsque Raven refusa de boire dans la même coupe que Waldo.

Il avait beau ne pas aimer Raven, il ne pouvait s'empêcher de l'admirer. Elle avait du cran. Peut-être un peu trop pour son bien, songea-t-il. Si elle continuait de défier Waldo, elle risquait de s'en repentir. Drake savait que Waldo était un scélérat et qu'il ne permettrait jamais que sa femme lui tienne la dragée haute. L'espace d'un instant, il fut tenté de la plaindre. Mais, à quoi bon ? Cela ne sert à rien de compatir avec les gens lorsque l'on n'a pas l'intention de les aider.

Raven quitta le banquet de très bonne heure. Drake, peu de temps après, sortit de la grande salle sans se faire remarquer. Il avait donné quartier libre à son écuyer, et ses hommes ne semblaient pas prêts à aller se coucher.

Lorsqu'il eut regagné son pavillon, il ne prit même pas la peine d'allumer une chandelle. Il se déshabilla dans l'obscurité et se coucha. Il était épuisé, il avait mal partout car les joutes avaient été rudes. Et la journée du lendemain promettait d'être plus éprouvante encore. Il s'endormit presque tout de suite.

Quelques minutes plus tard, son sixième sens le prévint d'une menace et il se réveilla en sursaut. L'intérieur de la tente était obscur. Il se força à continuer de respirer lentement comme un dormeur. Il ne pouvait rien voir mais il sentit une présence étrangère. Quelqu'un était penché au-dessus de lui.

Il fallait réagir vite car Waldo était tout à fait capable de lui avoir envoyé un assassin. Drake se saisit du coutelas caché sous son oreiller et, repoussant la couverture, se jeta sur l'intrus, qui tomba à la renverse en poussant un cri aigu. Déjà, Drake levait son coutelas, armait son coup. Mais quelque chose l'arrêta au milieu de son geste. Il venait de s'apercevoir que son adversaire appartenait au beau sexe. C'était des seins de femme qui s'écrasaient contre sa poitrine ; c'était des courbes féminines qu'il enserrait entre ses cuisses musculeuses. Il se mit à ricaner.

— C'est digne de Waldo d'envoyer une donzelle pour accomplir la sale besogne, murmura-t-il à l'oreille de sa captive.

Elle essaya de parler mais il la bâillonna d'une main tandis que, de l'autre, il la fouillait, à la recherche d'une arme.

— Quoi ? Pas de dague ? Pas de coutille ? Tu n'espérais quand même pas me tuer à mains nues ?

La femme secoua la tête et grogna mais Drake continua de lui appuyer sur la bouche.

— Oh, tu as de jolies formes, lui dit-il en continuant de la palper. Tu dois être une des putains de Waldo.

Elle essaya de le mordre mais, comme il s'attendait à ce vilain tour, il esquiva.

— Cette fois, je m'en vais accepter de bon cœur le présent que mon cher frère m'envoie. Tu ne peux pas être plus nocive que son vin.

Lorsqu'elle se rendit compte qu'il était en train de lui retrousser ses jupes, elle se débattit de toutes ses forces, mais elle fut incapable d'empêcher qu'il ne lui mette la main entre les jambes.

— Tu es exquise, murmura-t-il. Ce n'est vraiment pas la peine de te voir pour t'apprécier. Mes doigts me disent tout ce que j'ai besoin de savoir.

Raven fut prise de panique lorsqu'elle se rendit compte que Drake était en train de la trousser et de lui glisser une main entre les cuisses.

Et, pour autant qu'elle puisse en juger, il était entièrement nu !

Elle avait quitté le château en catimini pour implorer une dernière fois l'aide de Drake. Le croyant endormi, elle s'était penchée. Ce qui était une grave erreur, ainsi qu'elle avait pu s'en rendre compte lorsqu'il lui avait sauté dessus sans crier gare.

Rendre visite au Chevalier Noir à l'improviste et en pleine nuit, ce n'était pas une bonne idée. Elle aurait été la première à en convenir. Mais elle était désemparée. Le tournoi devait s'achever le lendemain et son mariage était prévu pour le surlendemain. Elle craignait que Drake ne s'en aille aussitôt après la dernière joute, c'est pourquoi elle s'était faufilée jusqu'à son pavillon. Et maintenant, elle était sur le point de se faire violer.

Il lui écarta les jambes et s'installa sur elle, l'écrasant sous son poids. Faute de pouvoir crier, elle poussa un grognement. Il la prenait pour une traînée envoyée par Waldo pour lui nuire. Son seul moyen d'échapper au viol, c'était de lui faire savoir qui elle était.

Lorsqu'elle sentit que le membre viril de Drake était en train de frayer un chemin dans sa toison, elle essaya de nouveau de le mordre. Cette fois, les dieux furent avec elle car elle réussit à lui plonger deux canines dans la partie charnue à la base du pouce. Il ôta sa main juste assez longtemps pour qu'elle puisse crier son nom. Elle le sentit tressaillir.

— Raven ? s'écria-t-il en se redressant un peu. Pardieu !
Ce n'est quand même pas Waldo qui t'envoie !

— Bien sûr que non !

Elle essaya de le repousser mais il était aussi inébran-
lable qu'une montagne.

— Que viens-tu faire ici ? demanda-t-il durement.

— Implorer ton aide une dernière fois. Je ne peux pas
me résigner à ce mariage.

— Es-tu folle, milady ? Waldo te fera écorcher vive si
jamais il apprend que tu es venue me rejoindre nuitam-
ment dans ma tente.

— As-tu l'intention de le lui dire ? s'enquit-elle.

— Bien sûr que non !

Drake faillit perdre son sang-froid lorsque Raven bougea sous lui. Il poussa un grognement. C'était délicieux
de la tenir ainsi. Il n'avait qu'à bouger un peu les hanches
pour la pénétrer. Il fut d'abord tenté de céder à la tentation. Mais la raison finit par l'emporter. Il se rendit
compte que, s'il lui ôtait maintenant sa virginité, il serait
obligé de l'aider, sous peine d'infamie. Et il n'avait nullement l'intention de se lier les mains. Alors, quoique à
contrecœur il se redressa et s'enroula dans une couverture, malgré l'obscurité qui le couvrait déjà suffisamment.

— Tu ferais mieux de t'en aller avant que je ne change
d'avis, dit-il d'une voix rauque.

Il entendit que Raven se relevait et rajustait ses vêtements.

— Oui, je vais m'en aller, dit Raven. Mais, auparavant,
il y a une chose dont je voudrais te parler. Méfie-toi de
Waldo. Il est perfide. Je ne sais pas ce qu'il mijote encore
mais je suis presque certain qu'il avait empoisonné le vin
qu'il t'a fait porter. Comme tu n'es pas tombé malade, j'en
déduis que, toi aussi, tu as eu des soupçons.

— Ma foi, je connais bien Waldo, murmura Drake. Ce
n'est d'ailleurs pas la première fois qu'il essaie d'attenter
à ma vie. Jadis, alors que je n'étais toujours que Drake
sans Nom, simple écuyer du roi, il m'a envoyé un assas-

sin à gages. Le soudard a tout avoué avant que je ne lui passe mon épée à travers le corps. C'est étrange, non ? Pourquoi Waldo tenait-il tant à se débarrasser de moi ? À ma connaissance, je ne représente aucune menace pour lui.

— Je ne sais pas si tu représentes une menace pour lui, répondit Raven, mais une chose est sûre : Waldo te craint. Tout allait très bien tant qu'il t'a cru mort. Mais, depuis tu as fait ta réapparition en tant que Chevalier Noir, il a peur. Je ne comprends pas pourquoi.

— Je finirai bien par savoir pourquoi Waldo tient tant à me voir mort, dit Drake sur un ton qui n'augurait rien de bon.

— Je ne te reconnais plus, Drake, dit Raven. Tu es aigri, revanchard et âpre au gain. Il n'y a plus de place dans ton cœur pour la compassion.

— La vérité, c'est que je n'ai même plus de cœur, repartit Drake. Trouve quelqu'un d'autre pour tomber dans ton panneau.

— Tu étais mon dernier espoir, dit Raven dans un sanglot. Je suis perdue.

Il l'entendit s'éloigner et il se retint de lui courir après pour la prendre dans ses bras et la consoler. Si pathétique soit-elle, il n'avait pas envie de se mêler de ses affaires. Il ne lui devait rien. Elle n'était digne ni de son amour ni de sa loyauté. Toutes les filles doivent finir par se marier et donner une descendance à leur époux. Raven n'avait aucune raison de se croire différente des autres.

Maintenant, il avait hâte de quitter de maudit château. S'il avait su que c'était pour assister au mariage de Raven et Waldo, il n'y serait sûrement jamais revenu. Il avait cru que Raven était depuis longtemps l'épouse d'Aric de Flint et que Waldo, veuf de Daria, était à Lleyn, remarié et heureux en ménage.

Après le départ de Raven, Drake se souvint longtemps de ses sanglots. Une belle fille comme elle, livrée aux grossiers appétits d'un Waldo – c'était quand même déplaisant à imaginer.

La dernière journée du tournoi commença par une éclatante sonnerie de trompettes. Après avoir assisté à la messe, Drake retourna au campement pour se préparer. Son écuyer l'aida à enfiler son pourpoint à armer, en soie, rembourré d'étoupe de soie, puis sa rutilante armure noire, puis son heaume. Pour finir, il lui passa son épée et sa lance. Drake avait encore une chose à faire avant de mettre ses gantelets. Il sortit de son coffre le voile de Raven et le noua au bout de sa lance. Du coup, lorsque Waldo le vit entrer dans la lice, il le rejoignit aussitôt.

— Quelle dame t'a honoré de sa faveur ? demanda-t-il sans préambule, d'un ton plein de hargne.

Drake fit l'innocent.

— De quoi parles-tu ?

— Tu le sais aussi bien que moi, répliqua Waldo en montrant le voile.

— Quoi, tu ne le reconnais pas ? s'exclama Drake en le lui balançant devant les yeux pour le narguer. Connais-tu beaucoup de dames au château qui en possèdent d'aussi fins ?

— Des nobles dames, il en est venu de toutes parts pour assister au tournoi, répliqua Waldo. Il y en a plus d'une qui porte des voiles comme celui-ci.

— C'est un fait, murmura Drake d'un air entendu.

— Veux-tu dire que ce voile est à Raven ? demanda Waldo entre ses dents serrées. Où l'as-tu eu ?

— Je n'ai jamais dit que c'était le voile de Raven.

— Elle te l'a donné.

— Non, elle ne me l'a pas donné.

Drake cherchait à faire enrager Waldo avec ses réponses équivoques et il y réussit fort bien. Waldo devint rouge comme une pivoine.

— Il ne peut y avoir qu'un seul champion, messire Bâtard, dit-il sur un ton de méchante raillerie. La joute entre nous ne se fera pas avec des armes frettées. Au moment de m'affronter, viens avec des armes bien acérées et prépare-toi à une effusion de sang.

Sur ce, il fit pivoter son destrier et s'éloigna, laissant derrière lui des gens consternés.

— Est-il sérieux, milord ? demanda l'écuyer à mi-voix. Je ne peux pas le croire.

— Crois-le ou non, Evan, mais Waldo parlait sérieusement, dit Drake.

— Il a l'intention de te tuer, dit messire John, exprimant le sentiment général.

— Il ne me tuera pas, je te le promets, affirma Drake. Et je ne le tuerai pas non plus. Je n'ai pas besoin de cela pour gagner.

Les joutes continuèrent jusqu'à ce qu'il ne reste plus que deux compétiteurs invaincus : le Chevalier Noir et Waldo de Lleyn. L'assistance poussa un cri d'effroi en se rendant compte que les lances et les épées n'étaient pas frettées. Le héraut d'armes s'approcha de Waldo et lui demanda s'il savait que les armes n'étaient pas courtoises. Waldo fit signe que oui. Puis, le héraut s'approcha de Drake et lui posa la même question.

— Ce n'est pas moi qui l'ai voulu, expliqua Drake. Je ne fais qu'accéder à une requête de messire Waldo. Il ne veut pas jouter avec des armes frettées, je suis obligé de faire comme lui.

Le public donna l'impression de retenir son souffle lorsque Waldo et Drake allèrent prendre leur place chacun à un bout de la lice. Il était rare qu'on utilise des armes émoulues lors des tournois, qui ne devaient être que des simulacres de bataille, où personne ne saignait ni ne mourait.

Le héraut d'armes donna le signal de l'assaut. Drake et Waldo s'élancèrent au milieu d'une immense clameur. Le choc des lances contre les écus fit un fracas terrible mais aucun des chevaliers ne fut renversé de son cheval. Ils galopèrent jusqu'au bout de la barrière, firent demi-tour et se ruèrent l'un sur l'autre de nouveau sans même laisser souffler leurs montures. Cette fois, la lance de

Drake plongea de trois coudées au moins à travers l'écu de Waldo. Malgré la violence du choc, Waldo aurait peut-être gardé l'équilibre mais une sangle de sa selle se rompit et c'est ainsi qu'il fut désarçonné.

Drake ne se laissa pas griser par les acclamations du public car Waldo était peut-être à terre mais encore loin d'être vaincu. Tandis que Waldo se relevait, Drake descendit de cheval. Ils tirèrent l'épée. Evan accourut, prit Zeus par la bride et le guida hors de la lice.

— Maintenant, nous sommes sur un pied d'égalité, messire Bâtard, dit Waldo en tournant autour de Drake.

Drake se mit en garde et attendit l'attaque de Waldo.

— Nous ne serons jamais sur un pied d'égalité, répliqua-t-il sarcastiquement. Je suis meilleur bretteur que toi.

Waldo rugit, empoigna son épée à deux mains et frappa de toutes ses forces, à l'aveuglette. Drake esquiva facilement. Le duel devint furieux, Waldo revenant sans cesse à la charge, sa force compensant son manque de finesse. Drake parait tous les coups et répliquait avec une force égale. Waldo ne faisait que charger et battre en retraite, les pas en avant alternant avec les pas en arrière.

Les deux duellistes se tournaient autour, se jaugeaient. Chacun cognait sur le bouclier de l'autre comme un forgeron sur son enclume. Les intentions étaient féroces ; les résultats, nuls.

— Messire Bâtard, dit Waldo d'une voix assourdie par la visière de son heaume, Lleyn est à moi et Raven aussi et tu n'auras jamais ni l'un ni l'autre.

Drake se demanda pourquoi Waldo lui parlait tout à coup de Lleyn. Monseigneur Basil lui avait-il parlé ? Waldo savait-il des choses sur la naissance de Drake que Drake lui-même ignorait ? Était-il dans le secret des dieux ? Avait-il de bonnes raisons de craindre que Drake ne lui conteste un jour ses terres et son titre ?

Drake interrompit le cours de ses réflexions car Waldo se ruait de nouveau à l'attaque avec une vigueur décuplée.

Il avait prévu une riposte. Un premier coup à l'épaule avec le tranchant pour déplacer l'épaulière et un second coup au même endroit avec la pointe pour piquer la chair entre l'épaulière et le brassard.

L'assistance hurla d'une seule voix lorsque le sang gicla.

— T'avoues-tu vaincu, Waldo de Lleyn? demanda Drake d'une voix calme. J'ai versé le premier sang.

— Non! s'écria Waldo.

L'affrontement continua. Le ferraillement des épées était couvert par les hourras et les bravos du public. Personne ne s'était attendu à un tel spectacle. Une lutte à mort! Il n'y avait rien de plus horrible et de plus fascinant à la fois.

Livide, Raven regardait les deux hommes qui se battaient dans la lice comme des sangliers. Lorsqu'elle avait vu que les armes de Drake et de Waldo n'étaient pas frettées, elle avait été prise d'une frayeur indescriptible. Elle se moquait bien de ce qui pouvait arriver à Waldo; c'était pour Drake qu'elle craignait. Elle connaissait la réputation du Chevalier Noir mais elle savait aussi que Waldo était un redoutable guerrier.

Même si Drake avait refusé de l'aider, même s'il l'accusait d'une trahison qu'elle n'avait pas commise, elle ne le haïssait pas. Étant petite, elle l'avait aimé. Elle tenait toujours à lui. Par malheur, Drake n'avait jamais répondu à ses tendres sentiments.

Soudain, la foule se leva en poussant des cris. Elle se leva à son tour, au comble de l'anxiété. Mais elle poussa un énorme soupir de soulagement lorsqu'elle vit que Waldo était blessé et qu'il saignait. D'après les règles, la joute pouvait s'arrêter là.

Son cœur cessa de battre lorsqu'elle vit Waldo se précipiter sur Drake, réduisant à néant ses espoirs de voir bientôt la fin du combat.

Raven savait ce qui avait provoqué la fureur de Waldo: le voile qu'elle avait perdu dans les écuries et que Drake avait attaché au bout de sa lance comme un trophée. Mais Drake avait-il prévu que Waldo réagirait à l'insulte en demandant que les armes courtoises soient remplacées par des pointes acérées et des tranchants aiguisés ? Elle n'en était pas certaine.

Soudain, l'humeur de la foule changea, comme si tout le monde souhaitait que la querelle s'achève vite, sans autre effusion de sang. Raven admira l'habileté de Drake, qui frappait inlassablement tout en esquivant les ripostes de Waldo. Les deux hommes se mouvaient dans leurs armures avec une certaine grâce encore, malgré la fatigue et la douleur.

L'affrontement continua, mais il devint bientôt visible que le Chevalier Noir était le plus fort et le plus talentueux et qu'il se jouait de son adversaire en attendant le moment propice pour lui porter l'estocade. Et soudain, sans que personne comprenne exactement comment c'était arrivé, la lourde épée de Waldo s'envola, tournoya, retomba la pointe en avant et se ficha dans le sol trente pieds plus loin. Comme par enchantement, la pointe de l'épée de Drake se retrouva dans l'interstice entre le gorgerin et la mentonnière de Waldo, à deux doigts de sa gorge.

La foule, debout, acclama le Chevalier Noir. Puis, le héraut d'armes s'avança pour proclamer ce que tout le monde savait déjà : le gagnant du tournoi était messire Drake de Windhurst. La récompense était à lui, ainsi que le butin accumulé au fil des joutes.

Oubliant Waldo, les gens envahirent la lice, firent cercle autour de Drake pour le congratuler. Raven resta en retrait. Elle ne souhaitait pas aggraver la colère de Waldo. Elle se dépêcha de quitter la tribune. Elle avait besoin d'être seule pour réfléchir à un moyen d'échapper à cet odieux mariage. Tout le monde assisterait au banquet de ce soir. La grande salle serait animée et bruyante. Et si elle en profitait pour s'éclipser ? Et si elle prenait seule le chemin de l'Écosse ? Elle n'était pas sûre de réussir mais cela valait la peine d'essayer. Parce que, si elle était encore là demain matin, elle serait forcée d'épouser Waldo de Lleyn.

Drake se tourna vers la tribune, cherchant des yeux Raven. Il l'aperçut qui s'enfuyait. Oh, il ne s'était pas attendu à ce qu'elle vienne le féliciter. Mais il fut quand même déçu.

Échappant à ses admirateurs, Drake retourna à son pavillon. Il envisagea de prendre son or et de s'en aller sur-le-champ mais quelque chose le poussa à rester jusqu'au mariage.

5

Courte messe et long dîner, c'est la joie du chevalier.

Au banquet, ce soir-là, Drake, en tant que gagnant du tournoi, était assis à la place d'honneur, à la droite de Duff. Raven se trouvait à la gauche de Duff, et Waldo, à la gauche de Raven. Les gentilshommes et les gentes dames invités à la grande table entretenaient la conversation. L'ambiance était enjouée. Seul Waldo paraissait maussade.

Drake s'efforçait d'ignorer Raven mais il ne pouvait s'empêcher de regarder parfois dans sa direction. Il avait encore dans les narines la trace de son odeur enivrante et le souvenir de son corps doux et flexible l'obsédait à tel point qu'il commençait à regretter de ne pas l'avoir prise à même le sol de son pavillon.

Duff se pencha vers lui, ce qui eut le mérite d'interrompre le cours de ses coupables rêveries.

— La fête de ce soir n'est rien en comparaison du banquet prévu pour demain, dit Duff en se rengorgeant. Raven est la seule sœur qui me reste maintenant que Daria est morte et Waldo est mon meilleur ami. Je n'ai pas regardé à la dépense.

— Comme dit le vieil adage, ce que le gantelet gagne, le gorgerin le mange, commenta Drake.

— Après-demain, les nouveaux mariés prendront la route de Lleyn et je me retrouverai seul, ajouta Duff avec une pointe de nostalgie.

— Tu n'as pas peur pour Raven ? demanda Drake d'un ton faussement indifférent. Je me suis laissé dire que la mort de Daria était survenue dans des circonstances, comment dire ? mystérieuses.

Duff se renfrogna aussitôt.

— Tout cela est pure calomnie. La pauvre Daria est morte de maladie. Elle n'avait jamais été très robuste.

Drake se permit de le contredire sur ce point.

— Pour autant que je m'en souvienne, dit-il, la santé de Daria avait toujours été excellente.

— Autrefois, je ne dis pas, répliqua Duff avec un haussement d'épaules. Tu étais amoureux d'elle, si je me souviens bien, alors tu ne voyais pas ses défauts. Mais elle était souffreteuse et geignarde. Tu étais sur le point de t'enfuir avec elle lorsque mon père a tout découvert et qu'il t'a banni. Au fond, tu as eu de la chance dans ton malheur parce que, si tu avais épousé Daria, tu ne serais jamais devenu le glorieux Chevalier Noir. Les soucis d'un ménage auraient brisé ton élan.

Drake serra les poings. Il trouvait effarant que Duff s'apprête à marier sa seconde sœur avec l'homme qui était peut-être déjà responsable de la mort de la première. Il hasarda un coup d'œil en direction de Raven. Leurs regards se croisèrent. Celui de Drake était hostile, celui de Raven, désespéré. Elle donna l'impression de lui adresser une nouvelle supplique à laquelle il répondit, une fois de plus, par un refus. Finalement, elle baissa les yeux. Drake prit son couteau, fit mine de s'intéresser à la pièce de viande posée devant lui et s'aperçut qu'il avait le cœur gros.

Vers la fin du repas, l'on fit entrer les jongleurs et les ménestrels. Raven se leva de sa chaise, annonça qu'elle allait se coucher et quitta la salle. Alors, Waldo se retourna et dit deux mots à l'oreille de l'écuyer posté derrière lui. L'écuyer acquiesça d'un hochement de tête et suivit Raven.

— Je veux être sûr que ma future épouse passera une bonne nuit et que personne ne viendra la déranger, expliqua Waldo en fixant plus particulièrement Drake. J'ai donné l'ordre à cet écuyer de monter la garde devant la porte de sa chambre jusqu'à ce qu'elle en ressorte demain matin pour le mariage.

Duff commença par considérer Waldo d'un air ahuri et puis il hocha la tête.

— C'est très judicieux de ta part, dit-il. Je suis content de savoir que ma sœur sera en de bonnes mains avec toi, Waldo. Raven a parfois le caractère difficile mais je sais qu'elle a un bon fonds. Elle va s'assagir.

— Pour ça, oui ! s'exclama Waldo. Elle va s'assagir, j'en réponds.

Et mieux valait ne pas trop chercher à savoir par quels moyens il prévoyait de parvenir à ses fins.

Raven, folle de rage, faisait les cent pas dans sa chambre. Waldo avait eu l'audace de placer une sentinelle devant sa porte ! Waldo la retenait prisonnière ! Alors qu'ils n'étaient même pas encore mariés ! Comment la traiterait-il quand elle serait entièrement sous sa coupe ?

Afin de tester la détermination du garde, elle ouvrit la porte. L'écuyer, aussitôt, se figea dans une attitude de respect.

— Que puis-je faire pour vous être agréable, milady ? demanda-t-il.

— Écartez-vous, je veux sortir, dit Raven sur le ton le plus autoritaire qu'elle put.

— Je suis désolé de vous décevoir, milady, mais monseigneur Waldo a dit que vous n'étiez pas autorisée à sortir de cette chambre jusqu'à ce que monseigneur Duff vienne vous chercher demain matin pour vous conduire à l'église. J'ai également reçu l'ordre de ne laisser entrer personne, à part votre servante.

Raven claqua la porte au nez du jeune homme. Elle était prise au piège. Enfermée dans sa chambre. Sans la moindre chance de s'enfuir. L'idée de devenir la femme de Waldo lui faisait toujours horreur mais elle n'avait plus aucun moyen d'y échapper. Drake avait représenté son ultime espoir. Elle était perdue. Demain, les cloches de l'église, au lieu de carillonner gaiement pour le mariage, feraient aussi bien de sonner le glas.

Drake se réveilla longtemps avant l'aube. Il avait mal dormi. Pendant ses heures d'insomnie, il s'était demandé ce qui poussait Waldo à le haïr à ce point et il n'avait pas trouvé de réponse.

Il pensa au mariage qui allait avoir lieu tout à l'heure. Lorsque les cloches sonneraient neuf heures, Duff accompagnerait Raven à l'église, où Waldo attendrait sa promise. Selon la coutume, la cérémonie aurait lieu sur le parvis. Une fois que le curé du village aurait béni les époux, il y aurait un grand festin, auquel tout le monde était convié, les nobles comme les villageois. Les gentils-hommes et les gentes dames se réuniraient dans la grande salle du château tandis que les paysans et les domestiques festoieraient dans la cour.

Drake fit sa toilette dans la rivière qui coulait derrière le campement. Pour ne pas déroger à sa réputation, il s'habilla de noir des pieds à la tête mais, comme c'était jour de fête, il choisit un somptueux justaucorps de velours noir orné de broderies ton sur ton. Des chausses noires et une paire de souliers noirs vinrent compléter le costume.

Lorsqu'il eut fini de se préparer, il se rendit au village et se joignit à la foule qui attendait devant l'église l'arrivée de la mariée.

À la vue de Waldo, Drake ricana. Waldo portait une tunique en satin aux couleurs criardes, des chausses extravagantes, avec une jambe grenat et une jambe verte, et des chaussures dont la mode venait de Pologne et qu'on appelait pour cela *à la poulaine*, avec une pointe démesurée, rattachée au genou par une chaînette d'or. Il se tenait sur la plus haute marche du perron de l'église, à côté du curé. Sa figure était rouge, comme s'il avait beaucoup bu la veille et pas complètement cuvé. En attendant sa fiancée, il avait l'air content de lui.

Un frisson parcourut l'assistance lorsque Raven fit son apparition. Elle était assise en amazone sur une superbe jument blanche. Duff, dont le costume était plus bariolé encore que celui de Waldo, tenait la bride. Raven, dans ses atours de mariée, était si belle que Drake en eut le souffle coupé. Sur sa tête, elle portait un voile de fines dentelles et la résille de perles qui lui allait si bien.

Sa robe était blanche avec des broderies en fil d'or. Son manteau aussi était blanc, avec de l'hermine au col et aux manches. Le long pan du manteau était déployé sur la croupe de la jument.

Drake la dévisagea. Elle avait l'air fatiguée, comme si elle avait passé une mauvaise nuit. Ses yeux étaient cernés et ses lèvres tremblaient. Lorsqu'elle l'aperçut, elle détourna les yeux.

Devant l'église, Duff l'aida à descendre de cheval. Waldo la prit par le bras avec une vigueur que Drake trouva excessive et l'entraîna vers le curé.

La cérémonie eut lieu comme prévu. Lorsque Waldo et Raven furent déclarés mari et femme, Drake fut tellement révolté par la hideur de cette union qu'il se dépêcha de s'éloigner pour ne pas faire un esclandre. Il aurait voulu arracher Raven d'entre les bras de Waldo. Pour en faire quoi ? Franchement, il n'en avait pas la moindre idée. Il essaya de se persuader que Raven ne signifiait rien pour lui, qu'il ne l'aimait pas davantage aujourd'hui que jadis. Mais, malgré tout, il persistait à penser que Raven était trop bien pour Waldo. Pourtant, c'était Waldo qui allait lui ôter sa robe nuptiale, qui allait la serrer dans ses bras, qui allait lui prendre sa virginité.

De folles idées passèrent alors par la tête de Drake. Il ne voulait pas que ce soit Waldo qui déflore Raven. Par malheur, il n'y pouvait plus rien. Il avait refusé d'aider Raven à s'échapper et maintenant c'était trop tard.

Les réjouissances commencèrent aussitôt après la cérémonie religieuse. Duff sortit son meilleur vin français et les seigneurs comme leurs dames firent d'amples et nombreuses libations. L'assistance devint bientôt bruyante. Des plaisanteries vulgaires se mirent à fuser. Il fallait entendre aussi les opinions des uns et des autres concernant les nuits de noces et les dépucelages, sans considération pour les chastes oreilles de la mariée, qui se troublait et rougissait.

Drake aussi buvait trop mais du moins tenait-il sa langue. Il voulait se soûler pour ne pas avoir à imaginer Waldo frottant son abjecte panse contre le joli ventre de Raven.

Le festin dura jusque tard dans la nuit et la sobriété n'y eut jamais cours. Drake, le nez dans sa coupe, n'était pourtant pas ivre au point de manquer le moment où Raven s'en alla vers la chambre nuptiale. C'était presque l'heure des matines. Sa servante préférée l'accompagnait.

Waldo dit alors quelque chose d'ordurier à propos de ce qu'il avait l'intention de faire avec sa virginale épouse. Raven entendit. On la vit tressaillir avant de reprendre fièrement sa marche en avant. Un sentiment de rage s'empara de Drake. Il décida que quelqu'un devait payer pour les injustices que les seigneurs de Lleyn – son père, son grand-père, son frère – avaient commises envers sa mère et envers lui.

Waldo allait payer.

Drake savait qu'il aurait mieux fait de partir mais il continua de boire, de broyer du noir et d'observer Waldo.

Au fil des heures, les invités s'en allèrent les uns après les autres. Duff finit par prendre congé à son tour. Drake s'étonna que Waldo n'ait toujours pas rejoint sa femme. Si ç'avait été lui l'heureux époux, il aurait été impatient de consommer le mariage. Mais ce n'était pas la peine d'être grand clerc pour comprendre que Waldo, qui s'attardait à table avec ses amis, était ivre mort. Sa voix était devenue éraillée, son élocution pâteuse et ses propos d'une grossièreté infernale.

Messire John de Marlow vint s'asseoir à côté de Drake.

— Il est temps de plier bagage, lui dit-il. Oublie Waldo de Lleyn. Il est noble d'après sa bannière mais ignoble dans l'âme. Tu rentres chez toi plus riche que tu ne l'étais en partant et c'est tout ce qui compte, non ?

— Tu as vu ça ? dit Drake avec dégoût. Il laisse sa femme toute seule pendant qu'il s'amuse avec ses amis, des gredins qui ne valent pas mieux que lui. À mon avis, poursuivit-il en ricanant, il est tellement soûl qu'il ne sera pas capable de l'avoir en l'air, tout à l'heure, quand il va enfin se décider à rejoindre la mariée.

— Qu'est-ce que cela peut bien te faire ? repartit John. Allons-nous-en !

Drake était en train de se lever de son banc lorsqu'il vit Waldo croiser les bras sur la table et poser sa tête dessus.

— Regarde-moi ça, John ! Waldo vient de s'assoupir. Et ses amis qui vont s'allonger par terre dans les couloirs !

John le regarda avec inquiétude.

— Qu'as-tu en tête, Drake ? Quand tu fais cette mine-là, je sais ce que cela veut dire. Toi, tu mijotes quelque chose. Quelque chose qui ne fera pas plaisir à Waldo.

— Combien de temps penses-tu qu'il va dormir ? demanda Drake, alors qu'une idée suprêmement folle était en train de germer dans son esprit.

— Tu es soûl, lui dit messire John. Tu es incapable de penser clairement.

Drake esquissa un de ces sourires obliques qui, en général, n'augurent rien de bon.

— J'ai les idées assez claires pour ce que je veux faire, mon ami. Selon moi, Waldo ne mérite pas sa nuit de noces. J'ai l'intention de prendre sa place dans le lit de Raven.

John se releva d'un bond. Sur son visage se lisait un sentiment peu fréquent chez un chevalier de sa trempe : la peur.

— Es-tu fou ? s'écria-t-il. Tu as tenté le diable plus d'une fois par le passé mais cela surpasse tout. Waldo te tuera. Et la dame ? Crois-tu qu'elle va se laisser prendre par un autre que son mari au soir de ses noces ? Viens avec moi maintenant, poursuivit-il en prenant Drake par le bras. Tu n'es plus en état de réfléchir, tu n'es plus en état de prendre la moindre décision. Il est clair que tu as la tête dans les hauts-de-chausses.

— Absolument pas, mon ami. Je réfléchis comme il faut. C'est même la première fois depuis ce matin que je prends une décision sensée. Lui déflorer sa femme, voilà bien le genre de vengeance que Waldo est capable de comprendre.

— Et si Waldo se réveille pendant ce temps-là ?

— Tu feras en sorte qu'il se rendorme.

Drake s'approcha de la table d'honneur et fit signe à John de le suivre. Il se pencha sur Waldo, l'écouta ronfler et fit la moue.

— Si mon frère se réveille avant mon retour, sers-toi de la poignée de ton épée pour l'aider à se rendormir. Personne n'en saura rien. Ses écuyers et ses hommes d'armes ronflent déjà comme des sonneurs.

— Tu es fou et il faut que je le sois aussi pour accepter de t'aider. Combien de temps devrai-je attendre ici ?

Drake regarda vers l'escalier qui menait à la chambre nuptiale et sourit. Ce n'était pas un viol qu'il prévoyait mais plutôt de subtiles manœuvres de séduction. Il voulait qu'à la fin Raven se laisse faire et y prenne plaisir.

— Deux heures, au moins. Peut-être même trois.

John écarquilla les yeux.

— Trois heures pour déflorer une fille ? Tu perds la main, Drake. J'ai connu une époque où un tel exploit t'aurait demandé six fois moins de temps. Qu'est-ce qui te fais penser qu'avec Raven ce sera différent ?

— Je la connais depuis qu'elle est toute petite. Je ne peux pas dire qu'elle soit chère à mon cœur mais, au nom de notre vieille amitié, je ne veux pas la prendre par force ou par ruse ou par surprise.

John posa sur Drake un regard désapprobateur.

— Ce n'est pas bien de faire ça.

— Ça dépend de quel point de vue on se place, répondit Drake en buvant une dernière rasade de vin pour se donner des forces. Puisqu'il faut que quelqu'un effeuille cette nuit la couronne virginale de Raven, j'aime mieux que ce soit moi plutôt que Waldo. Il se pourrait même qu'elle me dise merci.

Raven tournait dans sa chambre comme une lionne en cage. Son mépris pour Waldo lui tordait les entrailles. Il allait surgir d'un instant à l'autre. Sitôt la porte franchie, il userait et abuserait de tous ses privilèges de mari. Et elle n'aurait qu'à se soumettre. Si elle résistait, il la battrait. Il s'attendrait à la trouver au lit, nue, docile. Il lui écarterait les jambes, il entrerait en elle, quitte à lui faire mal, quitte à la déchirer. Et il le referait aussi souvent qu'il voudrait, parce qu'il en avait le droit. Il finirait bien par la mettre enceinte. Cette idée lui soulevait le cœur. D'un autre côté, elle en venait à souhaiter que cela arrive dès ce soir. Peut-être la laisserait-il tranquille quand elle serait grosse.

Plus le temps passait, plus Raven s'agitait. Tout à l'heure, Thelma l'avait aidée à faire sa toilette et à se coucher. Puis, elle était partie. Raven s'était relevée peu de temps après. Elle avait enfilé une chemise de nuit et s'était mise à faire les cent pas en échafaudant des plans.

Au bout d'une heure, elle entendit des pas dans le couloir, juste devant sa porte. Elle se dépêcha de souffler sa chandelle et attendit anxieusement que son mari vienne la saccager, légalisant ainsi leur mariage devant Dieu et devant les hommes.

La porte s'ouvrit et se referma. Elle entendit la clé tourner dans la serrure et elle battit en retraite dans le coin le plus obscur de la chambre, entre le lit et le mur. D'après les bruissements d'étoffe, il était en train de se déshabiller. Raven soupira malgré elle. Il dut l'entendre car, dans la pénombre, elle eut l'impression qu'il tournait brusquement la tête dans sa direction. Elle se colla contre le mur. Il n'allait pas tarder à la prendre par le bras et à la renverser sur le lit nuptial.

Elle se demanda vaguement pourquoi il ne parlait pas – mais son appréhension l'empêchait de penser clairement. Puis, elle entendit des pieds nus sur la natte de jonc qui tapissait le sol. Affolée, elle attrapa le pichet en terre cuite qui était posé sur la table de chevet, prête à se défendre. Il apparut dans un rayon de lune qui filtrait par la fenêtre. Son visage était dans le noir mais la lumière lui nimbait la poitrine et le ventre. Ce qu'elle vit lui fit ravaler son souffle. C'était le buste d'un vaillant guerrier, tout en muscles. Il s'avança et elle vit son mâle visage dans lequel deux beaux yeux bleus scintillaient comme des escarboucles.

Drake ! C'était *Drake*, pas Waldo !

Bouche bée, elle le regarda de haut en bas. En découvrant son membre viril, épais et raide, qui surgissait d'un buisson de poils non moins noirs et brillants que ses cheveux, elle écarquilla démesurément les yeux et resta fascinée pendant de longues secondes.

— Drake, murmura-t-elle en relevant enfin les yeux, s'arrachant avec peine à sa contemplation. Je ne comprends pas. Où est Waldo ?

— Avance dans la lumière, afin que je te voie, dit Drake.

Il avait l'élocution lente et peu claire.

— Tu es soûl, dit Raven en serrant un peu plus fort l'anse du pichet. Ou alors, tu es fou. Ou les deux. Waldo te tuera s'il te trouve ici.

— Ton mari est ivre mort. Il ne fera rien de bon cette nuit. Je suis venu le remplacer.

— C'est bien ce que je pensais : tu es fou. À moins que…

Elle s'extirpa de son recoin, l'espérance illuminant ses traits plus encore que la lune.

— Es-tu venu me chercher ? reprit-elle. Pour m'emmener en Écosse ?

Drake la regarda avec des yeux ronds et sa gorge devint sèche. Elle était nue sous sa chemise et sa chair nacrée transparaissait sous la fine étoffe. Les courbes de son joli corps dessinaient les vallons et les collines d'un paysage au clair de lune. Les tétons roses comme du corail qui pointaient, la taille si mince qu'avec ses deux mains il aurait pu l'enclore, les boucles sombres au bas du ventre qui avaient l'air d'être là exprès pour cacher un secret, les cuisses rondes : il ne savait plus où poser les yeux.

— Me vois-tu en tenue de voyage ? dit-il en écartant les bras. Non, dame Raven, je ne suis pas ici pour t'enlever mais parce que j'ai l'intention de gâcher la nuit de noces de ton mari. Je le soupçonne de m'avoir floué de mon héritage. Quoi de plus légitime si, en guise de compensation, je prends le pucelage de sa femme ?

— Tu me déshonorerais ? dit Raven d'une voix sans timbre.

Elle était prête à lui lancer le pichet.

— Pose ça, Raven, dit-il d'un ton raisonnable. Je n'ai pas l'intention de te violer. Nous allons faire l'amour pour notre mutuelle satisfaction et si quelqu'un en sort déshonoré, ce sera ton mari, pas toi.

— Cela revient au même, répondit Raven, offusquée.

— Es-tu toujours mécontente de ce mariage ? Ou bien as-tu changé d'avis ?

— Non ! Je déteste Waldo. Mais ça ne justifie pas ce que tu prétends faire cette nuit.

Elle lança le pichet. Drake l'attrapa au vol et le posa délicatement par terre. Puis, s'approchant d'elle, il la saisit par la taille et la colla contre lui.

— Ce que je prétends faire cette nuit te semblera bon, je te le jure.

— Scélérat ! s'exclama-t-elle. Si encore tu avais envie de moi pour moi-même ! Mais je ne suis que le moyen de ta vengeance. Je ne le permettrai pas ! Drake, va-t'en !

Il sourit avec la moitié de la bouche.

— Tu penses que je n'ai pas envie de toi, Raven de Klyme ? Mais, daigne baisser les yeux et tu auras sans délai la preuve du contraire.

En se débattant, elle s'écria :

— Tu n'as aucune affection pour moi ! Tu me méprises parce que tu crois toujours que je vous ai trahis, Daria et toi, malgré mes dénégations…

— Ce n'est pas le moment de parler de Daria, dit Drake. J'ai envie de t'allonger par terre et de me coucher sur toi et de pétrir tes seins et de sentir tes jambes ceinturer ma taille lorsque je plongerai mon dard en toi.

Il avait du mal à se tenir d'aplomb. Mon Dieu, il était encore plus soûl qu'il ne l'avait cru ! Évidemment ! Il n'aurait jamais envisagé de commettre une aussi vilaine action s'il avait été à jeun. Maintenant qu'il était là, c'était trop tard pour changer d'avis.

Dans la clarté de la lune, les yeux de Raven brillaient comme des émeraudes. Mais, le plus fascinant, c'était sa bouche, pareille à un fruit mûr. Drake fut pris d'une irrésistible envie d'y goûter. Elle entrouvrit les lèvres pour protester, ce que Drake confondit avec une invitation.

Il poussa un soupir de bien-être lorsqu'il se rendit compte que la bouche de Raven était aussi savoureuse qu'il se l'était figuré. Il l'agrippa par les cheveux et lui glissa sa langue dans la bouche, l'embrassant avec fougue, avec voracité.

— Drake, gémit-elle faiblement. Je t'en prie, arrête !

— Non, pas maintenant ! Tu es si belle, si délicieuse ! Un pauvre pêcheur comme moi est incapable de résister à une telle tentation.

Raven était bien placée pour comprendre ce qu'il voulait dire. La tentation était réciproque. Elle avait beau savoir que Drake n'était pas ici pour de bons motifs, son corps la trahissait. Était-il donc possible de haïr et d'aimer en même temps ? Les mains de Drake semblaient partout à la fois. Il lui explorait le dos, les fesses, la taille, les hanches, le ventre, et elle se consumait sous ses caresses.

Lorsqu'il la souleva dans ses bras pour l'emporter, elle trouva la force de lui marteler le dos avec ses poings mais rien n'y fit. Il l'étendit sur le lit et se coucha sur elle. Il la prit par les cheveux, lui renversa la tête en arrière et l'embrassa dans le cou, sur la gorge. Il suçota la pointe d'un sein à travers l'étoffe. Raven poussa un cri de protestation lorsqu'il lui ouvrit sa chemise de la façon la plus fruste qui soit, en la déchirant de haut en bas. Il put enfin lui toucher la peau et, même si elle résistait encore, elle se sentit fondre.

Lorsqu'il s'installa entre ses cuisses, soudain dégrisée, elle essaya de le repousser.

— Drake ! Arrête ! s'écria-t-elle en se démenant. Tu es soûl ! Ne fais pas cela ! Tu n'y tiens pas vraiment.

— C'est là que tu te trompes, milady. J'y tiens beaucoup au contraire.

Devant son air déterminé, Raven comprit qu'elle était perdue. Il lui appuyait contre le ventre la preuve de son désir. Une preuve indéniable. Cette chair brûlante, d'une dureté incroyable, ne pouvait mentir.

Il lui prit la main et l'attira vers son bas-ventre.

— Touche ! ordonna-t-il. Tu penses toujours que je ne te désire pas ?

Les doigts de Raven s'enroulèrent d'instinct autour de la robuste hampe. Le membre avait sa vie propre qui le faisait palpiter. Il était si gros qu'elle ne put s'empêcher de pousser un cri d'effroi. « Est-ce que cela fait mal ? » se demanda-t-elle fugitivement.

Drake l'embrassa de nouveau et elle lui rendit son baiser, malgré son envie de résister. En même temps, il lui caressait l'intérieur des cuisses. Et soudain, elle ressentit une sensation inouïe : il venait de glisser un doigt en elle.

Raven frémit des pieds à la tête. Puis, elle sentit le coussinet d'un pouce qui explorait sa toison. Drake trouva son bouton et se mit à le titiller. Tout cela, sans cesser de l'embrasser. Sans cesser d'agiter son doigt dans l'étroit fourreau. Avec le peu de lucidité qui subsistait encore dans un recoin de son cerveau, elle se dit qu'elle devait défendre sa vertu. Mais le plaisir était trop intense.

Malgré la situation scabreuse, Raven était en train d'éprouver du désir pour la première fois de sa vie. Et, elle se délectait. Si elle avait aimé son mari, elle se serait défendue de toutes ses forces, elle aurait griffé et mordu –

mais elle méprisait Waldo. Elle ne songea pas aux conséquences, elle ne pensa pas une seconde au châtiment que
Waldo lui infligerait lorsqu'il saurait ce qui s'était passé.
Un bel homme était en train de lui faire découvrir des
merveilles. Elle se contenta de s'extasier.

C'était comme si Waldo n'avait jamais existé.

Cette fois, elle n'eut pas besoin d'encouragement pour
serrer dans sa main le membre dru et doux à la fois. Elle
le sentit vibrer sous ses caresses.

— Par le sang de Dieu! s'exclama Drake. As-tu envie
de moi maintenant, Raven, autant que j'ai envie de toi?

— C'est mal, dit-elle d'une voix presque inaudible
après une longue pause. Nous irons tous les deux en
enfer pour expier ce moment de folie. Mais je ne peux
pas te mentir, Drake de Windhurst. Oui, j'ai envie de toi.
Et que le bon Dieu me pardonne!

— Tu n'auras pas besoin de son pardon, répondit
Drake avec une pointe de colère. Tu ne mérites aucun
reproche. Tu es trop pure, trop candide, tout à fait incapable de m'arrêter. C'est ce que tu diras à Waldo lorsqu'il
te demandera pourquoi tu n'es plus vierge.

Raven savait que Waldo réagirait violemment lorsqu'il
apprendrait qu'il avait été privé d'un pucelage attendu
si longtemps et si chèrement payé. Mais, emportée par
le désir, elle ne voyait pas si loin. Plus tard, elle pourrait
toujours reprocher à Drake de l'avoir déshonorée. Mais,
pour l'heure, rien n'avait d'importance, sinon les sensations extraordinaires qu'il lui faisait éprouver. Elle savait
d'avance que ce serait une corvée de coucher avec Waldo.
C'est pourquoi elle voulait bien se donner à Drake, pour
connaître le plaisir, ne serait-ce qu'une fois dans sa vie.

— Tu es toute mouillée et prête pour moi, ma mie, dit
Drake.

Il lui glissa ses mains sous les fesses et l'incita à s'offrir. Elle sentit le bulbe soyeux et ferme qui s'insinuait en
elle. Haletante, elle attendit que vienne la douleur.

— Détends-toi, lui dit Drake. Je vais faire attention,
pour que tu aies le moins mal possible.

L'instant d'après, elle sentit sa chair qui s'écartait pour faire place à celle de Drake. Un éclair de douleur lui arracha un cri. Il hésita une seconde à continuer, mais reprit quand même sa progression, tout doucement, dans l'étroite gaine, et ne s'immobilisa pas avant d'y avoir glissé son membre en entier.

— Maintenant, je vais attendre que tu me le dises pour bouger, murmura-t-il en se redressant sur ses coudes. Je sais que cela doit te paraître étrange d'avoir un homme en toi.

Il la contempla. Elle avait les yeux clos, l'air recueilli. Il n'avait eu qu'à l'entendre crier « aïe ! » pour être dessoûlé d'un seul coup. Par malheur, c'était trop tard pour effacer ce qu'il venait de faire. Bon Dieu, il fallait qu'il soit fou pour être venu ici. Malgré la haine que lui inspirait Waldo, il n'aurait jamais rien entrepris d'aussi abject s'il n'avait été fin soûl.

— Tu es bien pourvu, dit-elle d'une voix haletante. Mais cela ne me fait déjà plus mal.

Drake regarda Raven. Il venait de la déflorer et maintenant il lui devait quelque chose en échange. Comme la virginité d'une fille n'est pas une étoffe qui se raccommode, il se sentait obligé de lui donner du plaisir.

Il se mit à aller et venir en elle avec une lenteur délibérée. Raven, bientôt, ondula au même rythme. Elle avançait son ventre à la rencontre de ses coups de boutoir, comme pour l'inviter à jouir d'elle sans retenue. Il lui obéit avec empressement, avec ardeur, tandis qu'il la noyait sous une averse de petits baisers.

Elle se contorsionnait sous lui, complètement pâmée, s'agrippait à ses cheveux, lui griffait le dos.

— Tu es presque au pinacle, ma mie, dit Drake d'une voix rauque. Je vais t'y emmener. Viens ! Laisse-toi faire !

Naïve encore, Raven était sur le point de lui demander où il voulait l'emmener. C'est alors qu'elle atteignit le sommet de la volupté. Drake, au-dessus d'elle, commença à être secoué par des spasmes. Instinctivement, elle lui enroula ses jambes autour de la taille, l'incitant à plonger en elle le plus loin possible. À chaque coup de bélier, une vague de plaisir la submergeait. Soudain, Drake renversa la tête en arrière, ferma les yeux, serra les dents. Son sexe vibra, sa semence fusa. Raven sentit l'impact des jets brûlants au fond de ses entrailles.

Une éternité plus tard, lorsqu'elle rouvrit les yeux, elle vit Drake, à moitié redressé, qui la regardait étrangement. Elle essaya de le déloger. Avec un soupir, il sortit d'elle et s'écarta.

— Je n'aurais jamais dû faire ça, dit-il. Je n'ai qu'une piètre excuse à faire valoir : j'étais aviné. Sinon, je ne me serais jamais abaissé à une telle infamie. Mais, ajouta-t-il avec un sourire penaud, je mentirais si je disais que je n'y ai pris aucun plaisir, Raven de Klyme.

Elle aurait voulu le gifler – et c'est sans doute ce qu'elle aurait fait si personne n'était venu cogner à la porte juste à ce moment-là.

— Drake ! Drake !

— Quoi ?

— Dépêche-toi ! Waldo commence à se réveiller.

— C'est messire John, expliqua-t-il à Raven en sautant du lit. Tranquillise-toi, mon ami ! cria-t-il à John à travers la porte. Je me rhabille en vitesse et j'arrive.

— Ne perds pas de temps, insista John. Je vais t'attendre près des écuries.

Drake se tourna une dernière fois vers Raven. Elle reposait nue au milieu des couvertures en désordre, ses lèvres gonflées par les baisers, son teint lumineux. Elle avait l'air d'une femme dont tous les désirs viennent d'être exaucés. Sauf que ses yeux lançaient des éclairs.

— Va-t'en ! dit-elle avec colère. Waldo te tuera s'il te trouve dans ma chambre.

— Tu en serais attristée ? demanda Drake.

— Pas le moins du monde. Je te hais, Drake de Windhurst. Presque autant que je hais Waldo. Tu m'as ôté mon innocence à cause d'une vieille rancune contre ton frère.

— Cela n'est pas tout à fait exact, dame Raven. Tu pourras le nier tant que tu voudras mais je ne t'ai rien pris, tu as tout donné de bon cœur. Si quelqu'un a été volé dans l'affaire, c'est Waldo, pas toi.

— Que le diable t'emporte, Drake! lança Raven. Chevalier Noir, c'est un nom qui te va bien. Tu as l'âme aussi noire que l'armure!

Drake n'essaya pas de nier. Il se faufila dehors et referma doucement la porte derrière lui.

6

Courroux est vain sans forte main.

Raven se leva, tout étourdie et courbaturée. Elle ramassa la chemise de nuit déchirée et tachée de sang, la roula en boule et la cacha sous le lit. Puis, elle alluma une chandelle et versa de l'eau dans une cuvette. Après tout ce qui venait de se passer, ses mains tremblaient un peu mais elle avait encore assez de présence d'esprit pour nettoyer les traces de semence et de sang sur ses cuisses.

Elle aurait dû haïr Drake pour ce qu'il lui avait fait, mais elle n'y arrivait pas. Ses instincts de femme lui soufflaient que Waldo n'aurait jamais été aussi doux que Drake pour la déflorer. Waldo l'aurait déchirée, il aurait assouvi ses appétits, puis il l'aurait rabrouée si elle avait eu le mauvais goût de lui reprocher sa brutalité.

Raven acheva ses ablutions. L'eau rougie et la serviette souillée, elle les jeta par la fenêtre. Puis, elle enfila une chemise propre et s'assit sur le bord du lit pour réfléchir. Waldo allait survenir d'un instant à l'autre avec l'intention de consommer le mariage. Il s'attendrait à trouver un hymen intact. Lorsqu'il se rendrait compte qu'elle n'était plus vierge, elle craignait qu'il ne la tue. Ce n'était pas rare qu'une femme se fasse trucider par son mari le soir des noces parce qu'elle avait fait faux bond à son honneur. Et ce n'était pas la peine d'espérer que Waldo n'y voie que du feu. Il avait trop d'expérience pour cela.

Une question en amenant une autre, Raven se demanda si Drake avait pensé aux conséquences de son forfait. Apparemment pas, car il l'avait laissée seule pour affronter la colère de Waldo. Elle ne pouvait plus compter que sur elle-même. Pour le moment, une seule chose était sûre : maintenant que Drake lui avait révélé les délices de l'amour, il n'était pas question que Waldo la touche.

Elle n'eut pas le temps de réfléchir à une stratégie car déjà la porte de la chambre s'ouvrait. Affolée, elle se leva brusquement. Waldo fit son entrée d'un pas chancelant.

— Comment se fait-il que tu ne sois pas déjà toute nue ? rugit-il. Dépêche-toi d'ôter ta chemise et couche-toi.

Raven ne bougea pas d'un pouce.

— Non.

Waldo resta bouche bée.

— Non ? répéta-t-il avec incrédulité. Tu te permets de me dire non ?

Malgré son regard flou, il avait l'air terriblement déterminé.

— Quoi ! ajouta-t-il. Tu prétends m'interdire ton lit ?

Raven redressa la tête. Sa décision était prise.

— C'est exact, Waldo de Lleyn, je ne veux pas de toi dans mon lit.

Il fit une drôle de mine.

— Tu oses me braver ?

— Oui. Je suis prête à tout pour t'empêcher de me toucher.

— Garce ! s'exclama-t-il, la bouche tordue par le mépris. Il y a trop longtemps que j'attends le moment de cueillir ta fleur. J'ai épousé ta sœur à mon corps défendant, car c'est toi que je voulais. Maintenant, tu m'appartiens et personne ne pourra me priver de mon plaisir.

Cramponnée au montant du lit à baldaquin, Raven rassembla son courage. Elle ne savait pas comment Waldo réagirait lorsqu'il saurait la vérité mais elle préféra prendre les devants plutôt que d'attendre qu'il la découvre par lui-même.

— Tu ne pourras pas cueillir ma fleur cette nuit, monseigneur, parce que je ne l'ai plus. J'en ai librement fait don à un autre.

Le visage de Waldo passa brusquement du blanc au rouge.

— Tu mens! s'exclama-t-il. Je ne peux pas croire que tu sois folle à ce point-là!

— C'est pourtant vrai! Je t'en donne ma parole. Envoie chercher la sage-femme. Elle te confirmera que je ne suis plus vierge.

Il avança vers elle, la forçant à reculer jusqu'à ce qu'elle se retrouve coincée contre le lit. Il était devenu vert et sa voix tonnait assez fort pour réveiller les morts.

— Qui est-ce? Je veux le nom de celui avec lequel tu m'as bafoué! Je te le ferai dire. Et, dans l'heure qui suit, ce félon sera mort.

Raven décida que, quoi qu'il puisse arriver, jamais le nom de Drake ne franchirait ses lèvres.

— Tu ne le connais pas, dit-elle.

Waldo s'était suffisamment rapproché pour qu'elle puisse sentir son haleine fétide. Elle se détourna avec un haut-le-cœur. Waldo l'attrapa par la pointe du menton et serra très fort pour la forcer à le regarder.

— Dis-moi le nom de ce lâche, Raven, avant que je ne te batte.

À cela, Raven répliqua par une bravade:

— As-tu aussi battu ma sœur, Waldo? dit-elle. L'as-tu tuée au premier déplaisir qu'elle t'a causé?

Il la gifla à toute volée, un coup si violent qu'elle fut projetée à terre. Il se pencha pour continuer de la maltraiter mais Raven, toujours lucide malgré sa joue en feu, lui échappa en roulant sur elle-même.

— Je sais avec qui tu as forniqué, putain! hurla Waldo en la poursuivant. C'est avec mon bâtard de frère! Vous avez souillé le lit nuptial! Ah, je vais l'étriper pour cela. Mais, d'abord, je vais te tuer, toi, maudite traînée!

Raven chercha désespérément une arme pour se défendre. Fou de rage et encore à moitié soûl, Waldo était capable de mettre sa menace à exécution. Elle continua de ramper sur la natte et soudain un pichet en terre cuite se trouva comme par miracle à portée de sa main – celui-là même qu'elle avait jeté à la tête de Drake tout à l'heure et qu'il avait attrapé au vol avant de le poser délicatement sur le sol. Elle l'empoigna par l'anse. Waldo se pencha et se mit à lui serrer le cou. Au lieu de se laisser docilement étrangler, elle lui fracassa le pichet sur le crâne. Le regard de Waldo devint vitreux et il s'écroula sur Raven. Elle repoussa avec peine cette masse amorphe, se releva et battit doucement en retraite.

Comme il ne bougeait pas, elle l'enjamba et courut jusqu'à son coffre à vêtements. Elle sortit la première robe qui lui tomba sous la main, l'enfila prestement et se chaussa. Puis, elle déplia une couverture, entassa au milieu tous les vêtements qu'elle put et noua les quatre coins ensemble pour s'en faire un baluchon. Enfin, elle jeta un lourd manteau sur ses épaules et partit vers la porte.

En passant près de Waldo, toujours aussi inerte, elle se demanda si elle l'avait tué. Elle le méprisait, certes, mais pas au point de souhaiter sa mort. Alors, s'armant de courage, elle s'accroupit, lui toucha la poitrine, et elle sentit sous sa paume un cœur qui battait gaillardement.

La conscience en paix, elle sortit de la chambre sans bruit. Arrivée au pied de l'escalier, elle marqua une pause, l'œil et l'oreille aux aguets. Les hommes endormis dans la grande salle et les couloirs ronflaient. Des torches accrochées aux murs éclairaient suffisamment pour qu'elle puisse être sûre que tout était tranquille. Plutôt que d'emprunter l'entrée principale, elle sortit par une porte dérobée.

Dehors, c'était comme dans la grande salle : il n'y avait que des gens endormis, affalés au hasard, nobles, gens d'armes, vilains et domestiques. Raven se rendit dans les écuries, sella sa jument préférée et traversa la cour. Les gardes postés près de l'entrée cuvaient leur bière. Le pont-levis était resté baissé pour permettre aux jouteurs d'aller et venir librement entre le château et le campement. La chance lui souriait.

Lorsqu'il fut complètement dessoûlé, Drake se retrouva seul avec ses remords. Il avait trahi son serment de chevalier. Il s'était laissé aveugler par son désir de vengeance. Ce qu'il avait fait était une ignominie. Séduire Raven et puis l'abandonner à la merci de Waldo, c'était digne d'un félon et d'un lâche. Il n'était pas fier de lui. Jusqu'à ce jour, le Chevalier Noir n'avait jamais déshonoré une dame.

Des gouttes de sueur perlèrent sur son front lorsqu'il pensa à Waldo. Qu'allait-il faire à Raven lorsqu'il découvrirait qu'elle n'était plus pucelle ? Tout en se traitant d'imbécile, Drake changea son justaucorps de cérémonie pour un pourpoint ordinaire, puis il appela son écuyer.

— Réveille les hommes, lui ordonna-t-il lorsqu'il apparut, bâillant, ébouriffé, les yeux gonflés de sommeil.

— Il fait encore nuit, monseigneur, et les hommes ont beaucoup bu au banquet de noces, dit Evan. Ils dorment à poings fermés.

— Réveille-les quand même. Et qu'ils soient prêts à déguerpir quand je reviendrai.

Evan le regarda d'un air étonné.

— Où allez-vous, monseigneur ?

— Au château, répondit Drake. À cause d'une affaire que j'ai laissée en suspens... Maintenant, va faire ce que je t'ai dit !

Drake avait décidé de retourner dans le donjon pour empêcher que la colère de Waldo ne s'abatte sur Raven. Après un tel scandale, il serait sans doute déclaré félon et banni du royaume. Mais l'honneur exigeait qu'il offre sa protection à Raven, quitte à l'enlever s'il n'y avait pas d'autre moyen de garantir sa sûreté.

Drake repensa à la manière dont Raven s'était donnée à lui et son désir se ralluma. Elle était adorable en tout. Il ne s'était pas attendu à lui trouver autant de charme. Aucune femme, même expérimentée, ne lui avait jamais procuré davantage de plaisir que Raven tout à l'heure. Et comment l'avait-il remerciée pour le don qu'elle lui avait fait ? En la laissant toute seule payer les pots cassés. Le moins qu'il pouvait faire pour elle maintenant, c'était de l'aider à gagner l'Écosse. Il allait lui proposer de la faire accompagner par messire John.

Drake eut son attention attirée par des claquements de sabots. Tout de suite sur le qui-vive, il porta la main à son épée. La lune était accrochée très haut dans le ciel au milieu d'un semis d'étoiles ; une lumière argentée tombait du firmament. Drake scruta la pénombre et resta pantois lorsqu'il reconnut la cavalière et la monture. Sur le dos d'une superbe jument blanche chevauchait une jeune femme aux longs cheveux auburn.

Raven !

Le front plissé par l'inquiétude, il attendit qu'elle le rejoigne. Il n'avait pas la moindre idée de ce qui s'était passé mais il avait envisagé plusieurs possibilités, toutes plus déplaisantes les unes que les autres. En aucun cas il n'avait imaginé Raven entrant dans le campement à cheval entre laudes et prime.

Elle s'arrêta près de lui et il l'aida à descendre de cheval.

— Que s'est-il passé ? Où est Waldo ?

— Il est étendu sur le sol de ma chambre, répondit-elle d'une voix qui ne trahissait pas la moindre émotion.

Après une courte pause, elle ajouta :

— Il sait.

— Il sait ? répéta Drake sans comprendre.

— Oui, je lui ai dit que je n'étais plus vierge et il est devenu fou de rage.

— Tu le lui as dit ? Il ne s'en est pas aperçu tout seul ?

— Que nenni ! Je n'ai pas voulu qu'il me touche !

Drake n'avait aucun droit d'être jaloux de Raven mais, en apprenant que Waldo ne l'avait pas eue après lui, il éprouva quand même une espèce de soulagement.

— Était-il suffisamment dessoûlé pour comprendre ce que tu lui disais ?

— Oui, répondit Raven en portant machinalement la main à sa joue. Et il a fort mal pris la nouvelle. Alors, je lui ai cassé le pichet sur le crâne. Quand je suis partie, il était évanoui. Avec un peu de chance, lorsqu'il reviendra à lui, nous serons déjà loin.

Drake sourcilla.

— *Nous*? répéta-t-il en accentuant le mot. Serais-je par hasard inclus dans ce « nous » ?

— Waldo sait que c'était toi. Il a compris que ça ne pouvait être personne d'autre et il a juré de te tuer.

Drake scruta le visage de Raven. Dans la pénombre, il ne pouvait pas la voir clairement.

— Est-ce qu'il t'a frappée ?

— Pas assez pour m'empêcher de lui fracasser le crâne ! répondit-elle fièrement. S'il me retrouve, il me tuera.

En regardant mieux, Drake vit l'énorme bleu sur la joue de Raven.

— Non, il ne te tuera pas, Raven de Klyme, dit-il en contenant sa rage. Je ne le laisserai pas faire.

Les yeux de Raven lancèrent des éclairs de fureur.

— Ne me réponds pas par de vaines promesses, Chevalier Noir, parce que je ne suis pas d'humeur à les croire ! Tu m'as laissée affronter toute seule la colère de Waldo. Voilà bien une chose que je ne te pardonnerai jamais. Tu savais qu'il risquait de me tuer et tu m'as quand même abandonnée à mon sort. Maintenant, tu as une dette envers moi. Tu as le devoir de m'escorter jusque chez ma tante en Écosse.

— Tu ne le croiras peut-être pas, Raven, mais j'étais justement sur le point de retourner au château pour faire amende honorable. J'avais l'intention de t'aider à t'enfuir. Maintenant que tu es là, messire John va t'accompagner jusqu'en Écosse.

— Je suis bien aise de constater que ta conscience parle enfin, Drake de Windhurst, dit Raven d'un ton pincé.

Drake songea à une repartie bien sentie, mais le retour d'Evan le força à la ravaler.

— Vos hommes sont réveillés, monseigneur, et ils se préparent.

Après un coup d'œil à Raven, il ajouta :

— Est-ce que la dame nous accompagne ?

— Non, répondit Drake. Va vite me chercher messire John.

Evan partit en courant pour exécuter l'ordre de son maître.

— Waldo va bien finir par revenir à lui, dit Raven en regardant nerveusement par-dessus son épaule. Et j'aimerais mieux être loin d'ici quand cela arrivera.

À présent, les hommes étaient équipés de pied en cap et ils s'affairaient auprès de leurs chevaux.

— Mon ami John va t'escorter jusqu'en Écosse, c'est le mieux que je puisse faire pour toi, dit Drake. Malheureusement, je ne peux pas t'offrir mes services car ma présence est requise à Windhurst.

Messire John les rejoignit à grands pas et ouvrit des yeux ronds en découvrant la jeune femme.

— Pourquoi fais-tu cette tête-là ? lui demanda Drake. Tu ne reconnais pas dame Raven ?

— Bien sûr que si ! protesta-t-il. Pardonnez mon air ahuri, ajouta-t-il en se tournant courtoisement vers Raven, mais je ne m'attendais pas à vous trouver ici à cette heure de la nuit.

Raven, embarrassée, ne répondit rien.

— Il n'y a pas de temps à perdre, John, dit Drake. Dame Raven a besoin de quelqu'un pour l'accompagner à Édimbourg. J'ai naturellement pensé à toi.

John lança à Drake un regard plein de reproches.

— Je savais qu'en faisant cela tu allais attirer des ennuis à tout le monde.

Raven laissa échapper un petit cri de détresse et Drake fit la grimace car il savait que c'était à cause de lui.

— Je suis navré, Raven, dit-il. Messire John sait tout.

— Euh, tout ? balbutia-t-elle.

— Oui, *tout*.

Drake se retourna vers John pour ne plus avoir à soutenir le regard de Raven.

— Qu'en dis-tu, John ? Acceptes-tu d'escorter dame Raven jusqu'en Écosse ?

— Tu as perdu l'esprit, ma parole, bougonna John. Je suppose que dame Raven est en train d'essayer d'échapper à son mari ? Me trompé-je ?

Drake en convint volontiers.

— Non, tu ne te trompes pas, dit-il. Elle doit partir sur-le-champ, avant que Waldo ne rassemble ses hommes. Pour peu que Duff se joigne à lui avec tous ses hommes, nous allons promptement nous retrouver à un contre dix !

— Et je suppose que Waldo est au courant de ce qui... euh, de ce qui s'est passé dans la chambre de la dame cette nuit ?

— Crénom, John, où veux-tu en venir ?

John se tourna vers Raven.

— Waldo aura-t-il des raisons de soupçonner que vous êtes partie en Écosse, madame ?

— Waldo, peut-être pas, mais, mon frère, oui. Je lui avais demandé la permission d'aller rendre visite à ma tante il y a quatre ans, quand il m'a promise à Waldo. Il s'est douté que j'en profiterais pour implorer la protection de ma tante. Alors, bien sûr, il m'a répondu non. Et, à partir de ce jour-là, il m'a tenue à l'œil.

John hocha la tête en se donnant des airs de vieux sage.

— Édimbourg est le premier endroit où Waldo ira la chercher, dit-il en s'adressant de nouveau à Drake. Tu penses qu'il va se laisser enlever Raven sans réagir ? Waldo a la loi de son côté. Il n'aura aucun mal à récupérer sa femme.

Drake se massa les tempes. Il s'était mis dans un mauvais cas. Il fallait qu'il répare ses torts vis-à-vis de Raven. Il avait espéré qu'il suffirait pour cela de l'expédier en Écosse sous bonne escorte. Mais les choses se compliquaient sans cesse.

— Je veux aller à Édimbourg, dit Raven d'un ton ferme.

Drake poussa un soupir navré.

— John a raison. Waldo t'y retrouverait en deux temps trois mouvements. Et, une fois qu'il t'aurait récupérée, ton châtiment serait terrible. Est-ce là ce que tu veux ?

— Ta sollicitude me touche beaucoup, dit Raven avec une pointe de sarcasme. Mais je demande toujours à aller chez ma tante. En admettant qu'elle se révèle incapable de me protéger, cela ne te concernerait en rien, tu aurais fait ta part en me conduisant là-bas.

Drake n'aimait pas du tout cette solution. Subitement, il s'aperçut que sa décision était prise – et tant pis s'il devait le regretter toute sa vie !

— Tu n'iras pas en Écosse.

Raven pinça les lèvres.

— Si, j'irai !

— Tu es sous ma responsabilité. C'est ma faute si tu te retrouves dans cette situation épouvantable. Sans moi, Waldo serait tranquillement entré dans ton lit, il y aurait trouvé son dû et, à présent, tu serais sa femme autant qu'on peut l'être.

Raven prit un air mutin.

— Oui, et je serais malheureuse autant qu'on peut l'être. En définitive, tu m'as sans doute rendu service, Drake de Windhurst.

Drake ricana.

— J'aimerais pouvoir t'en dire autant, Raven de Klyme.

Il avisa le baluchon qu'elle avait attaché au pommeau de sa selle.

— Je vois que tu as déjà ton bagage. Tant mieux. Nous allons pouvoir nous mettre en route immédiatement.

— Pour aller en Écosse ?

— Non, à Windhurst.

— À Windhurst ! Pas question ! Cap au nord !

Elle remonta sur sa jument et essaya de s'en aller mais Drake agrippa les rênes.

— John, va dire aux hommes de se hâter, ordonna-t-il. Tant que tu y seras, demande à messire Richard de venir me voir. J'ai une mission pour lui. L'aube est proche. Les serviteurs ne vont pas tarder à s'agiter. Nous devons à tout prix être partis avant que Waldo se réveille et donne l'alarme.

Désemparée, Raven tira sur les rênes, dans l'espoir que Drake lâcherait prise. Mais il tint bon.

Jadis, elle n'aurait pas demandé mieux que de le suivre jusqu'au bout du monde. Mais ce temps-là était révolu. Aujourd'hui, il ne s'agissait pas d'un bel écuyer au cœur pur mais du Chevalier Noir, lequel n'agissait que pour racheter sa faute et certainement pas par amour. C'est pourquoi elle refusait d'aller où que ce soit avec lui.

Regardant une fois de plus vers le château, Raven aperçut des points lumineux qui s'agitaient dans le noir comme une nuée de lucioles.

— Des flambeaux ! s'écria-t-elle.

C'était le signe que Waldo était réveillé et qu'il avait alerté ses gens d'armes. Drake, dépité, lâcha un juron et se mit en selle.

— À Windhurst ! cria-t-il en éperonnant son cheval.

Consciente du danger, Raven suivit le mouvement sans hésiter une seconde. Et c'est ainsi qu'elle se retrouva en train de galoper vers Dieu sait quel avenir auprès d'un homme qui l'avait pour ainsi dire violée le soir de ses noces et qui la considérait comme un fardeau.

Ils chevauchèrent à travers plaines et forêts jusqu'au milieu de la matinée. Finalement, au bord d'un ruisseau, Drake donna l'ordre de mettre pied à terre pour faire boire les chevaux et préparer le gibier que ses archers avaient tué en route. Comme rien n'indiquait qu'ils étaient suivis, Raven s'autorisa à pousser un soupir de soulagement.

Elle se choisit une place à l'ombre au pied d'un arbre et s'assit pour se reposer. Elle était si lasse qu'ayant fermé les yeux elle somnola un instant. Elle se réveilla quand quelqu'un vint la secouer. Rouvrant les yeux, elle vit Drake penché sur elle. Il tenait un morceau de viande enfilé sur un bout de bois. La viande était rôtie à point et sentait délicieusement bon.

— Il y a du lièvre au menu. As-tu faim ?

— Comme une ogresse.

Il lui approcha de la bouche le succulent morceau de viande et elle y mordit à belles dents.

— Quand arriverons-nous à Windhurst ? demanda-t-elle.

— Pas avant plusieurs jours. C'est un long voyage. Le château se trouve dans le sud du Wessex, au bout d'une presqu'île. C'est près du village de Bideford.

— L'as-tu déjà vu ?

— Oui, une fois, il y a quelques années. Tant que je n'avais pas l'argent pour le réparer et le fortifier, je ne voyais pas la nécessité d'y retourner. Mais, à présent, avec ce que j'ai gagné dans les tournois, je suis assez riche pour le restaurer et lever ma propre armée.

Raven pesa ses mots avec soin.

— Je vais t'encombrer. Peut-être qu'il est encore temps d'en revenir à ta première idée et de m'envoyer en Écosse avec messire John.

Drake détourna les yeux. Raven trouva qu'il avait l'air de quelqu'un qui vient de mordre dans un fruit vert.

— J'ai le devoir de veiller sur toi.

Elle le regarda avec dépit.

— Ce n'est pas moi qui te dirai le contraire. Mais je suis d'avis que tu m'obligerais davantage en me faisant escorter jusqu'en Écosse qu'en m'emmenant dans une vieille ruine battue par les vents.

Drake se rembrunit.

— À Windhurst, tu seras certes moins bien logée qu'en Écosse mais mieux protégée.

— Je ne pourrais pas habiter avec toi indéfiniment, Drake. Un jour, tu auras envie de prendre femme et je deviendrai une gêne pour toi. Que se passera-t-il alors ?

— Veux-tu retourner avec Waldo ?

— Tu sais bien que c'est impossible. J'aimerais mieux vivre dans une porcherie que de retourner avec lui.

Soudain, un sourire lui illumina le visage.

— Je vais demander au pape d'annuler le mariage ! s'écria-t-elle, apparemment ravie de sa trouvaille.

Drake fit la moue.

— Cela pourrait prendre dix ans, dit-il.

Raven se remit à méditer sur son avenir, qui s'annonçait morose. La vie de Drake serait en péril si elle restait avec lui car Waldo n'aurait ni trêve ni repos tant qu'il ne l'aurait pas récupérée. Tôt ou tard, Waldo se souviendrait de Windhurst et il viendrait l'attaquer avec toute son armée. Et, du propre aveu de Drake, sa forteresse n'était pas prête à soutenir un siège.

— N'y a-t-il pas un autre lieu où je pourrais aller me réfugier ? Londres, peut-être ? Il paraît qu'il n'y a pas de meilleur endroit qu'une grande ville pour se cacher.

Drake réfléchit un instant à cette éventualité.

— Non, dit-il finalement. Tu as été élevée dans du coton, tu ne pourrais survivre longtemps toute seule dans Londres.

Il la soupesa du regard et ajouta :

— Le mieux serait que je te garde comme concubine.

Raven ne fut pas longue à s'indigner.

— Le Chevalier Noir pense sans doute qu'il peut avoir tout ce qu'il veut ?

— Tout, répondit-il avec un sourire enjôleur. Tu m'as demandé de te prendre sous ma protection, Raven... ce que je me suis empressé de faire. Je me propose d'être tout à la fois ton gardien et ton amant. Est-ce un destin épouvantable, ma mie ?

— Ta folie dépasse les bornes, lança Raven. Si je ne m'abuse, tu n'éprouves aucune affection pour moi.

Il s'assit par terre à côté d'elle.

— Peut-être que j'ai changé d'avis. Tu es un morceau de roi, Raven de Klyme.

Raven pointa le menton dans une attitude de défi.

— Je ne vais pas me livrer à la fornication avec toi, Drake de Windhurst, n'y compte pas !

Il répondit d'une voix rauque et délibérément séductrice, qui fit battre le cœur de Raven.

— C'est ce que nous allons voir, milady, parce que, justement, j'y compte.

Il la prit par la pointe du menton. Elle le regarda dans les yeux et comprit avec un certain effroi qu'elle était à sa merci, ni plus ni moins qu'un oiseau fasciné par un serpent. Elle aurait eu toutes les raisons de le haïr, mais elle ne pouvait pas s'y résoudre, parce que, s'il n'avait pas forcé la porte de sa chambre, la nuit dernière, elle se trouverait à présent enchaînée à Waldo.

Raven savait bien que Drake l'avait séduite pour des motifs ignobles mais elle y avait gagné ce que précisément elle avait désiré par-dessus tout : sa liberté.

Elle se rendit compte tout à coup que les lèvres de Drake étaient si proches qu'elle pouvait sentir la caresse de son souffle sur ses joues. Elle eut l'impression qu'il s'apprêtait à l'embrasser et se plaqua instinctivement contre le tronc de l'arbre. Mais il ne fit rien de pire que de lui tendre la brochette.

— Mange, Raven, dit-il. Il faut que tu prennes des forces car un long voyage nous attend.

Sur ce, il se releva et partit à grands pas. Raven resta seule avec l'impression qu'il s'était joué d'elle. Ah, il prétendait la réduire à l'état de concubine ! C'est ce qu'on allait voir ! Tout en déchargeant sa colère sur le morceau de lièvre, elle se fit le serment de ne jamais figurer parmi les conquêtes du Chevalier Noir.

Drake s'assit à l'écart et mangea sans vraiment savourer sa nourriture. C'était à cause de Raven. Celle-là, que le diable l'emporte ! pensa-t-il. Aucune femme ne lui avait jamais paru plus désirable. Il avait eu le privilège de la déflorer. Après avoir été le premier, il avait maintenant envie d'être le dernier.

Une pensée aussi abracadabrante lui fit hocher la tête. Désirer une femme qu'on a maudite pendant des années,

ce n'était pas banal. Qui aurait pu prédire qu'elle deviendrait une Vénus, avec toute la douceur du monde sur le
visage et un corps à damner un saint ? Et Dieu sait qu'il
n'était pas un saint.

— Tu as l'air soucieux, Drake, dit messire John en le
rejoignant. Tu veux que je te tienne compagnie ?

Drake ne se montra pas très accueillant.

— Si tu y tiens ! bougonna-t-il.

John s'assit par terre à côté de lui.

— Qu'est-ce qui te chagrine, mon ami ? demanda-t-il.
C'est à cause de Raven que tu es tout chose ?

— Faut-il que je te rappelle que j'ai volé la femme de
Waldo ?

— Je n'ai pas oublié. Je t'ai même dit que c'était de la
folie mais tu n'as pas voulu m'écouter. Que va-t-il se passer maintenant, Drake ?

— Je lui dois aide et assistance.

— Tu es donc décidé à l'emmener à Windhurst ?

— Je ne vois pas ce que je pourrais faire d'autre.

— Il est encore temps de l'envoyer en Écosse, dit messire John.

— Tu as été le premier à dire que c'était une mauvaise
idée, rappela Drake en fronçant les sourcils.

— Je me trompais. Réflexion faite, j'ai grand peur que
dame Raven ne t'apporte que des ennuis.

— Et moi, réflexion faite, j'ai grand peur que tu ne sois
dans le vrai. Mais je n'ai pas d'autre choix.

— Je te connais, Drake. Il n'y a pas que ton sens de
l'honneur qui te guide dans cette affaire. J'ai l'impression
que tu tiens beaucoup à Raven, même si tu n'es pas prêt
à l'avouer.

Drake sourit et, comme par enchantement, les plis sur
son front s'effacèrent.

— Tu as raison, je tiens à elle. Je la veux comme
concubine. Et si un jour je décide de prendre femme, eh
bien, je la garderai quand même auprès de moi.

— Elle frémit si bien que cela sous l'éperon ?

Drake se leva d'un bond et sa mine se rembrunit.

— Je ne tolérerai aucune parole désobligeante envers Raven, dit-il d'un ton cassant. Préviens les hommes qu'ils auront à traiter dame Raven avec tout le respect dû à son rang. Et c'est également valable pour toi !

John se releva souplement et sourit. Visiblement, la mauvaise humeur de Drake le laissait froid.

— À mon avis, dit-il, la dame ne cédera pas aussi vite que tu l'espères. C'est une belle guerre des nerfs qui se prépare. Je suis curieux de savoir lequel de vous deux la gagnera. Si je devais parier, je ne donnerai pas cher de tes chances.

7

Le temps est cher en amour comme en guerre.

Ils campèrent cette nuit-là au milieu d'une forêt. Les archers se mirent tout de suite en quête de gibier tandis qu'Evan préparait un feu. Raven s'emmitoufla dans son manteau. On était peut-être en été mais, dans un bois, à la nuit tombée, on pressentait déjà l'automne.

Mal à l'aise au milieu d'une compagnie d'hommes d'armes qui ne cessaient de l'observer, Raven jeta autour d'elle des regards inquiets et scrutateurs.

— Si c'est Drake que vous cherchez, lui dit messire John, il est parti avec les chasseurs.

Elle acquiesça en rosissant, étonnée qu'on puisse lire aussi facilement dans ses pensées.

— Venez, poursuivit messire John en la prenant par le bras. Vous avez l'air frigorifiée. Evan a installé une couverture près du feu pour que vous puissiez vous asseoir confortablement. Vous devez être fatiguée. La journée a été longue et fertile en émotions.

Lorsqu'elle fut installée, au lieu de s'en aller, il s'assit près d'elle.

— Depuis combien de temps connaissez-vous Drake? lui demanda Raven.

D'innombrables questions lui brûlaient les lèvres. Elle avait envie de tout savoir sur ce qui était arrivé à Drake depuis la sinistre nuit où il avait dû quitter Klyme.

John répondit sans la moindre réticence.

— Je le connais depuis une dizaine d'années, depuis le débarquement d'Édouard dans le Cotentin. Nous étions ensemble pendant toute la campagne : la prise d'Avranches, la bataille de Crécy, le siège de Calais… Mais, tandis que je suis resté un chevalier sans terre, Drake a obtenu un comté en récompense de ses actions d'éclat sur le champ de bataille. Vous ne pouvez pas ignorer qu'il a sauvé la vie de Prince Noir. C'est un honneur pour moi de combattre sous les ordres d'un tel maître. Lorsque le roi lui a octroyé une terre et un titre, je lui ai juré fidélité et je ne l'ai plus quitté depuis.

— Et les hommes d'armes ? demanda Raven. Ont-ils tous fait allégeance à Drake ?

— Évidemment. Et même si la plupart sont des mercenaires, ils sont tous loyaux envers le Chevalier Noir. Vous n'avez rien à craindre d'eux.

La curiosité de Raven n'était pas complètement satisfaite. Les faits d'armes du Chevalier Noir étaient bien connus. Maintenant, elle voulait entendre parler de ses prouesses de séducteur.

— Drake a-t-il une épouse ?

— Il n'a jamais eu le temps de s'en chercher une. Mais, une fois installé à Windhurst, je suppose qu'il va songer à fonder une famille.

— J'ai entendu dire que les femmes se jetaient à ses pieds.

— C'est plus pratique pour leur marcher dessus, répondit John, mi-figue mi-raisin.

Raven se cacha derrière sa main pour sourire.

— Dites-moi la vérité, messire John. Drake a-t-il une maîtresse ? Ou bien plusieurs, qui sait ?

— Drake a eu beaucoup de femmes mais, pour le moment, je ne lui connais aucune maîtresse.

Raven salua cette nouvelle d'un simple hochement de tête, sans dire ce qu'elle en pensait vraiment.

— Y a-t-il encore quelque chose que vous désirez savoir, milady ? demanda John.

— Je crois que tu lui en as déjà trop dit, intervint Drake dans leur dos.

Ils avaient été tellement absorbés dans leur conversation qu'ils ne l'avaient pas entendu arriver. Messire John se leva d'un bond.

— Drake ! Es-tu obligé de nous tomber dessus à l'improviste ?

— Et toi, n'as-tu rien de mieux à faire que de divertir dame Raven avec la chronique de mes hauts faits ?

Un sourire ironique incurva les lèvres de messire John.

— Je ne faisais que satisfaire la curiosité de dame Raven.

Drake était loin de partager la bonne humeur de son ami.

— Pour ce qui est de satisfaire dame Raven, je m'en réserve le soin, qu'il s'agisse de sa curiosité ou d'autre chose.

Raven, à ces mots, prit un air outragé.

— Drake ! s'exclama-t-elle. Que de vanité ! Que de grossièreté ! Toi, autrefois si courtois !

— Ma mie, je ne fais que défendre ta vertu.

— N'est-il pas un peu tard pour ça ?

La réplique était si pertinente que Drake resta coi un court instant. John en profita pour glisser un mot.

— Excusez-moi, dit-il en s'inclinant du côté de Raven. Il faut encore que j'aille m'occuper des chevaux.

Sur ce, il se dépêcha de filer, laissant Raven et Drake à leur prise de bec.

— Si tu as encore des questions sur mon passé, dit Drake, je te conseille de t'adresser directement à moi.

— Trouves-tu étrange que j'aie envie de me renseigner sur mon champion ?

— Non. Tant que tu n'es pas indiscrète.

— C'est-à-dire tant que je ne parle pas de femmes ?

Il la regarda de haut en bas d'un œil froid.

— C'est un sujet tout à fait inintéressant, dit-il.

Raven avait toujours envie d'entendre parler de ses conquêtes féminines mais elle prétendit le contraire.

— Tu as raison, dit-elle avec un geste dédaigneux. Qu'ai-je à faire des exploits d'un trousseur de jupons ?

Drake s'accroupit à côté d'elle.

— Tu as toujours su l'essentiel à mon sujet, dit-il sur un ton radouci. Selon ce que mon père m'a dit, je suis un bâtard. J'ai vécu avec ma mère et ma grand-mère au pays de Galles jusqu'à ce que ma mère meure et que mon père vienne me récupérer pour me placer comme page chez le tien. Je me suis amouraché de ta sœur mais on me l'a enlevée, dans des circonstances que je n'ai pas besoin de te rappeler. Je sais me tenir en selle mieux qu'une paire de tenailles sur le cul d'un chien et je manie la lance et l'épée comme personne. Voilà, tu sais tout.

« Loin s'en faut ! » pensa Raven. Tant de mystères encore entouraient le Chevalier Noir. Pour commencer, elle aurait voulu savoir exactement combien de femmes il avait eues et comment elles s'appelaient. Elle se rendait bien compte que c'était une drôle d'idée mais elle n'y pouvait rien. Déroutée, vaguement honteuse, elle baissa le nez.

— Promets-moi de ne plus jamais questionner mes amis derrière mon dos, reprit Drake.

Pour toute réponse, il n'eut droit qu'à un hochement de tête. Il décida de s'en contenter, se releva et partit. Un court instant plus tard, Evan lui apporta de la viande et de la bière. Même si cette pitance était loin d'égaler l'exquise cuisine du château, Raven lui fit bon accueil.

Lorsque Raven eut fini de manger, elle dénoua ses tresses et se brossa les cheveux. Perdue dans ses pensées, elle ne se rendit pas compte qu'elle attirait sur elle les regards admiratifs de tous les hommes présents, y compris messire John et le jeune Evan. Ils semblaient unanimement fascinés par la grâce de ses gestes, amples et réguliers, tandis qu'elle démêlait ses longues mèches et lissait ses boucles.

Une fois encore, Drake arriva sans se faire entendre. Elle tressaillit lorsqu'il lui arracha des mains sa brosse.

— Assez ! dit-il d'une voix âpre.

Raven fut consternée car elle n'avait pas la moindre idée de ce qui avait provoqué sa réaction.

— Il est temps de dormir. Evan a préparé un lit pour toi là-bas, reprit-il en montrant du doigt une sorte de paillasse au pied d'un orme.

Raven se releva lentement.

— Qu'ai-je fait de mal ? demanda-t-elle avec morgue.

— Rien, sinon que tu as ensorcelé mes hommes. Même messire John est sous le charme.

Elle éclata de rire.

— De la part de messire John, cela m'étonnerait. Il sait très bien pourquoi je suis ici. As-tu déjà oublié que c'est lui qui t'a aidé à cocufier Waldo ?

— Tous les détails de cette nuit resteront à jamais gravés dans ma mémoire, sois-en sûre, murmura Drake. C'est d'ailleurs la raison pour laquelle je m'accommode de ta présence, milady. Si je ne t'avais pas rendu indigne de ton mari, tu serais dans ses bras en ce moment, au lieu d'être là à me gâcher la vie.

— À te gâcher la vie ! répéta Raven, toute tremblante d'indignation. Ce n'est pas moi qui ai tenu à t'accompagner à Windhurst. Moi, faut-il que je te le rappelle ? je voulais aller en Écosse.

Il sourit, mais son regard resta sévère.

— Et moi, faut-il que je te rappelle que tu as imploré ma protection dès mon arrivée à Klyme ? Tu l'as voulue, tu l'as eue. Il se trouve qu'à mon avis tu ne serais pas en sûreté en Écosse. Je connais Waldo, il te punira cruellement pour avoir osé le défier. Waldo m'a toujours détesté et maintenant tu te retrouves à ton tour sur la liste de ses ennemis. Je n'apprécie peut-être pas de t'avoir dans mes jambes mais je suis un homme de parole, ma mie.

Plus Drake parlait, plus sa voix s'assourdissait.

— Si tu voulais bien devenir ma concubine, reprit-il sur son ton enjôleur, notre alliance y gagnerait en agrément. Réfléchis-y !

Sur ce, il s'en alla, laissant ses paroles flotter dans l'air comme une brume.

Raven y réfléchit, en effet, mais l'idée lui déplut toujours autant. Elle avait rêvé d'un état plus glorieux que celui de simple concubine. Avant que le sommeil ne vienne la prendre, elle se dit qu'elle s'épouvantait peut-être d'un rien, que ce ne serait quand même pas l'apocalypse si elle devenait la maîtresse du Chevalier Noir. Mais elle repoussa bientôt cette idée. D'abord, parce que c'était contraire aux bonnes mœurs. Et puis, Drake finirait bien par se marier un jour. Il serait obligé de la renier. Que deviendrait-elle alors ? Retournerait-elle avec Waldo ? Plutôt mourir. Se mettrait-elle en ménage avec un autre chevalier ? Peu probable. L'idée lui vint qu'elle pourrait toujours aller s'enfermer dans un couvent. Peu de temps après, épuisée, elle s'endormit.

Incapable de trouver le sommeil, Drake prit un tour de garde. Raven le rendait fou. Il repensait sans cesse à son joli corps et il la désirait tellement que cela faisait mal. Il avait des raisons de penser qu'elle n'était pas indifférente à son charme, car il l'avait souvent surprise à l'observer quand elle croyait que personne ne la voyait. Elle avait beau essayer de feindre l'indifférence, quand elle le regardait, ses yeux brillaient.

Il était surpris qu'elle n'accepte pas son offre. Quantité de femmes auraient été trop heureuses de devenir la maîtresse du Chevalier Noir. Et, plus encore que surpris, il était vexé.

Drake essaya d'imaginer ce qui se passait au même moment au château de Klyme. Les boyaux de Waldo devaient être en train de crier vengeance. Lorsqu'il saurait que Raven n'était pas en Écosse, il ameuterait ses amis, rallierait le ban et l'arrière-ban de ses vassaux, enrôlerait des hommes d'armes et viendrait assiéger Windhurst.

Drake remâcha entre ses dents un affreux juron. Aussitôt arrivé à Windhurst, il avait l'intention d'embaucher des maçons pour réparer les murs et fortifier le château. Puis, il enverrait John recruter des mercenaires pour étoffer sa petite armée. Messire Richard était resté à Klyme pour espionner Waldo. Richard devait se déguiser en paysan et alerter Drake au moment où Waldo tournerait ses regards vers Windhurst.

Les hommes commencèrent à s'agiter bien avant l'aube. Drake se chargea de réveiller Raven. La trouvant couchée sur le ventre, profondément endormie, il en profita pour l'admirer. Au bout d'un moment, il la secoua doucement.

— C'est l'heure de se lever, dit-il.

Raven posa sur lui un drôle de regard, comme si elle essayait de se rappeler où elle était et ce qu'elle y faisait. Drake la trouva adorable, avec ses cheveux en désordre et ses yeux ensommeillés.

— J'ai faim, dit-elle.

— Comme nous tous. Mais nous n'avons pas le temps de déjeuner. Evan est en train de distribuer les restes du repas d'hier soir. Nous mangerons en route.

Elle fit la moue, manifestant clairement son dépit. Drake ne se laissa pas émouvoir.

— Au lieu de bouder comme une enfant gâtée, dépêche-toi de te préparer, conclut-il.

Puis, il s'éloigna, pour se consacrer à ses propres préparatifs, tout en songeant que Raven était vraiment une très belle rose – mais avec beaucoup, beaucoup d'épines.

Ils atteignirent Windhurst cinq jours plus tard. Raven était épuisée. Ils avaient chevauché sans répit, de l'aube au crépuscule, et Raven espérait ne plus avoir à se remettre en selle avant longtemps.

Lorsqu'elle découvrit le château et la falaise sur laquelle il était bâti, le cœur lui manqua. C'était encore plus sinistre qu'elle ne l'avait craint. Le soir tombait. L'atmosphère était obscurcie par une brume grisâtre. Une pluie fine et glacée cinglait le sol. Sous les coups d'un vent hargneux, quelques rares nuages se contorsionnaient dans le ciel. La vieille forteresse avait l'air de vaciller au bord du précipice. Au pied de la falaise abrupte, la mer grondait. Les vagues venaient se briser sur les rochers avec fracas.

— Mon domaine! s'exclama Drake avec une fierté incongrue, s'agissant d'une telle ruine.

Le mur extérieur se résumait en maints endroits à des pierres effondrées et des débris de mortier. Les mauvaises herbes avaient colonisé la cour intérieure. Tous les bâtiments étaient en piteux état. Les charpentes avaient cédé, les toits de chaume s'étaient affaissés. Les écuries, les appentis, la fauconnerie avaient glissé en même temps que le rempart sur lequel ils s'appuyaient.

Raven fut un peu rassurée à la vue du donjon. Malgré des années d'abandon, il s'élançait fièrement vers le ciel, majestueux et presque intact.

Drake mit pied à terre. Il aida Raven à en faire autant. Sir John s'était occupé d'allumer des torches. Drake en prit une. De sa main libre, il saisit Raven par le bras.

— Viens avec moi, ma mie, que je te fasse faire le tour du propriétaire.

Curieuse, Raven se laissa guider. Deux lourdes portes en bois grossièrement ferrées gardaient l'entrée du donjon. Il ne fallut pas moins de deux hommes pour les convaincre de s'ouvrir. À l'intérieur, l'odeur de moisi et de pourri était si insupportable que Raven se boucha le nez avec un coin de son manteau.

— C'est vrai que ça pue, concéda Drake, mais ce n'est pas sans remède. Une bonne dose d'huile de coude et quelques vigoureux courants d'air répareront tout ça. Demain, j'engagerai des serviteurs pour nettoyer. Bideford est un gros bourg. Nous y trouverons tout ce dont nous pouvons avoir besoin.

Sur ces entrefaites, messire John arriva avec de bonnes nouvelles: la salle de garde n'était pas aussi endommagée qu'on aurait pu le craindre et les hommes s'en contenteraient en attendant des réparations; la forge était en bon état et l'armurerie aussi.

— Je pensais me rendre au village dès maintenant, poursuivit messire John. Il faut faire des provisions. Nous n'avons presque rien à nous mettre sous la dent.

— Bonne idée, approuva Drake. Et, pendant que tu y seras, profites-en pour informer les villageois que leur seigneur est de retour et qu'il a l'intention de restaurer le château. Tous ceux qui voudront travailler seront bien payés.

Messire John s'en alla. Drake et Raven montèrent dans la tour. Au sommet, Drake poussa une épaisse porte en chêne ornée de belles ferrures et brandit sa torche. Une surprise les attendait. La pièce dans laquelle ils débouchèrent avait tous les traits d'une salle de séjour, avec une cheminée, un banc à dossier et d'autres meubles en bois sculpté.

La pièce adjacente était une chambre. Le matelas et le reste de la literie sentaient mauvais. Mais les meubles en bois massif avaient courageusement résisté à l'épreuve du temps.

La chambre était bien éclairée. Tournée vers le large, d'où aucune attaque ne risquait de venir, elle bénéficiait de fenêtres au lieu de devoir se contenter d'étroites meurtrières. Drake s'empressa de les ouvrir. Aussitôt, une saine odeur d'air marin remplaça la puanteur.

— Ce n'est pas si mal, dit Drake. Il n'y aura qu'à bien aérer et changer le matelas et ce sera parfait. Voici ta future chambre, Raven.

— Et toi, où dormiras-tu ?

Il regarda autour de lui en souriant d'un air malicieux.

— Ici même. Cette chambre n'est-elle pas assez grande pour deux ?

Raven pinça les lèvres.

— Je te l'ai dit, Drake de Windhurst : je refuse de devenir ta concubine. Je m'y refuse.

Le sourire de Drake s'épanouit.

— Nous verrons bien, Raven de Klyme. Nous verrons bien.

8

Vieilles amours et vieilles braises
sont vite rallumées.

Des morceaux de poutres à moitié vermoulus, récupérés parmi les charpentes effondrées, flambaient dans l'âtre. Après le repas, Raven, Drake et messire John s'étaient assis sur un banc devant la cheminée. Dehors, il pleuvait à verse. Le vent s'engouffrait dans les brèches des murs, si bien que l'atmosphère de la grande salle restait glaciale malgré le feu. Raven grelottait dans son gros manteau fourré.

Messire John était rentré une heure plus tôt, trempé jusqu'aux os mais de bonne humeur malgré tout. Le village de Bideford était pelotonné au pied de la falaise. John raconta que les villageois attendaient depuis longtemps leur nouveau maître et qu'ils avaient été ravis d'apprendre qu'il était enfin arrivé. Ils lui avaient prêté une charrette et chaque famille avait fait don d'une partie de ses provisions. Messire John avait profité de son bref séjour au village pour recruter des hommes et des femmes qui voulaient bien servir le Chevalier Noir et s'en faisait même une joie. Ils avaient promis de se présenter au château le lendemain matin à la première heure.

— Il est temps d'aller se coucher, dit tout à coup Drake à Raven en la voyant sur le point de s'assoupir. L'appartement n'est pas habitable pour le moment. Nous allons devoir trouver des solutions de rechange jusqu'à ce quel-qu'un l'ait nettoyé à fond. Messire John et moi, nous allons rejoindre les hommes dans la salle de garde. Toi, tu dormiras dans la grande salle.

— Oh, non! s'exclama Raven avec véhémence Je ne veux pas rester ici toute seule.

Drake la regarda curieusement.

— J'aurais trop peur, expliqua-t-elle en prenant l'air penaud.

— Il n'y a rien à craindre, dit Drake pour la rassurer.

— Tu n'as qu'à tenir compagnie à dame Raven, sug-géra messire John en souriant d'un air entendu. Je vous souhaite la bonne nuit à tous les deux.

— Je suis désolée, dit Raven en voyant que messire John s'en allait tout seul. Rien ne t'oblige à rester ici avec moi. Tu seras mieux dans la salle de garde. Quant à moi, poursuivit-elle en plissant le nez, il n'est pas question que je dorme sur ces nattes crasseuses, bien entendu, mais je suis prête à me contenter du banc.

— Oublie le banc, dit Drake. J'ai mieux à t'offrir. Tout à l'heure, j'ai exploré les alcôves du rez-de-chaussée et j'en ai trouvé une d'acceptable, à part la poussière et les toiles d'araignée. J'ai demandé à Evan de la nettoyer. Ces alcôves ont été prévues pour loger des invités de marque. Elles sont plutôt douillettes, avec une solide couchette. Viens, je vais te montrer.

Raven le suivit sans enthousiasme. Les ombres sur les murs créaient une atmosphère d'inquiétante étrangeté et l'idée de se retrouver seule dans une petite alcôve n'avait rien d'engageant.

L'alcôve se révéla moins affreuse que prévu. Elle était même plutôt spacieuse, relativement propre et il n'y avait ni rats ni cafards. Une paillasse était posée sur une large couchette en pierres et son baluchon de vêtements se trouvait en évidence sur un banc.

— Cela te convient-il? demanda Drake.

— Oui, répondit Raven. Mais je voudrais d'abord me laver. Où pourrais-je faire cela?

— La citerne est encore saine. Evan y a tiré un seau d'eau pour toi. Il l'a posé sous le banc. Autrefois, il y avait un rideau devant l'entrée pour permettre un peu d'intimité, mais il est tombé en lambeaux depuis long-temps. Pendant que tu fais tes ablutions, je vais aller faire les miennes ailleurs.

— Je te remercie pour ta délicatesse, murmura Raven. Mais tu as l'intention de revenir, n'est-ce pas?

Il la regarda un instant, l'air pensif.

— Oui. Je vais dormir sur le banc devant la cheminée. Tu ne seras pas seule, ne t'inquiète pas.

Dès que Drake fut parti, Raven s'empara du seau d'eau et retira une chemise de son baluchon. Elle se lava en vitesse, s'essuya avec sa chemise sale et s'habilla pour la nuit. Puis, elle grimpa sur la couchette et s'allongea sur la paillasse.

L'humidité suintait à travers les murs de pierres. Raven, toute frissonnante, se couvrit avec son manteau. Si jamais cette bâtisse avait eu quelque agrément, après toutes ces années à l'abandon, il ne lui en restait rien. Elle avait même l'air assez maléfique pour qu'on la soupçonne de grouiller de fantômes.

Épuisée, Raven se coucha sur le côté et se ramassa en boule.

À son retour, un bref instant plus tard, Drake alla voir Raven et la trouva profondément endormie. Elle ne pouvait pas se douter à quel point elle était belle et désirable. Drake s'arracha péniblement à sa contem-plation, tourna les talons et s'allongea sur le banc près du feu. Il s'endormit bientôt et, peu après, se retrouva par terre, sans savoir comment, avec une grosse bosse au milieu du front. La bouche pleine de jurons et d'imprécations, il se recoucha. Mais il n'y avait rien à faire. Soit le banc était trop petit, soit Drake trop grand.

S'il n'avait pas promis à Raven de rester près elle, il serait allé rejoindre ses hommes dans la salle de garde. Ils l'avaient diantrement bien nettoyée. Drake avait dans l'idée qu'il y aurait été mieux que sur ce satané banc. Il regarda vers l'entrée de l'alcôve où se trouvait Raven et décida qu'elle ne serait pas la seule à bien dormir cette nuit. La couchette était assez large pour deux, pardieu !

En faisant attention de ne pas la réveiller, il la poussa vers le mur pour se faire de la place. Puis, il se déshabilla, se glissa près d'elle sous le manteau et se blottit contre elle pour profiter de sa chaleur. Machinalement, il lui passa un bras autour de la taille et la plaqua contre lui. Il eut la joie de constater qu'elle ne résistait pas. Et, soudain, il se rendit compte que seule une fine étoffe de lin le séparait du corps de Raven.

Avec une délicatesse extrême, il lui prit un sein et le palpa. Elle poussa un petit soupir et bomba le torse, comme si elle s'avançait à la rencontre de ses caresses. Encouragé, il lui titilla le mamelon du bout d'un doigt. Elle soupira de nouveau. Alors, le désir de Drake fut à son comble. Cédant à la tentation, il promena sa main sur la taille exquisément fine, la hanche exquisément ronde, la cuisse exquisément fuselée.

Lorsqu'il atteignit le bas de la chemise, il la retroussa jusqu'à la taille. Raven poussa une petite plainte de bien-être quand Drake lui posa sa main sur le ventre. Il commençait à avoir du mal à respirer. Oubliant toute retenue, il lui mit sa main entre les cuisses et engloba son mont-de-Vénus. La soyeuse toison lui chatouillait la paume. Elle était chaude et odorante. Drake, de plus en plus déraisonnable, décida de poursuivre son exploration. Il trouva la corolle et glissa le doigt entre les pétales veloutés.

Raven se réveilla en sursaut et se redressa.

— Bon sang, Drake ! Qu'est-ce que tu fais ?

— Le banc est trop étroit pour moi et il y a assez de place pour nous deux sur cette couchette.

Raven lui lança un regard terrible.

— Ôte ta main de là, monseigneur. Que je sache, je ne t'ai pas donné la permission de me toucher.

— C'est plus fort que moi, milady, murmura Drake d'une voix sourde en la forçant à se recoucher.

L'immobilisant sous son poids, il se mit à faire bouger son doigt dans la petite fente humide et brûlante. Elle hoqueta ; il sourit.

— Drake, non, ne fais pas cela, dit-elle en haletant.

Mais, dans le même temps, elle ne pouvait s'empêcher de remuer les hanches. Alors, le doigt de Drake continua d'aller et venir en rythme. Elle poussa un petit cri aigu, se cambra et se mit à psalmodier des « Oh, Drake, oh, Drake... ».

— Envole-toi, délicieuse fille, murmura-t-il. Laisse-toi emporter sur les ailes du désir.

Il lui embrassa les seins, suçotant et mordillant le téton rond et ferme à travers la chemise tout en continuant l'amoureux barattage entre les jambes. Raven ne s'était jamais sentie aussi légère. Elle nageait dans la volupté comme un poisson dans l'eau.

Après les seins, il lui embrassa le cou, la pointe du menton... et puis la bouche. C'est alors qu'elle atteignit le sommet du plaisir, le doigt et les lèvres de Drake conjuguant leurs magies pour la jeter toute vive au milieu du paradis. Elle frémit, cria, s'agrippa aux cheveux de Drake et pleura de joie contre son épaule.

Malgré tout, elle finit par reprendre ses esprits. Drake était en train de se frotter contre elle. Il lui avait plaqué son phallus durci contre le ventre et ondulait des hanches. Lorsqu'il se coucha sur elle et s'apprêta à la prendre, elle protesta violemment.

— Non, Drake, non ! Je ne veux pas que tu me pénètres !

Il se figea.

— Je viens de te donner du plaisir. Pourquoi n'aurais-je pas le droit d'en prendre à mon tour ? J'ai envie de toi, ma douce mie. Depuis la création du monde, il n'y a jamais eu de femme plus désirable que toi.

Sa voix était envoûtante. Raven faillit se laisser surprendre par d'aussi grandes louanges. Mais elle refusa de succomber à la tentation. Elle savait désormais que la réputation du Chevalier Noir n'était pas usurpée. Quelle femme pouvait lui résister ? Drake avait été son premier amant, elle n'avait aucun élément de comparaison, mais elle savait d'instinct qu'elle n'en connaîtrait jamais de meilleur.

Raven avait une bonne raison de se refuser à Drake : elle craignait qu'il ne la féconde. Drake ne pourrait jamais l'épouser, quand bien même il le souhaiterait, car elle était, malgré tout, mariée à Waldo. Si elle tombait enceinte de Drake, l'enfant serait légalement celui de Waldo, et elle ne pouvait pas en supporter l'idée.

— Raven, dit-il d'une voix éraillée. Laisse-toi faire.

— C'est impossible, Drake, répondit-elle en ravalant un sanglot. Je t'en conjure, n'insiste pas.

Avec un soupir de dépit, il se laissa choir sur le côté. Ses grognements et ses grommellements en disaient long sur son inconfort mais Raven refusa de se laisser émouvoir.

— Une prochaine fois, dit Drake. Dans peu de temps, ajouta-t-il sur un ton riche de promesse.

Qu'elle aille au diable ! pensa-t-il en lui tournant le dos. Pas de pire malédiction qu'une belle femme qui s'entête à dire non !

Et lui, fallait-il qu'il soit idiot de pas l'avoir prise sans lui demander son avis !

Raven se tassa craintivement contre le mur. Elle avait été profondément endormie, en train de rêver à des coquineries, quand la main de Drake entre ses cuisses l'avait réveillée en sursaut. Il lui avait donné beaucoup de plaisir en la touchant et elle s'était laissé faire. C'était la deuxième fois en peu de temps qu'il entrait de force dans son lit. Elle aurait dû le haïr. Pourquoi n'y arrivait-elle pas ?

Dehors, le tonnerre grondait toujours. Bercée par le son de la pluie, Raven finit par s'endormir.

L'orage était passé lorsque Raven se réveilla le lendemain matin. Elle constata avec déplaisir que Drake n'était plus à son côté. Elle avait souvent rouvert les yeux pendant la nuit et, à chaque fois, elle avait trouvé du réconfort à le sentir auprès d'elle, vigoureux et chaud.

Des bruits de voix dans la cour l'incitèrent à se lever. Elle s'habilla en vitesse, impatiente de connaître la raison de ce remue-ménage. Soudain, les portes s'ouvrirent et un torrent de lumière se déversa dans la grande salle, charriant avec lui une foule de gens. Raven sortit de l'alcôve et s'avança à leur rencontre.

— Nous sommes des villageois, dit timidement quelqu'un. Monseigneur Drake nous a donné ses ordres avant d'aller à Bideford pour embaucher des maçons et des ouvriers. Nous sommes tous très heureux de savoir que notre maître va désormais résider au château.

— Soyez les bienvenus, répondit Raven avec un sourire avenant à l'appui de ses dires. Je suis dame Raven. Comme vous pouvez le constater, la grande salle est restée à l'abandon pendant des années. Il y a de la saleté partout.

— Oui, repartit celui qui s'était arrogé le rôle de porte-parole. Il y a bien longtemps qu'aucun seigneur n'a occupé Windhurst. Moi, milady, je m'appelle Balder.

— Puisque vous savez ce qu'il y a à faire, Balder, repartit Raven, je vous nomme contremaître, vous dirigerez les autres.

Raven scruta les paysans en demi-cercle autour d'elle. Tous autant qu'ils étaient, ils la dévoraient des yeux en souriant d'un air béat.

— Y a-t-il une cuisinière parmi vous ? demanda-t-elle.

Une femme d'un certain âge, petite et replète, se signala.

— Moi, milady. Je m'appelle Margot. Tout le monde considère que je suis la meilleure du village, dit-elle avec une pointe de fierté dans la voix. Et, celle-ci, c'est Gilda, ma gamine, ajouta-t-elle en faisant passer devant elle une jolie jeune fille. Peut-être que vous pourriez la prendre comme femme de chambre.

Ne sachant pas si Drake souhaitait la doter d'une femme de chambre, Raven remercia Margot et dit que, pour les tâches de Gilda, l'on verrait plus tard.

— En attendant, chère Margot, poursuivit-elle, inspectez la cuisine et faites la liste de tout ce qui manque, Balder se chargera de vous le procurer. Messire Drake ne va pas tarder à rentrer avec des maçons qui feront toutes les réparations nécessaires.

Balder, qui prenait apparemment très au sérieux sa nouvelle charge, assigna une tâche à chacun. Cela fait, les villageois saluèrent Raven avec autant de respect que de gaucherie et s'en allèrent. Balder les suivit de près.

— Ah, vous êtes là, milady ! s'exclama quelqu'un dans le dos de Raven.

C'était John. Raven l'accueillit avec un franc sourire.

— Le bon jour, messire.

— Le bon jour, milady. Monseigneur Drake est parti à Bideford avant votre réveil. Moi-même, je suis sur le point de m'en aller.

— Où ? Pour quoi faire ? demanda Raven.

— Je vais recruter des hommes pour l'armée de messire Drake.

Raven savait que Drake manquait de gens d'armes. Il s'attendait à ce que Waldo attaque bientôt Windhurst et sa petite troupe ne pèserait pas lourd contre la multitude de chevaliers, d'arbalétriers et de piqueurs que Waldo amènerait avec lui. Il n'y avait plus qu'à prier pour que Waldo n'attaque pas avant que Drake soit prêt à le recevoir.

— Je ne devrais avoir aucune peine à en trouver, reprit John. Les hommes considèrent que c'est un honneur de combattre sous la bannière du Chevalier Noir. Dans moins d'un mois, je devrais être revenu avec assez de bons soldats pour tenir tête à n'importe qui.

Drake rentra en milieu d'après-midi avec une escouade de maçons et d'ouvriers. Tout ce beau monde arriva en même temps que deux chariots croulants sous les outils, les sacs de farine, de sel ou autres, les tonnelets de bière, sans compter les pièces d'étoffe destinées à faire des robes pour Raven.

Les jours suivants, Raven s'activa beaucoup. Elle surveilla les travaux de réfection dans la grande salle et ailleurs. L'appartement privé, tout en haut du donjon, lui plut bien, une fois dépoussiéré, gratté, savonné, frotté, rincé, poli. Des meubles et autres commodités se mirent à arriver journellement. Pour les chambres : de robustes sommiers, des matelas moelleux. Pour la cuisine : des pots, des poêles, des marmites, un four, une chaudière, une rôtissoire. Et puis, une baignoire et de quoi équiper une étuve. Et des draps de lin et tout le linge nécessaire au confort.

Les maçons et les charpentiers se mirent à l'ouvrage immédiatement. Des menuisiers fabriquèrent des bancs, des tables, des chaises pour la grande salle et les chambres. Chaque jour, des artisans et des colporteurs montaient au château pour proposer leurs services ou vendre leur marchandise.

Au bout de deux semaines, les changements commencèrent à se faire sentir. Des nattes neuves couvraient le sol. Toute puanteur avait disparu. Les murs lessivés étaient couverts de tapisseries aux riches couleurs. Les meubles neufs, fraîchement lustrés, brillaient. Le feu dans l'âtre, nourri avec de bonnes bûches, embaumait.

Dans la cuisine restaurée, Margot préparait des mets simples, savoureux et roboratifs. Raven était contente et commençait à regarder Windhurst d'un œil plus favorable.

Raven et Drake se voyaient peu. Il dormait dans une tour d'angle, à l'opposé du donjon et, dans la journée, il passait la moitié de son temps à diriger les travaux et l'autre moitié à s'exercer au combat dans le champ clos avec ses hommes. Mais, s'il leur arrivait de se retrouver dans la même pièce, immanquablement, elle se troublait, et il n'avait qu'à la regarder pour qu'aussitôt elle ressente des fourmillements dans les entrailles.

Un beau matin, Raven alla se promener jusqu'au bord de la falaise pour regarder les vagues qui se fracassaient contre les rochers et se laisser bercer par le bruit du ressac. C'était la première fois qu'elle voyait la mer et elle fut fascinée.

Au fil des jours, l'attitude des domestiques à l'égard de Raven changea. Son statut au château n'ayant jamais été clairement spécifié, les servantes qui avaient des vues sur Drake s'étaient mises à la considérer comme une rivale. La fille de Margot, Gilda, que Raven avait accepté de prendre à son service, faisait naturellement partie des prétendantes.

Un matin que Raven lui demandait de changer ses draps, Gilda répondit carrément qu'elle n'était pas obligée de lui obéir.

— Je ne prends mes ordres que de monseigneur Drake, expliqua la jeune effrontée. Vous n'êtes pas la maîtresse du château. Vous n'êtes rien. Ni son épouse ni sa putain. *Rien!*

Raven resta stupéfaite un court instant.

— Veux-tu bien répéter cela? demanda-t-elle, le souffle coupé.

— Vous m'avez très bien entendue, *milady*, répliqua Gilda en soulignant sarcastiquement le terme de politesse. Je sais que messire Drake ne veut pas de vous dans son lit, puisque vous dormez seule dans le donjon. Je ne sais pas ce qu'il y a entre lui et vous mais je vous assure, *milady*, que messire Drake ne couche pas seul.

Gilda se redressa, de façon à faire ressortir sa généreuse poitrine, et ajouta :

— Monseigneur Drake est un bon champion, et pas seulement dans les tournois.

Sur ce, elle pivota sur ses talons et s'éloigna. Avant de sortir, elle prit encore le temps de lancer une dernière flèche par-dessus son épaule :

— Quant à votre linge sale, *milady*, lavez-le donc vous-même !

Raven n'avait jamais été humiliée pareillement, et elle considérait que c'était la faute de Drake, qui l'avait laissée à la merci de l'insolence des domestiques au lieu de l'introniser officiellement châtelaine.

Peu de temps après cet incident, Drake survint. Raven était encore si bouleversée qu'elle ne le vit pas entrer dans la grande salle.

— Dame Raven, comment vas-tu ce matin ? demanda-t-il.

Elle sursauta littéralement.

— Ah, Drake ! Tu m'as fait peur !

— Cela ne m'étonne pas. Tu avais l'air dans la lune.

Le visage de Drake s'assombrit brusquement.

— Y a-t-il quelque chose qui te chagrine, ma mie ? reprit-il sur un ton plus grave.

— C'est exact, répondit Raven. Et je vais franchement te dire quoi. Je n'accepte pas d'être traitée dédaigneusement par tes filles de joie. Je sais que je n'ai pas de statut dans ta maison, mais Gilda en prend un peu trop à son aise avec moi et je n'aime pas cela.

Drake écarquilla les yeux.

— Ce que tu dis m'étonne beaucoup, avoua-t-il. Il ne m'est jamais venu à l'esprit que tu puisses être traitée autrement qu'avec le plus grand respect. Puisqu'il en est ainsi, je vais faire la leçon aux domestiques.

Gilda était revenue et faisait semblant de s'occuper dans un coin tout en les observant.

— Nous ne pouvons pas parler ici, dit Raven. Il y a des oreilles indiscrètes. Viens, ajouta-t-elle en prenant Drake par la main. Allons dans mon appartement. Là-haut, personne ne nous dérangera.

Drake la suivit sans protester. Raven fit semblant de ne pas voir le regard furibond que Gilda leur lança en les voyant partir main dans la main. Ce qu'elle avait à dire à Drake ne regardait que lui. Une fois dans l'appartement, elle referma la porte et s'y adossa.

— Tu es mal informée, lui dit Drake en réponse aux accusations muettes qu'il pouvait lire dans ses yeux. Je te donne ma parole que je n'ai couché avec aucune femme depuis notre arrivée à Windhurst.

Raven se crispa.

— Gilda m'a dit que…

— Elle ment, trancha Drake. Tu n'aurais jamais dû la croire.

Devant son air sincèrement meurtri, elle se sentit coupable.

— Tu es réputé pour ton ardeur, Drake. Personne ne s'attend à ce que tu vives comme un moine.

Il s'approcha d'elle et lui emprisonna la tête entre ses deux grandes mains.

— Cela n'a jamais été mon intention, ma mie.

Pour preuve, il l'embrassa. Et elle ne chercha même pas à résister, tout en sachant qu'elle aurait dû. Elle était mariée – mariée à un homme qu'elle avait de bonnes raisons de craindre et de haïr. Les lèvres de Drake étaient fermes, brûlantes, voraces. Il lui glissa sa langue dans la bouche. Raven éprouva des sensations interdites, une bouffée de chaleur dans les entrailles, une mouillure dans l'entre-deux-cuisses. Lucide encore, elle se dit qu'elle aurait dû mettre le holà, mais elle préféra s'agripper aux bras de Drake et lui rendre son baiser.

— De quoi voulais-tu me parler? murmura-t-il.

Elle s'accrocha à lui. Incapable de réfléchir, elle s'écria seulement :

— Drake !

Il se mit à lui caresser le dos, le creux des reins.

— Quoi donc ? insista-t-il. Raven, dis-moi…

— Je, euh, nous… balbutia-t-elle.

Il lui palpa les fesses, les écarta, les rapprocha, éprouva la chaleur de sa chair à travers sa robe. Soudain, Raven frémit des pieds à la tête. Les mains de Drake l'excitaient, la rendaient folle de désir. Il continua d'explorer ses courbes. Elle sentit ses jambes flageoler et elle se rendit compte que toute résistance était vaine. Elle était à la merci du Chevalier Noir.

Il recula soudain sa tête et la regarda intensément, comme s'il cherchait à lire dans ses pensées. Il y trouva sans doute de quoi se réjouir car il sourit.

Elle poussa un long soupir quand il la saisit par le coude et l'entraîna vers la chambre. Chemin faisant, elle tituba. Alors, il la souleva dans ses bras. Lorsqu'il la déposa près du lit, il souriait toujours.

— Voilà, nous y sommes, douce Raven. Tu ne pourras pas dire que je ne t'ai pas prévenue.

La lumière du jour entrait à flots par les fenêtres. Son rude visage était bien éclairé. Il avait l'air résolu. Raven avait toujours su que ce jour viendrait. Elle était une femme mariée mais cela importait peu. Pour l'église, un mariage n'était pas légal tant qu'il n'était pas consommé. Et Waldo ne l'avait pas touchée. Elle y avait veillé.

— Ne réfléchis plus, Raven, murmura Drake. Cela devait finir par arriver. La patience n'est pas la première de mes vertus.

Il ôta sa tunique et la jeta au loin. Puis, il dénoua ses chausses et son membre surgit. Raven le regarda fixement : elle le trouva incroyablement majestueux. Elle l'avait senti en elle mais elle ne l'avait encore jamais contemplé en pleine lumière. Il était énorme. Elle vit les veines qui couraient le long de la hampe. Elle remarqua une gouttelette de liqueur sur le bulbe pourpre.

Drake jeta ses chausses, qui allèrent rejoindre la tunique, et se retrouva tout nu. Raven avait les joues en feu. Elle retint son souffle devant le spectacle de ce corps encore plus magnifique que dans ses rêves.

Soudain, il toucha les nattes qu'elle avait enroulées autour de sa tête.

— Détache tes cheveux, ordonna-t-il.

Elle acquiesça d'un battement de cils. Elle enleva une à une les épingles de bois qui maintenaient sa coiffure. Drake se chargea de lui détresser les cheveux et de les démêler avec ses doigts jusqu'à ce qu'ils lui tombent en cascade dans le dos.

— J'adore ta chevelure, dit-il d'une voix chaude et vibrante. Quand tu étais petite, je la trouvais très laide. Je devais avoir un bandeau sur les yeux.

Raven se souvint des méchantes taquineries de Drake à propos de la couleur de ses cheveux. Mais elle ne lui en avait pas voulu car elle avait été éperdument amoureuse de lui.

— Déshabille-toi, dit-il. J'ai envie de toi. Cette fois-ci, ce sera différent. Tu n'auras pas mal, et je vais prendre mon temps pour te donner du plaisir.

Raven se retint de sourire. Ignorait-il qu'il l'avait fait jouir la première fois malgré la petite douleur du début ? Doucement, elle commença à se déshabiller. À chaque morceau d'étoffe qu'elle écartait, Drake changeait de visage. Mais, comme elle n'allait pas assez vite à son goût, il empoigna l'encolure de sa chemise.

— Monseigneur, un peu de patience.

— Je t'ai dit que ce n'était pas mon point fort, rappela Drake.

— Si fait, mais je ne peux pas me permettre de gâcher un seul vêtement quand j'en ai si peu.

— Qu'à cela ne tienne, je t'en offrirai des dizaines d'autres.

Sur ce, il déchira la chemise en deux et jeta les morceaux. La pudeur de Raven s'alarma sous son regard scrutateur. Elle se serait peut-être enfuie s'il ne l'avait empoignée par le bras et plaquée contre lui. Poitrine contre poitrine, hanche contre hanche, haleine contre haleine, ils s'enflammaient l'un l'autre. Lorsqu'elle sentit le membre de Drake qui palpitait contre son ventre, elle s'affola au point de s'écrier :

— Oh! maintenant! maintenant!

Aussitôt après, se rendant compte de son incroyable audace, elle rougit comme une pivoine.

— Oh, ma délicieuse, comme ton impatience me ravit. Je vais te faire cela doucement.

En la faisant basculer sur le lit, il ajouta :

— Et j'en profiterai pour découvrir tous tes secrets.

Il se pencha, s'empara d'un de ses seins, goba le mamelon, le téta, le mordilla, un peu fort mais pas trop, s'arrêtant juste avant que le plaisir ne se transforme en douleur. Elle se mit à lui caresser le dos, les fesses, les cuisses. Il était velu mais sa peau était douce sous les poils. Elle était prise d'une sorte de frénésie. Sa raison était grisée comme sous l'effet d'un philtre irrésistible et son corps réclamait de toutes ses fibres un plaisir auquel elle n'avait pas droit. Pas avec cet homme qui n'était ni son promis ni son époux.

Elle tremblait violemment tandis qu'il la couvrait de baisers, entre les seins, et puis sur le ventre, et puis de plus en plus bas. Elle se mit à craindre qu'il ne s'arrête avant d'avoir atteint…

— Drake, non!

Il s'agenouilla entre ses jambes et, tout en lui caressant l'intérieur des cuisses grandes ouvertes, contempla les trésors de son intimité comme si c'était des friandises dont il s'apprêtait à faire son régal. Elle faillit perdre la raison lorsqu'il lissa les petites lèvres de son sexe et les entrouvrit, les disposant à sa convenance.

Puis, il l'embrassa à cet endroit-là.

Raven cessa de respirer. Elle ignorait que cela pouvait se faire. Et que cela soit aussi agréable.

Drake releva la tête et la regarda.

— Veux-tu bien que je continue ?

— Non… euh… je ne sais pas ! C'est sans doute un péché.

— Sans doute, reconnut Drake, mais tellement délicieux. Dis-moi, Raven, souhaites-tu que je m'arrête ?

Elle sentait passer sur ses nymphes la caresse de son haleine tiède et elle craignait de devenir folle s'il s'arrêtait maintenant.

— Non, ne t'arrête pas, murmura-t-elle. Va jusqu'au bout.

Il baissa la tête et glissa sa langue dans les replis humides et gorgés de vie. Il effleura les bords du sillon avec légèreté, aspira les nymphes l'une après l'autre, se mit à picorer ou à suçoter çà et là, poussa sa langue dans la fente. Lorsqu'il finit par lécher le bouton hypersensible, elle se cambra, gémit et lui agrippa vigoureusement les cheveux.

Et puis, ce fut l'apothéose.

9

Qui aime bien, tard oublie.

Drake se redressa, appuyé sur ses avant-bras, et dévisagea Raven. Elle était belle, avec ses yeux clos, sa bouche entrouverte et sa poitrine haletante. Grâce à elle, il venait de faire une grande découverte : qu'on pouvait apprécier de donner du plaisir sans en prendre.

Elle rouvrit les yeux. Ils échangèrent un tendre regard et un sourire. En signe de gratitude, elle lui caressa la joue. Il en profita pour lui prendre la main, la porter à ses lèvres et embrasser chaque doigt avec douceur.

— Est-ce un péché de faire cela ? demanda-t-elle timidement.

Drake la trouva naïve avec sa question. Naïve *et* délicieuse. Naïve *et* attendrissante.

— Je crois que les pires péchés viennent du cœur, répondit-il gravement. Ce que l'on fait avec les parties inférieures du corps est relativement innocent, tant qu'on y prend autant de plaisir l'un que l'autre.

Elle regarda le membre de Drake, toujours aussi gros et rigide.

— J'ai eu tout le plaisir, et toi, rien.

— Détrompe-toi, ma mie. Je me suis délecté à te voir jouir.

Elle le saisit par les épaules.

— Viens ! J'ai envie de te sentir en moi, dit-elle d'une voix entrecoupée en l'incitant à se recoucher sur elle. À mon tour de te regarder jouir et de m'en délecter !

« Par Dieu, songea Drake, quelle merveille que cette femme ! » Il lui écarta les cuisses et s'extasia devant sa corolle vermeille. Puis, il y frotta son bulbe, plusieurs fois, jusqu'à ce qu'elle frissonne et se mette à onduler des hanches. Il se souvint qu'elle avait été incroyablement étroite et brûlante la première fois qu'il l'avait prise et son désir décupla.

Alors, il se glissa en elle, tout doucement, de plus en plus loin. Les yeux fermés, les dents serrées, il essayait de ne pas s'affoler. Elle le comprimait entre les parois de son sexe et il s'y trouvait bien. Il allait et venait lentement pour ne pas lui faire mal et c'est elle qui poussa sur ses fesses pour l'encourager à aller plus loin. Drake fut surpris par cette démonstration d'ardeur alors qu'elle venait juste de jouir et il se figea.

— Non ! s'écria-t-elle en lui enfonçant ses ongles dans le dos. Ne t'arrête pas !

— Oh, ma tendre mie, n'aie crainte ! Je ne pourrais pas m'arrêter, quand bien même la terre s'ouvrirait en deux pour m'engloutir.

D'un souple mouvement des hanches, il se glissa en elle entièrement et, comme si cela ne suffisait pas, il lui fit relever les jambes. Elle vibrait sous lui en répétant son nom. Drake, enfin, ne se contrôla plus, il se mit à donner des coups de boutoir, de plus en plus rapides, de plus en plus brusques, jusqu'à ce qu'ils atteignent ensemble le sommet du plaisir.

Une fois le calme revenu, Drake refusa de bouger. Il avait envie de rester en elle en attendant d'être de nouveau assez rigide pour le refaire. Il lui posa sa tête entre les seins.

Ils étaient aussi pantelants l'un que l'autre.

Drake finit par trouver la force de se retirer. Il se répandit littéralement sur la paillasse à côté d'elle et, se redressant un peu, l'embrassa sur la pointe du menton.

— J'ai envie de te prendre encore et encore, toute la journée et toute la nuit.

Raven resta bouche bée.

— Cela se peut-il ?

Il posa sur elle des yeux pleins de belles promesses.

— Je t'assure que oui.

Il lui prit la main et la posa au bas de son ventre, pour qu'elle constate qu'il était peut-être satisfait mais pas rassasié. Son membre était de nouveau déployé. Elle le caressa, le serra dans sa main comme si elle cherchait à en éprouver la dureté.

— Cela ne peut-il attendre ? Il faut que je te parle.

Il s'assit dans le lit.

— Est-ce si important que cela ?

— Oui, confirma-t-elle assurément. Je suppose qu'à partir de maintenant je n'ai plus qu'à me considérer comme ta maîtresse.

Drake se demanda où elle voulait en venir.

— Est-ce une si mauvaise chose ? Nous venons de démontrer que nous nous entendons bien. Palsambleu, Raven, tu ne te rends pas compte du plaisir que tu m'as donné.

— Toi aussi, tu m'as donné beaucoup de plaisir... mais cela ne changera rien pour Waldo.

En entendant prononcer le nom de son demi-frère, Drake se rembrunit.

— Sommes-nous absolument obligés de parler de lui ?

— Il est mon mari. Il va venir me chercher, tu sais ? Ton château n'est pas en état de soutenir un siège.

Elle marqua une pause, le temps d'avaler une grande goulée d'air, et ajouta :

— Peut-être que je ferais mieux de retourner le voir et de lui proposer l'annulation de notre mariage.

Drake n'en crut pas ses oreilles. Dans l'espoir de lui remettre les idées en place, il la prit par les épaules et la secoua comme un prunier.

— Es-tu folle ? Waldo te tuerait !

— C'est toi qu'il tuera s'il t'attrape. Tu ne voulais pas te mêler de mes histoires et je t'y ai forcé. Je ne veux pas avoir ta mort sur la conscience.

— Voyons, Raven, il serait exagéré de dire que tu m'as mêlé à tes histoires malgré moi. J'agis librement. Tout cela, c'est ma punition pour t'avoir corrompue le soir même de ton mariage.

— Certes, ce n'était pas la nuit de noces dont j'aurais rêvé, concéda Raven, mais j'ai mieux aimé ça que de me faire violenter par Waldo. À quelque chose malheur est bon, comme on dit. Tu m'as fourni le moyen d'échapper à un homme que je déteste. Je ne suis pas la femme de Waldo, dit-elle d'un ton farouche. Mon mariage avec lui n'a jamais été consommé et je me tuerais plutôt que de le laisser me toucher.

Drake la serra dans ses bras.

— On n'en viendra jamais là. J'y veillerai.

Elle parut interloquée.

— Pourquoi dis-tu cela, Drake? Tu n'as pas d'amour pour moi, ni même d'affection. À Klyme, quand je t'ai supplié de m'aider, tu as refusé. Tout compte fait, je ne suis qu'un châtiment que tu décides de t'infliger.

— Ce n'est pas tout à fait vrai.

— C'est pourtant ce que tu viens de dire.

Il la regarda dans les yeux.

— Je me suis mal exprimé.

— Tu m'en veux encore pour ce que tu crois que j'ai fait il y a douze ans.

— Non! dit catégoriquement Drake. Ce qui s'est passé à Klyme quand nous étions enfants, cela ne compte pas.

— Cela compte pour moi! protesta Raven. Aujourd'hui, es-tu prêt à m'écouter sans mauvais préjugés? Je te jure sur la tombe de mes parents de ne dire que la vérité vraie.

— Soit, parle! acquiesça Drake.

S'il n'y avait que cela pour lui faire plaisir!

En fait, il n'avait plus que de vagues souvenirs de cette époque. S'il avait gardé rancune à Raven après tout ce temps, c'était par habitude, par paresse d'esprit, sans se rendre compte que ça n'avait plus aucune importance.

Au fond de son cœur, le Chevalier Noir se moquait tout à fait des avanies infligées jadis à Drake sans Nom.

Raven prit une profonde inspiration et se lança.

— J'aimais beaucoup ma sœur. Elle était parfois futile et capricieuse, mais le plus souvent elle était bien gentille. Je ne nie pas qu'elle se soit crue amoureuse de toi, mais jamais elle ne se serait laissé enlever. La seule chose qu'elle désirait vraiment, c'était devenir comtesse de Lleyn.

— Veux-tu dire que Daria ne tenait pas à moi ? demanda sèchement Drake, piqué au vif.

— Nenni. Je veux juste dire ce qui est. Daria n'aimait pas la désinvolture avec laquelle Waldo la traitait. Elle voulait le rendre jaloux pour qu'il s'intéresse davantage à elle. Elle était jeune, Drake, tu ne peux pas lui en vouloir. Elle avait de l'affection pour toi mais, d'un autre côté, elle prenait ses fiançailles au sérieux.

— Comment ton père a-t-il su que nous projetions de nous enfuir ensemble, si ce n'est pas toi qui l'as mis au courant ?

— Daria s'est confiée à moi, c'est vrai, mais je n'ai rien dit à notre père. Elle m'a assuré qu'elle savait ce qu'elle faisait. Elle voulait avant tout devenir comtesse. Épouser un écuyer sans terre ni titre, non, cela n'avait jamais été dans ses projets. Elle s'est jouée de tes sentiments, Drake. J'ai su par la suite qu'elle avait tout dit à sa femme de chambre en se doutant bien que cette fille, la plus franche babillarde d'Angleterre, s'empresserait d'aller tout raconter à notre père. J'étais au courant de ton projet, je le considérais comme une folie, d'accord. Mais je ne t'ai pas trahi.

Drake n'eut aucune peine à la croire. Elle avait juré de dire la vérité et son récit sonnait juste. Les révélations sur Daria venaient trop tard pour le blesser. L'angélique blonde avait été son premier amour. Il avait été candide, il avait visé trop haut, il avait été humilié, soit. Mais il avait survécu et le destin lui avait permis de prendre sa revanche.

Il y avait cependant une terrible chose qu'il ne pouvait pas oublier.

— Tu penses vraiment que Waldo est responsable de la mort de Daria ? demanda-t-il tout de go.

— J'en suis certaine ! répondit Raven avec violence. Elle était en bonne santé quand elle est partie vivre avec lui. Elle ne s'était jamais plainte d'aucune maladie, elle n'avait jamais eu mal nulle part. Je ne saurais te dire pourquoi mais je suis intimement convaincue que Waldo est responsable de la mort de ma sœur. Oh ! là, là ! soupira-t-elle. Tous ces morts ! Mes parents, mon fiancé... Et puis, la mère de Waldo, et puis son père et puis, peu après, Daria.

— Comment Aric de Flint est-il mort ?

— Il est parti faire la guerre en France avec Duff et Waldo. Il a été tué à la bataille de Crécy. Aussitôt, Waldo a demandé ma main à Duff. Si mes parents avaient été encore en vie, ils n'auraient jamais consenti. Mais Duff n'avait rien à refuser à Waldo.

— Si jamais j'ai la preuve que Waldo est responsable de la mort de Daria, je le tuerai de mes propres mains, dit Drake. Daria n'était peut-être qu'une coquette, mais moi, je l'ai aimée et elle ne méritait pas de mourir.

— Il faut vraiment que tu me croies, implora Raven. C'est très important. Je me suis donnée à toi. Je ne pourrais pas supporter l'idée que tu me prends pour une traîtresse et que tu me méprises.

Il lui passa la main dans les cheveux, écarta les lourdes mèches qui tombaient sur son front et voilaient ses magnifiques yeux émeraude.

— Non, Raven, je te crois, murmura-t-il. Dans mon for intérieur, j'ai sans doute toujours su que tu étais incapable d'une telle infamie. Il y avait trop de bonté en toi. Mais j'ai peut-être préféré croire que tu m'avais trahi plutôt que de reconnaître que Daria ne m'aimait pas et qu'elle n'avait jamais eu l'intention de s'enfuir avec moi. La vérité aurait été trop cruelle à admettre pour le niais jouvenceau que j'étais alors.

Les yeux de Raven s'embuèrent de larmes.

— Tu ne peux pas imaginer à quel point je suis heureuse d'entendre cela.

Il n'en fallut pas davantage pour réveiller le désir de Drake. Il la serra dans ses bras et dit, d'une voix si rauque qu'elle était presque méconnaissable :

— Te souviens-tu de ce jour, il y a très longtemps, où tu m'as demandé de t'embrasser ? murmura-t-il. Tu avais, quoi ? onze ans ? douze ans ? Trop jeune en tout cas pour savoir ce que tu demandais.

— Je m'en souviens fort bien. J'étais éperdument amoureuse de toi, Drake. Je ne me souciais ni de titre ni de fortune. Tu étais mon preux chevalier et je me figurais que j'étais la dame de tes pensées.

— Je ne t'ai pas embrassée ce jour-là. C'est dire si j'étais bête ! Aujourd'hui, j'ai l'intention de faire amende honorable, ma tendre mie. Je vais t'embrasser jusqu'à ce que tu sois tout étourdie et que tu me supplies d'arrêter.

— Te supplier d'arrêter ? Jamais ! Je suis toujours la petite fille qui te courait après pour demander l'aumône d'un baiser.

Elle entrouvrit les lèvres et les humecta avec le bout de sa langue. Ce fut le signal que Drake attendait pour s'emparer de sa bouche et la dévorer. Leurs cerveaux embrumés par le désir, chacun attendant du corps de l'autre la félicité suprême, ils roulèrent ensemble sur la paillasse.

Ils restèrent enfermés dans la chambre jusqu'au repas du soir. Tous les regards se tournèrent vers eux lorsqu'ils entrèrent dans la grande salle. N'importe qui pouvait deviner ce qui s'était passé dans la chambre de Raven cet après-midi-là. Elle avait le rouge aux joues et ses yeux brillaient comme des escarboucles.

Ce soir-là, Raven mangea sur le même tranchoir que Drake et but dans la même coupe, ce qui donna matière à de nouveaux commérages. Après le repas, Drake raccompagna Raven dans sa chambre tandis que les hommes retournaient dans la salle de garde ou bien s'installaient pour dormir dans les coins de la grande salle.

— Demain, je demanderai aux serviteurs d'apporter mes affaires ici, dit-il en refermant la porte. Nous partagerons cet appartement aussi longtemps que tu resteras à Windhurst.

Raven frissonna, comme si le blizzard s'était soudain engouffré dans la chambre.

— Cela veut dire combien de temps, monseigneur ?

Ils savaient tous les deux qu'elle ne pourrait pas vivre ici indéfiniment. L'épouse de Drake, le jour où il se déciderait à en prendre une, n'accepterait jamais de respirer le même air que Raven.

— Aussi longtemps que tu seras satisfaite de cet arrangement, répondit Drake sur un ton taquin. Crois-tu que je vais t'abandonner aux bons soins de Waldo ? Certainement pas ! Waldo n'a pas l'âme clémente. Il est cruel, fourbe et capable de choses dont nous n'avons pas idée. Mais je n'ai pas envie de parler de Waldo maintenant. Viens, je vais t'aider à te déshabiller.

La nuit fut une réplique de l'après-midi. Drake n'arrivait pas à se rassasier et Raven n'était pas moins ardente. Les ébats de l'après-midi avaient permis à Raven de vaincre sa timidité. Maintenant, elle n'avait aucune honte à explorer le corps de Drake comme il avait exploré le sien. C'est ainsi qu'elle s'agenouilla entre ses jambes et prit son gland dans la bouche pour le suçoter. Il lui demanda facétieusement ce qu'elle faisait là et si elle pensait que c'était légitime.

— Si j'ai bien retenu la leçon que tu m'as donnée tantôt, l'on peut faire à peu près ce qu'on veut avec les parties inférieures du corps, repartit-elle.

— Oui, si l'on y prend autant de plaisir l'un que l'autre, rappela-t-il.

— Ne crains rien, c'est le cas.

Lorsqu'il cria qu'il n'y tenait plus, elle se mit à califourchon sur lui et ils caracolèrent ainsi jusqu'au septième ciel.

Le lendemain matin, Drake rassembla les serviteurs dans la grande salle pour leur apprendre que Raven était la maîtresse du château et que ses ordres devaient être obéis. Tout le monde, sauf les plus jeunes servantes, sourit et hocha la tête, bien contents que le seigneur ait clarifié le rôle que Raven tenait dans sa vie. Elle était désormais l'estimée concubine du Chevalier Noir. Une position enviable, de l'avis général, digne de respect – du moins, aussi longtemps que le seigneur ne se dotait pas d'une épouse.

Les réparations des murs et des fortifications avançaient à grands pas. On avait hâte de voir revenir messire John avec une cohorte d'hommes de guerre. Drake était occupé du matin au soir mais, tout le reste de son temps, il le consacrait à Raven. L'amour qu'elle avait éprouvé pour Drake autrefois renaissait de ses cendres, tel le Phénix, plus beau et plus fort que jamais. Toutefois, elle s'interdisait de dévoiler le fond de son cœur, n'étant pas libre de réclamer l'amour de Drake en échange.

Elle était toujours une femme mariée, qui vivait dans le péché avec l'homme qu'elle aimait.

Une huitaine passa. Raven essayait de ne pas penser aux dangers qui menaçaient. La nuit, réfugiée dans les bras de Drake, elle se prenait à penser que rien ne pouvait l'atteindre.

Elle déchanta quand l'espion de Drake arriva de Klyme.

Messire Richard surgit dans la cour du château par un après-midi pluvieux et venteux. Il était trempé comme une soupe et à bout de force. On l'emmena dans la grande salle près du feu et un serviteur lui tendit une coupe de bière qu'il but d'une traite.

Drake attendit patiemment qu'il eût repris son souffle et étanché sa soif.

— J'ai voyagé à bride abattue et je suis bien aise d'être arrivé ici en un seul morceau, dit enfin messire Richard en haletant toujours un peu. J'ai réussi à ne pas me faire remarquer à Klyme. Je me suis mêlé aux ouvriers qui montent au château tous les matins pour proposer leurs services. Personne ne m'a reconnu comme l'un de tes chevaliers.

— Quelles nouvelles rapportes-tu ? demanda Drake d'une voix qui trahissait son anxiété.

— Messire Waldo est allé chercher sa femme en Écosse et il en est revenu de fort mauvaise humeur, répondit-il en regardant Raven du coin de l'œil. Lorsque je suis parti, il était en train de recruter des mercenaires et de faire fabriquer des catapultes et autres machines de guerre. Quelqu'un lui a dit qu'il avait vu dame Raven près du pavillon du Chevalier Noir le soir de sa disparition. Il est persuadé qu'il la trouvera à Windhurst.

— De combien de temps disposons-nous ? demanda Drake.

— Une quinzaine de jours, pas plus.

Drake se mit à faire les cent pas. Il vit que Raven avait pâli et se rendit compte qu'il n'était pas prêt à renoncer à elle. Pas maintenant, et peut-être même jamais.

— Nos murs sont encore loin d'être finis et nos fortifications aussi, dit-il pensivement. Et nous n'avons pas assez d'hommes pour soutenir un siège du genre de celui que Waldo et Duff s'apprêtent à nous faire subir.

— Et messire John ? intervint Raven. Quand penses-tu qu'il va revenir avec des renforts ?

Drake s'assombrit.

— Nous ne pouvons pas nous permettre de l'attendre. Il n'y a rien de déshonorant à refuser un combat perdu d'avance. Affronter Waldo nous conduirait à un désastre. Windhurst, tel qu'il est, ne peut pas être défendu. Les vies de mes hommes sont en jeu. Personne ne mourra pour défendre ce tas de vieilles pierres : la vie humaine est trop précieuse.

— Que proposes-tu ? demanda messire Richard.

— Si tu es suffisamment requinqué pour ça, va dire aux hommes de se tenir prêts à partir demain matin à l'aube. Ils devront être armés de pied en cap et n'emporter que le strict nécessaire et un sac d'avoine pour leur monture.

— Bien, monseigneur, répondit Richard en se dépêchant de s'en aller.

— Et Windhurst ? demanda Raven. Waldo va venir détruire tout ce que tu t'es donné tant de peine à rebâtir.

Il la prit par les avant-bras et la regarda avec intensité.

— Je m'en moque, dit-il. C'est toi seule qui m'importes. Je frémis à l'idée de ce qui se passerait si Waldo te mettait la main dessus. Ici, je ne pourrais pas te protéger. Windhurst est encore trop vulnérable. Mais j'ai un plan.

— Où irons-nous ? demanda Raven en se tordant les mains.

— Je vais t'emmener chez ma grand-mère au pays de Galles, répondit-il en la serrant dans ses bras. Tu seras en sécurité avec grand-mère Nola.

Le visage de Raven exprima autant de surprise que d'inquiétude.

— Au pays de Galles ? s'exclama-t-elle. Ne me dis pas que ta grand-mère habite non loin de Klyme !

— Hélas, si ! C'est juste de l'autre côté de la frontière. Mais les seuls qui étaient au courant sont morts. Ma grand-mère habite à Builth Wells, à moins d'un jour de cheval de Klyme.

— C'est là que ta mère a rencontré ton père ?

— Oui. Ton père et le mien étaient amis. Messire Nyle possédait une terre près de Builth Wells. Avec mon père, ils y venaient souvent chasser. Ma mère était en train de cueillir des mûres dans les bois quand mon père l'a rencontrée par hasard. Messire Nyle est reparti pour Klyme mais mon père était tellement épris qu'il est resté pour faire sa cour. Ma mère n'a pas été cruelle avec lui. Lorsque le curé du village les a mariés, ils ne se connaissaient que depuis quelques jours.

— Je ne comprends pas, dit Raven. Tout le monde a l'air de croire que tu es né de la cuisse gauche.

— Grand-mère Nola m'a dit que le père de Basil, l'ancien comte de Lleyn, furieux de ce mariage, avait envoyé des hommes avec l'ordre de lui ramener son fils et de brûler l'église où se trouvaient les registres. L'ancien comte avait déjà choisi une femme pour Basil et la date du mariage était fixée, les bans publiés, la dot versée. Mon père est retourné à Lleyn. La première fois que je l'ai vu, c'est quand il est venu me chercher, peu de temps après la mort de ma mère.

— Comment messire Basil a-t-il su que ta mère était morte ?

— Par messire Nyle. J'ai découvert par la suite que Nyle payait un villageois pour le tenir informé de ma santé. Le villageois en question a signalé la mort de ma mère et ton père a aussitôt prévenu le mien. Tu connais la suite.

— Comment sais-tu que ta grand-mère est toujours de ce monde ?

— Grand-mère Nola se porte comme un charme. Je lui ai rendu une brève visite avant d'aller à Klyme pour le tournoi. Seuls mes deux chevaliers les plus fidèles sont au courant de l'existence de ma grand-mère. Tu seras en sécurité là-bas.

— Tu resteras à Builth Wells avec moi ?

Drake détourna les yeux.

— Je ne peux pas, murmura-t-il d'un ton navré. Une fois que je t'aurai conduite chez ma grand-mère, j'ai l'intention d'intercepter Waldo avant qu'il n'atteigne Windhurst. Tout ce que je possède se trouve dans le donjon. Avant de partir, j'irai cacher mes trésors dans une grotte au pied de la falaise. Rien de ce qui m'appartient ne tombera entre les mains de Waldo, s'exclama-t-il farouchement. Et ce qui vaut pour mon or vaut également pour toi, ma tendre mie.

Raven était visiblement accablée.

— Waldo dispose d'une armée nombreuse. Tu ne peux pas espérer l'arrêter avec ton petit contingent.

— Messire Richard va rester au village. Il saura où me trouver quand messire John arrivera avec les mercenaires.

Il l'embrassa sur le front et ajouta :

— Va préparer tes bagages pendant que je donne mes ordres aux serviteurs. J'irai te rejoindre bientôt et nous ferons l'amour toute la nuit.

Raven s'éloigna. La tristesse assombrissait son regard et ralentissait son pas. Elle avait toujours su que ce jour viendrait. Drake avait peu de chance de vaincre à lui tout seul les forces combinées de son mari et de son frère. Elle avait peur de le perdre avant de l'avoir vraiment eu.

Il était déjà tard lorsque Drake revint. Raven l'attendait sur le banc près du feu. Comme il était tout mouillé, elle en déduisit qu'il était allé sous la falaise cacher son magot. Sans dire un mot, il ôta ses vêtements et se sécha. Puis, il jeta sa serviette, se tourna vers elle et lui fit signe. Aussitôt, elle se jeta dans ses bras.

— Tout est prês pour notre départ, murmura-t-il. Les serviteurs vont retourner chez eux, mais les maçons continueront à réparer les remparts. Messire Richard est d'accord pour attendre le retour de messire John. Ensuite, il sait quoi faire.

— Si tu penses que John va bientôt revenir, pourquoi ne pas rester ici à l'attendre ?

Il posa sur elle un regard insondable.

— Je ne veux pas mettre ta vie en péril. Une fois que je te saurai en sûreté, j'aurai l'esprit libre pour me consacrer à la sauvegarde de mon château.

— Mais…

Il lui posa son doigt sur les lèvres.

— Chut ! Ma décision est prise. C'est peut-être la dernière nuit que nous passons ensemble avant longtemps. Ne la gâchons pas.

Il lui renversa la tête en arrière et l'embrassa. Elle s'abandonna dans ses bras en essayant de ne pas penser au lendemain. Cet homme, le célèbre Chevalier Noir, ne l'aimait peut-être pas mais elle savait désormais qu'il tenait à elle.

Elle était déjà à demi nue ; il la mit nue tout à fait. Dans la lumière du feu, sa peau prit des reflets dorés. Ses seins pointaient. Il les embrassa l'un après l'autre.

Puis, il la couvrit de caresses, comme s'il cherchait à la toucher partout à la fois. L'impatience le faisait trembler. Son sexe, dur comme de l'os, sursauta quand Raven posa sa main dessus.

— Pardieu, Raven, tu me rends fou !

Il la prit par les fesses et la souleva. Elle lui enroula ses jambes autour de la taille, s'ouvrant à lui. Il la cala contre le mur et s'enfonça en elle d'une seule poussée. Instinctivement, elle agita son bassin, chaque mouvement des reins ponctué d'un cri de pure jubilation. La semence de Drake s'écoula bientôt par violents à-coups. Tout de suite après, sans se déprendre, il la porta jusqu'au lit. Elle s'agrippait à lui, les bras autour de son cou, les cuisses autour de ses hanches. Alors qu'il venait tout juste de jouir, son sexe n'avait pas molli.

Il avait toujours envie d'elle.

Ils firent l'amour encore et à nouveau jusqu'au moment où, recrue de plaisirs, Raven cria grâce. Elle aurait eu des choses à dire mais elle préféra se taire. Elle aurait voulu demander à Drake s'il éprouvait de l'amour pour elle. Parfois, il agissait comme si c'était le cas. Mais Drake n'était pas homme à faire étalage de ses sentiments et elle était réduite à des suppositions. Une chose était certaine : il aimait faire l'amour avec elle. Mais cela ne prouvait rien. Les hommes n'étaient-ils pas tous pareils : très capables d'avoir envie d'une femme sans l'aimer ni l'estimer ?

Voilà le genre de pensées qui tournoyèrent dans son esprit jusqu'à ce qu'enfin elle s'endorme.

Le lendemain matin, les serviteurs se réunirent dans la cour pour souhaiter bon voyage à leur seigneur, sa maîtresse et ses chevaliers. Tous les serviteurs étaient censés rentrer chez eux, sauf Balder, qui avait refusé d'abandonner son poste. Messire Richard restait au château pour attendre messire John et surveiller les travaux de maçonnerie.

Chaque homme disposait d'assez de nourriture pour tenir jusqu'à la fin du voyage, à condition d'être frugal, et d'une monture de rechange.

Messire Richard se tenait près du cheval de Drake.

— Je transmettrai scrupuleusement tes ordres à messire John, dit-il. Dès qu'il arrivera, je te l'enverrai.

— Fort bien, Richard, répondit Drake. Tu sais où aller avec les hommes de guerre qu'il ramènera ?

— Oui. Ton armée attendra dans un bois près de Klyme. Quand nous y serons, peut-être que je me rhabillerai en paysan pour aller voir où ils en sont de leurs préparatifs.

— Sois prudent, recommanda Drake.

— N'aie crainte. Je me suis déjà aventuré plusieurs fois dans le château sans que personne me reconnaisse.

Raven arriva sur sa jument blanche.

— Es-tu prête, ma mie ? lui demanda Drake.

— Aussi prête qu'on peut l'être, répondit-elle. Je commençais à bien aimer Windhurst, ajouta-t-elle d'un air songeur. Mais je suis résignée. Tant que je serai mariée à Waldo, je ne serai chez moi nulle part.

Elle rapprocha son cheval de celui de Drake et lui toucha le bras.

— Je devrais sans doute retourner avec Waldo pour empêcher toute effusion de sang. Ou, mieux encore, je pourrais disparaître. Tu serais tellement plus heureux si je n'étais pas là pour te compliquer la vie.

Drake posa sa main sur celle de Raven et la pressa tendrement.

— Je suis un chevalier, ma gente mie. J'ai juré de secourir la veuve et l'orphelin, de protéger les faibles et de redresser les torts. Et puis, Waldo et moi, nous avons une vieille querelle à vider. Il a déjà essayé de me faire assassiner à plusieurs reprises et je ne sais pas pourquoi. Je ne serai pas tranquille tant que je ne connaîtrai pas le motif d'une telle haine. Il me considère comme une menace alors que je pense qu'il n'a rien à craindre de moi. C'est lui qui a hérité du comté de Lleyn, pas moi.

Sur un signal de Drake, le petit contingent s'ébranla. Raven suivit le mouvement. Elle repensa à leur enfance à Klyme. Pour autant qu'elle s'en souvenait, Waldo n'avait jamais pu supporter Drake. À l'époque, il le traitait avec mépris, il l'affublait de surnoms ridicules ou infamants, il le rudoyait même à l'occasion – mais ça n'allait pas plus loin. Que s'était-il passé depuis lors pour que Waldo en vienne à éprouver à l'égard de Drake la sorte de haine qui pousse un homme à vouloir la mort de son frère ?

La grand-mère de Drake détenait peut-être la clé de l'énigme.

10

Qui terre a, guerre a.

La petite troupe se sépara juste avant d'atteindre la frontière galloise. Les hommes de guerre restaient en Angleterre, cantonnés dans une forêt proche du château de Klyme, tandis que Drake et Raven continuaient jusqu'à Builth Wells. Comme rien n'était venu les retarder en route, ni mauvaise rencontre ni intempéries, ils avaient atteint la frontière en moins d'une semaine.

Pendant le voyage, ils n'avaient pas eu beaucoup d'intimité. À l'étape, les chevaliers discutaient tactique et stratégie jusque tard dans la nuit. Ils dormaient tous à la belle étoile, si bien que lorsque Drake rejoignait Raven sur la couchette qu'Evan avait préparée pour eux, ils ne faisaient rien d'autre que de s'endormir dans les bras l'un de l'autre. Et, le lendemain matin, dès l'aube, il fallait reprendre la route.

Après un jour supplémentaire de chevauchée à travers une lande désolée, où ils ne croisèrent que des arbrisseaux épars, des bosquets de pins vert sombre, des eaux stagnantes et des rochers noircis, ils arrivèrent en vue d'un groupe de chaumières en équilibre précaire sur les flancs d'une colline.

— Ah, voici Builth Wells! annonça Drake.

— C'est laquelle, la maison de ta grand-mère? demanda Raven avec intérêt.

— On ne la voit pas d'ici. Grand-mère Nola habite à la lisière du village, dans un cottage que j'ai fait construire pour elle quand j'ai commencé à avoir de l'argent. Ça la change de la masure dont nous devions nous contenter quand j'étais enfant. En ce moment même, elle est sans doute à nous attendre sur le pas de sa porte.

Raven ne dissimula pas son étonnement.

— Tu lui as envoyé un messager pour la prévenir de notre arrivée ?

Drake secoua la tête.

— Grand-mère Nola a sa manière à elle d'apprendre les choses, dit-il. Tu ne vas pas tarder à t'en rendre compte par toi-même, ajouta-t-il mystérieusement.

Ils traversèrent le village et arrivèrent bientôt devant un joli cottage dont le toit de chaume se détachait sur le ciel gris-bleu. Une vieille à cheveux blancs, rabougrie, maigre, pesamment appuyée sur une canne, attendait sur le seuil. Raven fronça les sourcils.

— Exactement comme je l'avais prédit, lui murmura Drake.

Ils descendirent de cheval et, main dans la main, s'approchèrent. Soudain, Nola ap Howell, oubliant sa canne, courut à leur rencontre et se jeta dans les bras de Drake. « En vérité, cette ancêtre est encore pleine de sève », pensa Raven.

— Ah, Drake, Drake, je t'attendais ! s'exclama la vieille femme.

Elle se tourna vers Raven. Son regard bleu était étrangement vif pour son âge.

— C'est Raven de Klyme, dit Drake en la poussant dans le dos afin que sa grand-mère puisse l'examiner de plus près.

Nola sourit tendrement.

— Raven, ah oui ! En vérité, je m'attendais à te voir.

— Vraiment ? s'exclama Raven en lançant à Drake un coup d'œil qui marquait sa stupeur. Vous me connaissez déjà, madame ?

— Tu peux m'appeler grand-mère Nola, ma petite fille. Ou bien grand-mère tout court, si tu préfères.

— D'accord, grand-mère Nola.

— Et, pour répondre à ta question, reprit la vieille femme, non, je ne te connaissais pas déjà. C'est la première fois que je te vois. Mais il y a des années que je suis au courant de ton existence.

Raven se demanda comment. Et puis, réflexion faite, elle se dit que ce n'était sans doute pas la peine de chercher bien loin l'explication de ce prodige : Drake avait parlé d'elle à sa grand-mère lors d'une de ses visites, tout bonnement.

— Et tu es aussi belle que je l'imaginais, ajouta la vieille femme.

— Merci, grand-mère, mais je crains que cela ne soit exagéré. Ma mère était une beauté, pas moi.

Sur ce, Nola les invita à entrer.

— Un bon repas vous attend, précisa-t-elle pour leur donner du baume au cœur.

— Qu'est-ce que je te disais ? murmura Drake à l'oreille de Raven avant de suivre la vieille femme dans la chaumière. Elle n'est pas banale, ma grand-mère.

Pas banale, c'était bien le moins qu'on pouvait en dire. Raven savait que certaines personnes avaient le don de double vue et elle se demanda si ce n'était pas le cas de grand-mère Nola.

Le cottage était petit mais d'une propreté parfaite. Une odeur appétissante s'échappait de la marmite pendue au-dessus des braises dans la cheminée. Le mobilier était simple et robuste. Sur un mur était accrochée une batterie de casseroles. Toutes sortes d'ustensiles étaient posés sur le manteau de la cheminée. Au fond, une ouverture sans porte donnait sur l'unique chambre.

— Asseyez-vous, proposa Nola. Ce qui sent si bon, c'est du ragoût de mouton. Je vais vous en servir une portion. Il y a du pain frais sur la table et j'ai fait une tourte aux pommes.

Drake se pourlécha.

— *Miam, miam !* fit-il.

Pour Raven, il ajouta, sur le ton de la confidence :

— Ma grand-mère a toujours su que le chemin de mon cœur passait par mon estomac...

— Combien de temps vas-tu rester cette fois ? demanda Nola tout en faisant le service. Ta dernière visite a été trop brève.

— J'ai bien peur que celle-ci ne soit pas plus longue. Je suis ici parce que j'ai besoin d'une cachette sûre pour Raven.

La peur se lut dans les yeux de la grand-mère.

— Tu es la bienvenue, dit-elle en se tournant vers Raven. La maison n'est pas immense mais il y a une soupente au-dessus de ma chambre. C'est propre et confortable. Tu devrais t'y trouver bien.

— Merci, grand-mère, répondit Raven en rosissant. Ce sera parfait.

— Drake, le danger rôde, reprit Nola. Tu dois être prudent.

— Je sais, grand-mère, répondit Drake. Mais, tranquillise-toi, j'ai les moyens d'entretenir une armée. Messire John est en train de recruter des mercenaires. Lorsque j'affronterai Waldo, nous serons tous les deux sur un pied d'égalité.

La vieille femme regarda pensivement Raven.

— C'est pour toi que Drake se bat, n'est-ce pas ? N'es-tu pas la femme de Waldo ?

Raven ne sut pas quoi répondre à cela. Nola était trop fine et trop bien informée. Lui en voulait-elle d'avoir attiré la foudre sur la tête de son petit-fils ?

Drake s'empressa de rompre un silence qui menaçait de devenir gênant.

— Raven déteste Waldo, dit-il. Et je ne peux pas le lui reprocher. Waldo est dangereux et malin. Je ne sais pas pourquoi mais il m'en veut à mort. Il a peut-être déjà tué la sœur de Raven, qui était sa première femme. Je ne permettrai pas qu'il fasse subir le même sort à Raven.

La grand-mère hocha la tête en signe d'assentiment.

— Je ne sais pas ce que tu as fait pour te sentir obligé de protéger Raven, mais je te connais, Drake, tu es un prud'homme.

— Je suis un fardeau pour lui, intervint Raven. Je lui ai proposé de disparaître pour lui épargner les dangers d'une guerre avec Waldo, mais il n'a rien voulu entendre. Vous pourriez peut-être le convaincre. Lorsque j'ai demandé son aide, je ne pensais pas provoquer une guerre.

— C'est trop tard, ma chère enfant, murmura la grand-mère. Waldo est possédé du démon. Quelque chose le ronge. Je ne sais pas ce que c'est mais une chose est sûre : cela concerne Drake.

L'allusion à Drake excita la curiosité de Raven.

— Serait-ce à propos des parents de Drake ?

Un voile de tristesse descendit devant les yeux de la grand-mère.

— Oui. Leta était une merveilleuse jeune fille. Elle est tombée amoureuse de Basil de Lleyn, le père de Drake, et rien n'aurait pu la dissuader de l'épouser. Je l'ai mise en garde, sachant d'avance que cela finirait par une catastrophe, mais elle n'a pas voulu m'écouter.

— Je le savais ! Drake n'est pas un bâtard ! s'exclama Raven sur un ton curieusement triomphal.

Drake poussa un soupir exaspéré.

— Je le sais. Grand-mère le sait. Et, maintenant, tu le sais aussi. Par malheur, il n'existe aucune preuve que le mariage entre Leta et Basil a bien eu lieu.

Une étrange lueur brilla dans le regard de la grand-mère lorsqu'elle se pencha vers Drake et dit :

— Cette preuve existe, mon garçon. Le moment venu, tu l'auras.

Après ces paroles prophétiques, la conversation roula sur des sujets ordinaires. Comme Raven piquait du nez, la grand-mère lui suggéra d'aller se coucher.

— Les lieux d'aisances sont derrière la maison et le lit est fait dans la soupente. Il y a un pichet d'eau pour une toilette de chat. Demain, je demanderai à Drake d'aller te chercher de l'eau pour que tu puisses prendre un bain.

— Merci, dit Raven en se levant. Le fait est que je suis épuisée. L'idée d'un bon bain a tout pour me plaire. Seras-tu encore ici demain, Drake ?

— Je vais rester ici jusqu'à ce que messire John vienne me chercher, mais pas un jour de plus. Veux-tu que je t'accompagne jusqu'aux nécessités ?

— Non, je les trouverai bien toute seule.

— Elle est adorable, dit Nola aussitôt que Raven eut quitté la pièce.

— Je l'ai déshonorée, avoua Drake tout à trac.

La grand-mère resta impassible.

— Il faut dire que j'étais soûl, poursuivit-il. Waldo avait essayé de m'empoisonner pendant le tournoi et j'ai pensé que ce serait un bon moyen de me venger de souiller sa femme. J'ai eu tort. Quand je suis arrivé à Klyme pour le tournoi, Raven m'a pris à part et m'a supplié de l'aider à s'enfuir avant le mariage. Elle voulait que je l'accompagne chez sa tante en Écosse. Waldo la dégoûte. Elle le tient pour responsable de la mort de sa sœur. Mais j'ai refusé de l'aider.

— À mon avis, tu l'as aidée plus que tu ne crois, dit la vieille femme.

— Jusqu'ici, je ne lui ai fait que du mal. Après l'avoir déflorée, j'ai regagné le campement. Ensuite, très vite, je me suis rendu compte que je ne pouvais pas la laisser seule à la merci de Waldo. J'étais sur le point de retourner au château. Mais Raven n'était pas aussi désarmée que je l'aurais cru, loin de là. Elle a assommé Waldo avec un cruchon et elle est venue demander mon aide. Cette fois, je la lui ai accordée. Nous avons quitté Klyme sur-le-champ. Direction : Windhurst. Raven s'est mise en colère quand j'ai refusé de la conduire à Édimbourg, mais je savais qu'elle ne serait pas en sécurité chez sa tante car ce serait le premier endroit où Waldo irait la chercher.

— Windhurst, répéta pensivement grand-mère Nola. Je croyais que tu m'avais dit que ton château n'était qu'un tas de ruines ?

— J'ai noirci le tableau. Le donjon a résisté vaillamment aux outrages du temps. Hélas, on ne peut pas en dire autant des remparts. Aussitôt arrivé, j'ai entrepris de les réparer, mais le temps m'a manqué. Lorsque j'ai eu vent que Waldo s'apprêtait à attaquer Windhurst, les travaux étaient encore loin d'être achevés. Je me suis rendu compte que mon château ne pouvait pas soutenir un siège et, jusqu'à ce que messire John arrive avec des renforts, mon armée ne sera pas de taille à affronter celle de Waldo. Mes hommes attendent dans une forêt près de Klyme. J'espère que messire John ne va pas tarder. J'ai l'intention d'arrêter Waldo avant qu'il n'atteigne Windhurst et ne détruise tout ce qui a déjà été reconstruit.

— Ta Raven sera en sûreté ici, mon garçon, dit la vieille femme.

— Oui. Waldo ne sait pas où te trouver. Il n'a même aucune raison de penser que tu es encore en vie. Si je devais ne jamais revenir, tu t'occuperais d'elle, n'est-ce pas ? Je vais te laisser une bourse bien garnie, pour le cas où elle en aurait besoin. Il faut qu'elle ait toujours les moyens d'échapper à Waldo.

— Est-elle ta maîtresse ? demanda crûment la vieille femme.

— Grand-mère, je…

— Réponds, mon garçon.

— Eh bien, oui. D'un commun accord. Je ne peux pas l'épouser, comme tu t'en doutes, puisqu'elle est déjà mariée.

— Tu es amoureux d'elle, dit la grand-mère.

Drake se hâta de démentir.

— Bien sûr que non. Je ne suis amoureux d'aucune femme, sauf toi.

Elle ricana doucement et murmura :

— Petit imbécile.

Soudain, les épaules de la vieille femme s'affaissèrent et elle se leva péniblement de sa chaise.

— Je suis fatiguée, dit-elle. Nous reparlerons de tout cela demain. Tu n'as qu'à dormir par terre devant la cheminée. Il y a des couvertures dans le coffre derrière le banc.

— Je t'ai déçue, dit Drake.

C'était plutôt un constat qu'une question. Nola passa dans ses cheveux sa main décharnée.

— Non, mon garçon. Ce n'est pas de la déception que je ressens. J'entrevois des choses terrifiantes, des choses dont je ne peux pas parler parce que je ne les distingue pas bien. J'ai peur pour toi, poursuivit-elle en lui caressant la joue. Je vois des ténèbres et du sang.

Elle marqua une pause.

— Mais, quoi ! reprit-elle en haussant les épaules. Je me fais peut-être des idées. Tu ferais mieux d'aller te coucher, au lieu d'écouter les divagations d'une vieille femme.

Appuyée sur sa canne, elle partit vers la chambre en boitillant. Drake la regarda s'éloigner. Elle était parfois bizarre mais les divagations n'étaient pas son fort et, pour autant qu'il sache, elle n'avait jamais prédit des choses qui n'étaient pas arrivées.

Qu'avait-elle vu ?

Avant qu'il ait eu le temps d'y réfléchir, Raven revint et demanda où était passée la grand-mère.

— Elle est allée se coucher et je te conseille d'en faire autant.

Il installa l'échelle qui permettait d'accéder à la soupente.

— Tu veux de l'aide ?

— Non merci.

Elle posa le pied sur le premier échelon. Sans savoir pourquoi, Drake répugnait à la laisser partir. Il s'était peu à peu habitué à dormir près d'elle, même sans faire l'amour.

Il la rattrapa par la taille.

— Drake ! s'exclama Raven. Qu'est-ce que tu fais ?

— Tu m'as manqué, murmura-t-il.

— Comment est-ce possible ? répondit-elle. Je ne t'ai jamais quitté.

— J'irai te rejoindre tout à l'heure dans la soupente. Il faut que je t'aie une dernière fois avant d'aller me battre.

— Non, c'est impossible.

Il sourit d'un air malicieux.

— Permets-moi d'être d'un autre avis.

— Ta grand-mère désapprouverait.

— Elle n'en saura rien.

— Tu crois cela !

Refusant de s'avouer vaincu, il l'embrassa goulûment avant de lui donner une petite tape dans le dos pour l'encourager à monter à l'échelle.

— Va, j'irai te retrouver dans un moment.

Lorsqu'il monta la rejoindre une demi-heure plus tard, elle était paisiblement endormie et il n'eut pas le cœur de la réveiller. Il l'embrassa sur le front et redescendit se coucher devant de la cheminée.

Le lendemain matin il alla chercher de l'eau en suffisance pour emplir un baquet et attendit dehors pendant que Raven se lavait. Raven était soucieuse. Le départ de Drake était imminent. Messire John pouvait survenir à tout moment. Waldo était peut-être déjà parti détruire Windhurst.

Raven sortit du bain et s'essuya tandis que grand-mère Nola tisonnait le feu.

Soudain, comme un coup de tonnerre dans un ciel serein, Nola dit :

— Tu es amoureuse de mon petit-fils, n'est-ce pas ?

Raven faillit lâcher sa serviette.

— Je, euh… balbutia-t-elle. Qu'est-ce qui vous fait penser ça ?

— Je ne pense pas, jeune fille. Je sais.

Troublée, Raven s'habilla. Ses sentiments pour Drake étaient-ils aussi faciles à deviner.

— Je suis un fardeau pour Drake. Jamais il ne m'aimera.

— Il y aura beaucoup de bouleversements dans ta vie, prédit Nola. Ton avenir est incertain.

Raven se pétrifia. Serait-elle obligée de retourner avec Waldo ? La tuerait-il ? Instinctivement, elle porta la main à son ventre. Peut-être attendait-elle un enfant de Drake. Que se passerait-il alors ?

— Drake attend dehors, dit la grand-mère. Tu devrais peut-être le rejoindre. La lande est belle à cette époque de l'année.

Elle regarda par la fenêtre en direction des collines couvertes de bruyère.

— Messire John ne va pas tarder, murmura-t-elle. Bientôt, mon petit-fils s'en ira affronter Waldo.

Raven poussa un soupir saccadé.

— Que voyez-vous, grand-mère ? Drake va-t-il mourir ?

Nola regarda Raven droit dans les yeux.

— Je pressens de grands dangers. Le sang coulera. Mais, la mort de Drake, non, je ne la vois pas. Drake et toi, vous allez traverser une mauvaise passe. Dieu seul sait comment cela finira. Je vois du sang et c'est tout. Mais je sais que l'avenir de Drake est entre les mains de Waldo.

— Dites-m'en plus ! s'écria Raven, presque folle d'anxiété.

La vieille femme soupira.

— Hélas, je ne sais rien d'autre, dit-elle. Va, maintenant, Drake t'attend.

Raven ne prit pas la peine de tresser ses cheveux après les avoir démêlés. Elle ne mit pas non plus de coiffe. Après avoir salué Nola, elle courut rejoindre Drake. Elle le trouva assis sur un muret de pierres sèches. Sentant une présence dans son dos, il se retourna.

Dieu, qu'il est beau ! pensa Raven. Et aussi ardent comme guerrier que comme amant. Son allure fière, son corps musclé, son caractère preux et loyal : elle l'admirait sans réserve. Elle avait aimé Drake quand il n'était encore qu'un damoiseau et elle l'aimait encore. Au point d'être prête à tous les sacrifices pour lui.

— Alors, ce bain, était-il bon ? demanda Drake lorsqu'elle le rejoignit.

— Excellent, merci. Grand-mère Nola nous conseille d'aller nous promener dans la lande.

Drake parut surpris.

— Elle a dit cela ?

— Oui. Elle a dit aussi que messire John allait bientôt arriver.

— J'ai hâte de le voir. Viens! dit-il en lui tendant la main. C'est une belle matinée pour une promenade.

Ils marchèrent longtemps dans les bruyères sans que ni l'un ni l'autre parle. Finalement, Drake rompit le silence.

— À quoi penses-tu?

— Je pense à notre enfance à Klyme. Nous étions tous heureux et insouciants à l'époque.

Le visage de Drake s'assombrit.

— Toi, tu étais peut-être heureuse et insouciante mais, quant à moi, Waldo et Duff veillaient à ce que ma vie à Klyme soit tout sauf agréable.

Le cœur de Raven, toujours prompt à s'émouvoir, s'emplit de compassion rétrospective pour l'orphelin mal-aimé que Drake avait été.

— Je suis désolée, murmura-t-elle.

— Non, ne me plains pas. Je ne serais pas l'homme que je suis aujourd'hui si je n'avais pas eu à me battre pour me faire respecter. Mais parlons de choses plus agréables.

— Les fleurs sauvages sont belles, dit alors Raven.

Drake s'arrêta, en cueillit un bouquet et le lui offrit. Elle le porta à ses narines, le huma, et puis le tint sous le nez de Drake.

— Ça sent très bon, dit-il machinalement.

Soudain, son regard s'assombrit. Il arracha le bouquet des mains de Raven et le jeta par terre.

— Palsambleu, Raven, j'ai envie de toi et je ne peux pas faire semblant de penser à autre chose. À mon avis, si ma grand-mère a recommandé cette promenade, c'est parce qu'elle a compris que nous avions besoin d'être seuls un moment.

Il la fit se coucher par terre et s'allongea près d'elle. Les feuilles de bruyère généreusement étalées leur fournissaient un tapis.

— J'ai envie de faire l'amour avec toi, exquise Raven. Je veux te mettre nue et laisser mes yeux se repaître de ta beauté. Je veux lentement éveiller ton désir et, quand tu seras prête, m'enfoncer en toi et t'emmener avec moi dans un monde de délices.

Raven ravala sa salive. Les paroles de Drake étaient très enivrantes, comme un puissant philtre amoureux.

— J'en ai envie aussi, dit-elle.

Jetant autour d'elle des coups d'œil furtifs, elle ajouta :

— Et si quelqu'un vient ?

— Personne ne viendra, assura Drake. C'est justement pour cela que ma grand-mère nous a envoyés ici.

Il souleva la tunique de Raven mais ses gestes étaient soudain pleins de gaucherie.

— Pardonne-moi, dit-il. Cela ne me ressemble pas d'être aussi maladroit. Mais je n'ai encore jamais désiré une femme comme je te désire et c'est un sentiment étrange… et même un peu effrayant.

Raven aurait voulu lui dire qu'elle ressentait les mêmes choses mais elle avait perdu l'usage de la parole. Malgré leurs mains tremblantes, ils vinrent à bout de leur déshabillage et se retrouvèrent nus.

— J'aime faire l'amour en plein jour, dit-il en promenant sur elle des yeux brûlants. Je ne me lasse pas de t'admirer. Sais-tu à quoi tu ressembles en ce moment ?

Raven fit signe que non.

— Tu ressembles à Ève avant le péché, quand sa peau avait la pureté de l'ivoire et que les reflets du soleil donnaient à ses cheveux la richesse de l'or.

— Et toi, tu as la peau douce comme du velours et le muscle dur comme un roc, dit Raven en lui caressant le dos et les fesses. Tu sembles fait pour incarner toutes les vertus de la chevalerie.

Drake l'embrassa. Il s'empara de sa bouche comme un assoiffé mord dans un fruit mûr, avidement. En même temps, il la prit par la taille et la colla contre lui. Ils rouvrirent les yeux et échangèrent un regard où se lisait la fureur de leur désir.

Impatiente de le toucher, elle glissa la main le long du ventre de Drake et saisit son membre. Elle le caressa avec de lents mouvements des doigts et du poignet, fit glisser la gaine de peau le long de la robuste hampe, frôla la couronne du gland avec le bout de son pouce. Plus brûlant, plus dur, plus déployé que jamais, le sexe de Drake palpitait contre sa paume comme s'il avait eu une vie propre. Elle l'appuya contre son entrecuisse, leva les jambes et s'ouvrit.

Elle s'offrait ; il la prit.

Raven sentit sa chair qui s'écartait pour faire place à celle de Drake. Il commença à aller et venir. Raven souleva son bassin pour mieux l'accueillir. Chaque frottement provoquait des sensations inouïes. Ils arrivèrent ensemble au sommet du plaisir. Et, l'espace d'une seconde, il n'exista plus rien sous le soleil qu'une lande enchantée où deux amants échangeaient des délices en mêlant leurs cris.

— Ç'a été trop vite, dit Drake en se recouchant à côté Raven. Il y avait trop longtemps que nous ne l'avions pas fait.

Ils se reposèrent un peu dans la bruyère odorante et puis ils refirent l'amour. Cette seconde fois dura longtemps et l'entente de leurs deux corps les conduisit jusqu'au bord de l'extase.

Tous leurs désirs satisfaits, ils venaient de finir de se rhabiller lorsqu'ils aperçurent messire John à l'horizon. Raven fit la grimace. Elle eut l'impression qu'une main gantée de fer lui écrasait le cœur. Nola n'avait peut-être pas prédit la mort de Drake mais elle avait laissé entrevoir des dangers et des tribulations.

Drake la prit par la main et ensemble ils s'avancèrent à la rencontre du chevalier.

— Je constate que tu as eu mon message, dit Drake en saluant messire John.

— Oui. Lorsque je suis arrivé à Windhurst, j'ai trouvé messire Richard qui m'attendait. Je t'ai ramené cinquante mercenaires, tous très aguerris et pressés de se mettre au service du glorieux Chevalier Noir.

— As-tu rencontré Waldo ?

— Non. Les mercenaires sont partis avec messire Richard. Lorsqu'ils auront rejoint les hommes qui se trouvent déjà à Klyme, cela te fera une bonne centaine de soldats qui n'attendront que tes ordres.

— Tu as bien travaillé, John, dit Drake. Nous nous mettrons en route dès que tu te seras restauré et que ton cheval aura un peu soufflé.

Raven pâlit.

— Quoi ! Si tôt que cela ?

Drake prit un air navré.

— Il ne faut pas que Waldo atteigne Windhurst. Si je ne l'arrête pas en route, il détruira tout avec ses catapultes. Grâce à messire John, nos armées sont maintenant des forces à peu près égales. N'aie pas peur, Raven. Je vais revenir.

La grand-mère les attendait sur le seuil de la chaumière, lourdement appuyée sur sa canne, le visage travaillé par l'inquiétude.

— J'ai préparé à manger, dit-elle. Entrez.

Messire John ôta son heaume et ses gantelets et s'assit à table en face de Drake. Raven et Nola placèrent devant eux de la nourriture et de la bière. Lorsqu'ils eurent mangé à leur faim et bu à leur soif, Nola emballa les restes dans un sac de toile pour les leur donner à emporter.

Raven aida Drake à enfiler son armure. Ensuite, elle l'accompagna jusqu'à l'appentis où se trouvait son cheval. Elle ne pouvait s'empêcher de trembler. S'agissait-il d'un adieu ? Le reverrait-elle un jour ? Elle faillit suffoquer d'angoisse tandis qu'elle le regardait seller Zeus.

Avant de mettre son casque, il la prit une dernière fois dans ses bras.

— Promets-moi que tu resteras ici quoi qu'il arrive.

Raven baissa les yeux. Il demandait quelque chose qu'elle ne pouvait pas lui accorder.

— Non, répondit-elle d'une voix faible et entrecoupée. Il pourrait se passer des choses qui m'obligent à m'en aller.

— Écoute-moi bien, Raven. Il t'en cuira si jamais tu tombes entre les mains de Waldo. Quoi qu'il m'arrive, tu dois rester avec grand-mère Nola.

Ses yeux s'emplirent de larmes mais elle sourit bravement.

— Je ne peux pas te faire cette promesse, Drake.

— La peste soit des belles entêtées ! maugréa-t-il en se penchant pour l'embrasser.

11

*Il faut coudre la peau du renard
avec celle du lion.*

Drake et messire John retrouvèrent facilement la centaine d'hommes cantonnés dans la forêt près de Klyme. Messire Richard vint les accueillir.

— Quelles sont les nouvelles, Richard ? demanda Drake.

— Messire Waldo et messire Duff ont quitté Klyme il y a deux jours. J'étais dans la cour du château quand ils sont partis. Leurs deux armées réunies comptent au moins deux cents hommes.

— Par le sang de Dieu ! s'écria Drake. Je ne m'attendais pas à une telle opposition. Et les machines de guerre ?

— Ils ont une tour mobile munie d'un bélier et deux grandes catapultes. Quels sont tes ordres, monseigneur ?

— Nous sommes deux fois moins nombreux mais nous pouvons compter sur l'effet de surprise, dit Drake. Waldo ne s'attend pas à être pris à revers. Leurs machines de guerre vont les ralentir. Nous devrions les rattraper facilement. John, préviens les hommes que nous nous mettons en route immédiatement.

Une heure plus tard, l'armée de Drake s'élança à la poursuite de Waldo et de Duff. Ils se reposèrent brièvement au plus fort de la nuit et se remirent en marche à la levée du jour. Au soir du troisième jour, Drake put enfin apercevoir, du haut d'une colline, l'armée de Waldo qui campait au bord d'une rivière. Il rebroussa chemin pour avertir ses chevaliers et définir avec eux un plan de bataille.

Il fut décidé qu'ils lanceraient leur assaut le lendemain matin, peu avant l'aube, au moment où l'ennemi serait le plus vulnérable. La petite armée serait divisée en trois groupes. Drake commanderait le premier et attaquerait de front tandis que messire John avec le second et messire Richard avec le troisième porteraient leurs coups sur les flancs.

Drake inspecta ses armes et son armure, donna encore quelques instructions à Evan, s'enroula dans son manteau et se coucha par terre pour dormir. Il songea à Raven. Aucune femme n'avait jamais eu autant d'emprise sur son esprit que Raven de Klyme. Il craignait vaguement de ne plus la revoir et que la fois où ils avaient fait l'amour dans la lande soit destinée à être la dernière. Demain, il allait livrer bataille. Il serait peut-être tué. Aurait-elle du chagrin ? Il espérait bien que oui.

Mais il n'avait pas le droit de mourir, se dit-il. Raven avait besoin de lui. Et puis, il ne voulait pas disparaître avant d'avoir prouvé que son père et sa mère avaient été légalement mariés. S'il fallait en croire grand-mère Nola – et quelle raison aurait-elle eu de mentir ? –, le vaste fief et les trésors des Lleyn revenaient à Drake et non à Waldo. Car c'était *lui* le fils légitime et Waldo le bâtard. Sur cette plaisante idée, Drake réussit à s'endormir. Quelques heures plus tard, Evan le réveilla.

C'était déjà l'heure.

Drake enfila son pourpoint rembourré, son armure et l'une de ses fameuses tuniques noires ornées d'un dragon rouge. Puis, il monta à cheval. Son écuyer lui passa tour à tour son heaume, son écu et son épée. Lorsque l'horizon commença à se colorer de mauve, Drake leva son épée et fit signe à ses hommes de se ruer contre les cantonnements ennemis. Par la fente de son heaume, il vit messire John et messire Richard qui attaquaient chacun de son côté. L'une des sentinelles de Waldo finit par entendre la galopade et donna l'alarme. Les hommes de

Drake entrèrent dans le camp au milieu de l'affolement général et se mirent à tailler dans le vif.

Drake eut l'impression que l'armée de Waldo n'était pas aussi nombreuse qu'elle aurait dû. Mais il n'eut pas le loisir de s'en étonner car la bataille faisait rage. Ses hommes se battaient vaillamment mais ceux de Waldo, après un court moment de désarroi, s'étaient ressaisis suffisamment pour repousser le premier assaut et, à présent, ils contre-attaquaient.

Drake chercha des yeux Waldo. Il l'aperçut, au milieu de la mêlée, aux prises avec messire John. Les deux hommes, à pied, étaient en train de croiser le fer avec vigueur. Mais si quelqu'un, aujourd'hui, devait faire périr Waldo, c'était le Chevalier Noir.

Drake descendit de cheval et prit la place de messire John.

— À partir de là, c'est moi qui m'en charge, dit-il.

— Je vais protéger tes arrières, répondit John.

Waldo esquiva les premiers coups de Drake et le combat s'engagea. Autour d'eux, la bataille continuait. Des hommes étaient tués. Le sang coulait à flots. Les échos retentissaient du fracas des armes et des cris des soldats.

— D'où sors-tu ? demanda Waldo. Où est ma femme ?

— Elle est dans un endroit où tu ne risques pas de la trouver, répondit Drake.

Waldo cognait sur le bouclier de Drake avec le tranchant de son épée. Drake rendait coup pour coup. Déjà, ils étaient aussi pantelants l'un que l'autre.

— Tu l'as violée et puis tu l'as enlevée, dit Waldo sur un ton accusateur.

— Tu le penses vraiment ?

— Scélérat ! Comment se fait-il que tu sois encore en vie ?

Le duel continua. Ils frappaient d'estoc et de taille en ahanant. Les boucliers se bosselaient. Les armures s'ébréchaient par endroits.

— Tu devrais être mort depuis longtemps ! ajouta Waldo.

— Tous tes efforts pour te débarrasser de moi ont été vains, répondit Drake. Prépare-toi ! L'heure de ton châtiment a sonné.

Les deux hommes commençaient à être fatigués. Le poids de leurs armes et de leurs armures ralentissait leurs mouvements. À force de multiplier les assauts, Drake avait contraint Waldo à reculer jusqu'au bord de la rivière. Il savourait déjà sa victoire. C'est alors que le désastre survint.

Une centaine d'hommes, avec Duff à leur tête, surgirent de Dieu sait où et se jetèrent dans la mêlée. La survenue d'un tel renfort inversa aussitôt le cours de la bataille. Drake se traita de fou. Il aurait dû se douter que Waldo prendrait la précaution de séparer son armée en deux pour réduire les risques d'une attaque à l'improviste.

Les hommes de Drake, si valeureux soient-ils, furent bientôt mis en déroute.

— Sauve-toi, John ! cria Drake. File à travers bois avec les autres.

Il était en train de forcer Waldo à entrer dans l'eau.

— Non, je ne te quitte pas, répondit messire John.

Dans le même temps, il mit hors de combat, d'un seul coup d'épée bien appliqué, un hallebardier colossal qui s'en venait au secours de Waldo.

— Tu vois que je peux encore me rendre utile, ajouta-t-il.

À force de reculer, Waldo se retrouva en contrebas de Drake. Il peinait à se défendre. Drake en profita pour passer sous sa garde et lui glissa la pointe de son épée entre le casque et la cuirasse – exactement comme lors de leur duel à la fin du tournoi. Seulement, cette fois-ci, pas de quartier ! Il avait l'intention de lui enfoncer sa lame dans la gorge. Et c'est ce qu'il aurait fait si, juste à ce moment-là, messire John n'avait pas crié une mise en garde. Du coin de l'œil, Drake vit une demi-douzaine de chevaliers qui fonçaient droit sur eux, lances en avant. En une seconde, Drake et John se retrouvèrent encerclés.

— Tout est perdu pour toi, messire Bâtard, s'exclama Waldo. Pose ton épée ou bien tu es mort. Et la même chose vaut pour toi, messire John.

— Tu vas nous tuer tous les deux quoi que nous fassions, rétorqua Drake. Tu as la pointe de mon épée contre ta gorge. D'un simple geste, je peux mettre un terme à ta misérable vie.

— Vas-y, Drake, fais-le! dit John.

— Si tu ne souhaites pas sauver ta vie, pense au moins à celle de ton loyal vassal, repartit Waldo. Rends-toi et messire John sera libre de partir.

John, impavide, continua d'exhorter Drake.

— Tue ce félon! cria-t-il. Ne songe pas à moi!

Mais Drake ne pouvait pas se résoudre à sacrifier la vie de son ami. Doucement, il abaissa son épée. Aussitôt, Waldo s'extirpa de la rivière.

— Te voilà à ma merci, enfin, messire Bâtard! s'écria-t-il sur un ton triomphal en désarmant Drake.

Mais Drake, au lieu de s'humilier, le brava.

— Tue-moi, qu'on en finisse!

— Ne sois pas si pressé, messire Bâtard. J'ai besoin de toi vivant. Du moins, aussi longtemps que Raven n'est pas rentrée au bercail.

— Tu ne la trouveras jamais.

Waldo avait l'air de penser le contraire.

— Moi, peut-être pas. Mais je gage que messire John sait où elle est.

— Même si c'était le cas, lança John avec une moue de mépris, je ne te le dirais jamais, même sous la torture.

— Qui parle de recourir à de telles extrémités? s'exclama Waldo avec un sourire mielleux.

Drake s'inquiéta. Waldo avait l'air un peu trop content de lui. Cela n'augurait rien de bon.

— Ce que j'attends de messire John, reprit Waldo, c'est qu'il porte un message à *ma* femme.

Drake se figea.

— Ça ne marchera pas, Waldo, dit-il. Quoi que tu fasses, jamais Raven ne prendra le risque de tomber entre tes mains.

— En es-tu sûr, mon cher frère ? répondit Waldo avec un rictus. Quant à toi, poursuivit-il en s'adressant à messire John, tu vas aller informer ma femme que je lui donne deux semaines pour se présenter au château de Klyme si la vie de son amant a quelque valeur pour elle. Dis-lui bien que si elle ne cède pas à mes instances, Drake mourra dans d'atroces souffrances.

— Ne fais pas cela, John, demanda Drake. Je suis condamné, quoi que Raven puisse faire. Il y a longtemps que je sais que Waldo veut ma mort.

— Tu ne seras pas suivi, messire John, si c'est ce qui te tracasse, reprit Waldo. Mais je m'attends à te voir revenir avec Raven sous quinze jours. Sinon, le sort de Drake sera scellé. Nul ne me reprochera d'avoir tué l'homme qui m'a volé ma femme au soir de mes noces.

— Comment puis-je être sûr que tu ne vas pas le tuer dès que j'aurai le dos tourné ? demanda John.

— Tu as ma parole de chevalier, répondit Waldo. Je te fais le serment de ne pas faire exécuter le Chevalier Noir, à moins que tu ne reviennes sans Raven. Mais, écoute-moi bien : je prévois de le garder en vie quinze jours, pas un de plus.

Avant de partir, John quêta l'approbation de Drake.

— Je suis désolé, Drake, dit-il, mais c'est à Raven de décider. Il n'y a qu'elle qui puisse choisir de revenir à Klyme ou de… ou de…

— … ou de sacrifier son amant, acheva Waldo. Mais, je la connais, poursuivit-il en ricanant. Elle a le cœur tendre. Elle va revenir à Klyme.

Drake, qui pensait exactement la même chose, était accablé. Messire John monta sur son cheval et s'éloigna en se retournant plusieurs fois pour s'assurer qu'il n'était pas suivi. Puis, il salua Drake d'un geste de la main et éperonna sa monture, qui fit feu des quatre fers.

— Ôtez-lui son armure, ordonna Waldo lorsque messire John eut disparu au sommet de la colline.

Deux hommes de guerre s'empressèrent d'obéir, privant Drake de son heaume, de sa cuirasse et du reste.

Drake se retrouva en chausses et en pourpoint. Mais il était encore loin de baisser pavillon.

— Je te prédis que tu ne pourras pas me garder indéfiniment dans ton sale donjon, dit-il d'une voix mordante.

— Je serais surpris que tu plastronnes toujours autant quand tu auras fait la route à pied derrière mon cheval, rétorqua Waldo. Attachez les mains de ce coquin, ordonna-t-il, et passez-moi la corde. Je vais donner la cadence et l'on va voir s'il est aussi bon piéton que bon cavalier.

Les hommes de Waldo se firent une joie d'obéir. Waldo, empoignant le bout de la corde, monta sur son destrier et lui enfonça ses éperons dans les flancs. L'animal bondit. Drake fut projeté en avant. Il trébucha, se redressa, boitilla. Et puis, il s'appliqua à marcher droit. L'allure était vive. Le visage fermé, Waldo restait indifférent à la souffrance de son frère. Il ne daigna même pas ralentir lorsque Drake tomba et fut traîné sur le sol pendant une dizaine de pas avant de réussir à se relever.

Comme dérivatif à ses souffrances, Drake essaya de penser au donjon du château de Klyme, dont il avait exploré les culs-de-basse-fosse étant enfant. Mais, au milieu de sa terrible épreuve, c'est Raven qui lui vint à l'esprit. Il évoqua son joli visage. Il se souvint de l'avoir vue nue. Chaque image d'elle était un inestimable trésor.

Même épuisé, Drake refusa de capituler. Comme tous les chevaliers dont la vie est sans cesse exposée aux hasards des guerres et des joutes, il se croyait invincible. Ainsi trouva-t-il la force de continuer à mettre un pied devant l'autre.

Raven, assise sur un muret de pierres, regardait dans le lointain. Drake était parti depuis une semaine et il avait déjà dû livrer bataille à Waldo. Elle ne mettait en doute ni son courage ni son habileté. Ce qui l'inquiétait, c'était l'inégalité des forces en présence. Elle savait que

Duff avait joint ses hommes à ceux de Waldo pour former une armée beaucoup plus nombreuse que celle de Drake. L'immense bravoure de Drake ne pouvait compenser à elle seule son manque d'effectifs.

Raven poussa un soupir. Mais elle ne voulait pas céder à la tentation du découragement. Elle devait s'efforcer de croire que Drake avait vaincu Waldo jusqu'à ce qu'elle reçoive la nouvelle du contraire.

— Ne désespère pas, Raven.

Raven sursauta.

— Ah, grand-mère Nola, vous m'avez fait peur.

— Tu étais perdue dans tes pensées, ma petite fille.

— Mon désespoir se voyait-il tant que cela ?

La vieille posa sa main sur le bras de Raven.

— N'aie par peur, murmura-t-elle. Drake est vivant.

Le cœur de Raven bondit de joie dans sa poitrine.

— En êtes-vous sûre ?

Les yeux de la grand-mère brillaient étrangement. Elle semblait vraiment dotée d'un savoir mystérieux

— Oui. Drake est vivant, mais il court un grave danger. Tu dois te préparer.

Dans le cœur de Raven, l'espérance céda la place à la peur.

— Me préparer à quoi ?

— Je n'en sais rien, répondit Nola. Mais je pressens de grands périls dans un proche avenir. Pour le bien de ton enfant, tu dois te battre. Ta survie dépendra de ton habileté et de ton discernement.

— Un enfant ? s'exclama Raven en portant les mains à son ventre.

Elle se souvint du jour où ils avaient fait l'amour dans la bruyère. Drake était parti peu après. Pour savoir s'il l'avait fécondée, elle devrait encore attendre une semaine.

— Un enfant ? répéta-t-elle en cherchant avidement une réponse sur les traits de Nola.

La grand-mère hocha la tête.

— Un fils ? demanda encore Raven.

Quelle merveille, si elle portait dans son sein le fils du Chevalier Noir !

— Ça, je l'ignore, répondit Nola avec un sourire doux et énigmatique. Je ne vois que ce que Dieu veut bien me montrer.

— Et, à propos de Drake ? insista Raven. Pouvez-vous m'en dire plus ? A-t-il vaincu Waldo ?

La vieille femme secoua la tête.

— Mon petit-fils souffre, dit-elle tout bas. Je le sens. Ici, ajouta-t-elle en posant une de ces pauvres vieilles mains sur son cœur. Quant à toi, très bientôt, tu vas te trouver devant un choix terrible, un choix que personne ne pourra faire à ta place. Tu seras seule pour décider.

Soudain, la vieille femme donna l'impression de se sentir mal. Raven se précipita pour la soutenir.

— Ça ne va pas ? Appuyez-vous sur moi. Je vais vous aider à retourner à la maison.

— Tu as raison, approuva Nola. Nous ne pouvons pas faire grand-chose, à part attendre.

Messire John arriva le lendemain. Lorsque Raven le vit à l'horizon, elle retint son souffle en attendant que Drake se montre à son tour. Mais Drake ne se montra pas. Alors, elle poussa un cri de détresse.

John arrivait tout droit du champ de bataille et il était épuisé. Raven le fit entrer dans la maison, l'aida à se débarrasser de son armure et alla lui chercher de l'eau. Elle attendit qu'il se fût désaltéré pour poser enfin la question qui lui brûlait les lèvres.

— Drake est-il… ?

John commença par la regarder en face et puis baissa les yeux.

— Il était en vie la dernière fois que je l'ai vu.

— Alors, que faites-vous ici ?

Grand-mère Nola tournait en rond, plus petite, plus fragile, plus sombre que jamais.

— Commençons par le commencement, dit messire John. Nous avons trouvé Waldo et nous sommes tombés sur son campement à l'aube. Les choses se passaient plutôt bien jusqu'à ce que Duff arrive avec ses hommes. Ensuite, nous avons croulé sous le nombre. Nous ne nous étions pas doutés que Duff avait choisi de camper un peu plus loin. Quand nous avons compris que la bataille était perdue, Drake était à *ça* de trancher la gorge de Waldo ! Quelle malchance !

— Comment vous êtes-vous échappé ?

— La plupart des hommes de Drake ont réussi à s'échapper. Ce qui intéressait Waldo, c'était Drake. Mais, moi, je n'aurais pas pu m'échapper, même si je l'avais voulu. Je ferraillais auprès de Drake, j'ai été pris avec lui. Puis, Waldo m'a confié un message pour vous, c'est pourquoi il m'a laissé partir.

La grand-mère fit seulement *ah !*. Raven se prépara au pire, car rien de bon ne pouvait venir de Waldo.

— Dites-moi, messire John. Qu'est-ce que Waldo attend de moi ?

— Premièrement, je dois vous dire que je suis ici contre la volonté de Drake. J'ai fait fi de son opinion parce que je pense que c'est à vous de décider.

— Continuez, ordonna Raven.

Elle était prête à agir selon ce que son cœur et sa conscience lui dictaient, quitte à déplaire à Drake.

— Waldo exige que vous vous présentiez au château de Klyme sous quinzaine.

— Sinon ? demanda Raven en sachant d'avance que les conséquences seraient terribles.

— Sinon, il tuera Drake. Je suis désolé de vous placer dans cette situation, dame Raven, mais c'est à vous de décider.

Du point de vue de Raven, le choix n'était pas difficile à faire. Elle planta son regard dans celui de John.

— Oui, messire, dit-elle avec détermination, c'est effectivement à moi de décider. Et, d'ailleurs, ma décision est prise.

Messire John ne cacha pas son étonnement.

— Quoi ! Si vite ? Je vous conseille de bien réfléchir, milady. Si vous retournez à Klyme, votre vie sera en danger.

Raven se dressa sur ses ergots.

— Voulez-vous dire que je ferais mieux de laisser mourir Drake ?

— Non, dame Raven. Je me contente de vous mettre en garde contre toute décision hâtive.

Raven prit un air pincé.

— Je souhaiterais partir le plus tôt possible, dit-elle.

— Messire John va avoir besoin de souffler, et son cheval aussi, intervint Nola. Accorde-lui deux ou trois jours de repos, Raven. Klyme n'est qu'à deux petites journées d'ici et Waldo t'a accordé une quinzaine.

— Vous ne connaissez pas Waldo, grand-mère. Il peut changer d'avis et tuer Drake à tout moment.

— Il m'a donné sa parole de chevalier, dit messire John.

— C'est un chevalier félon, un brise-foi, rétorqua Raven. Sa parole ne vaut rien.

— Il ne tuera pas Drake, affirma Nola avec conviction. En tout cas, pas tout de suite.

Il en aurait fallu plus pour rassurer Raven. Pour autant qu'elle sache, Nola prenait peut-être ses désirs pour des réalités. Elle ne pouvait s'en remettre à personne dans cette affaire et sa décision était prise. Elle aimait Drake et elle était prête à tout pour le sauver. Elle savait que Waldo la punirait mais elle ne croyait pas qu'il irait jusqu'à la tuer. Il avait déjà perdu sa première femme dans des circonstances mystérieuses ; le roi pourrait être tenté d'enquêter sur la mort inopinée d'une seconde épouse.

— Je ne vous demande qu'une nuit de repos, Raven, dit messire John. Moi aussi, j'ai hâte d'arriver à Klyme. Soyez prête à partir aux premières lueurs du jour.

Couché sur un tas de paille pourrie, Drake essayait d'estimer le nombre de jours qui s'étaient écoulés depuis que Waldo l'avait fait jeter dans ce cachot humide, obscur et puant.

Il avait mal partout. Par bonheur, il avait presque perdu le souvenir du trajet jusqu'à Klyme. Lorsqu'il était devenu incapable de marcher, Waldo l'avait traîné derrière son cheval. Il avait été protégé par le rembourrage de son pourpoint à armer, mais les parties découvertes avaient été profondément écorchées. Par-dessus le marché, il s'était cassé deux ou trois côtes.

Au début, on ne lui avait rien donné à manger ni à boire et il avait même eu droit, de temps à autre, à une bastonnade. Puis, Waldo, par crainte sans doute qu'il ne meure avant l'arrivée de Raven, avait autorisé de petites quantités de nourriture.

Pour le moment, Drake ne demandait qu'une chose : que ses bourreaux le laissent tranquille assez longtemps pour guérir ses plaies et refaire ses forces.

Au prix de douloureux efforts, Drake leva les yeux vers la volée de marches et la porte tout en haut. Il connaissait cet endroit, il y était déjà venu. Et il se souvenait… il se souvenait… Découragé, il baissa la tête. Non, il ne se souvenait de rien. Ses lancinantes douleurs l'empêchaient de penser. Il ferma les yeux et pria pour Raven. Serait-elle assez folle pour venir ici se jeter dans la gueule du loup ? La connaissant, il supposa que oui.

Soudain, une lumière apparut au sommet de l'escalier. Sous ses paupières tuméfiées, Drake aperçut deux silhouettes d'homme à contre-jour.

— Es-tu toujours vivant, messire Bâtard ? demanda la voix de Waldo.

— Oui, mais pas grâce à toi, répondit Drake d'une voix qui, hélas ! trahissait sa faiblesse.

— L'un de mes hommes t'apporte de quoi boire et manger, dit Waldo. Il va falloir t'en contenter car tu n'auras rien d'autre. Dès que ta catin sera là, tu cesseras d'être utile. Tu es un futur cadavre à mes yeux. Si je te nourrissais bien, ce serait du gâchis.

Drake eut envie de se ruer sur Waldo pour lui apprendre à insulter Raven. Mais son corps était réduit à une masse de chair inerte et meurtrie. C'est tout juste s'il trouva la force de faire une phrase cohérente.

— Tu ne mérites pas une femme comme Raven. Je suis le seul coupable de ce qui est arrivé. Elle est irréprochable.

Le garde posa près de lui un seau d'eau et une écuelle. Il crut qu'il entendait des voix lorsque l'homme, avant de se redresser, dit tout bas :

— Je vous apporterai à manger aussi souvent que possible, monseigneur.

Abasourdi et ne sachant quoi penser, Drake se contenta de le regarder s'en aller.

— Régale-toi, messire Bâtard, lança narquoisement Waldo.

— Attends ! cria Drake. Laisse-moi la torche. Je ne peux pas manger si je n'y vois rien ! Je ne suis pas un animal.

Waldo éclata de rire.

— Regarde-toi. Tu prétends que tu n'es pas un animal, pourtant tu as vraiment l'air d'un porc, vautré sur ce répugnant tas de paille ! Mais, soit ! Je ne veux pas qu'on puisse dire que Waldo de Lleyn n'a pas de cœur. Je vais laisser la torche ici, accrochée à cet anneau. Mais ne rêve pas d'évasion, car la porte est gardée de jour comme de nuit. Ton heure va bientôt sonner. Prie pour le repos de ton âme, pendant qu'il en est encore temps.

La lourde porte se referma en provoquant un courant d'air. La flamme de la torche vacilla mais ne s'éteignit pas. Elle était loin, en l'air, et seule une faible lueur atteignait le fond du cachot. Mais c'était suffisant : pour la première fois, Drake put voir clairement l'endroit où il se trouvait.

Il se pencha et attrapa l'écuelle, chaque geste provoquant une douleur à couper le souffle. Il en avala le contenu – un brouet infâme et une énorme tranche de pain rassis – sans prendre garde à la saveur. Puis, il plongea les mains dans l'eau et but à satiété.

Rassasié pour la première fois depuis des jours, il s'endormit. Il voulait se reposer, pour le cas où les gardes reviendraient lui faire tâter du bâton.

Raven contempla de loin à travers la brume le château où elle était née et où elle avait grandi. La herse était levée et le pont-levis baissé. Tout avait l'air tranquille et même accueillant. Mais Raven avait un mauvais pressentiment.

— Vous allez rester là, dit-elle à messire John. J'aimerai mieux vous savoir libre qu'enfermé à l'intérieur.

— Je ne peux pas vous laisser y aller seule, dame Raven.

— C'est chez moi, ici, messire John. Duff n'a pas toujours été un bon frère mais je ne peux pas croire qu'il laissera Waldo me faire du mal. Et puis, je vais refuser de franchir le pont-levis tant que Waldo ne m'aura pas prouvé que Drake est toujours en vie. Restez ici et soyez prêt à filer si jamais vous me voyez rebrousser chemin.

— Soyez prudente, milady. Je n'ai pas confiance en Waldo.

— Moi non plus, messire John, moi non plus.

Raven partit vers le château sur sa jument blanche et s'arrêta devant le pont-levis, assez près pour être vue par les guetteurs postés sur le chemin de ronde. Son arrivée fut annoncée et, presque aussitôt, Waldo apparut au sommet des remparts.

— Ah, te voici ! s'écria-t-il.

— Oui, me voici, répondit Raven. Où est Drake ?

— Tu n'as qu'à entrer et tu le verras.

— Non. Je me défie de toi. Montre-moi Drake d'abord. Comment pourrais-je être sûre que tu ne l'as pas massacré ?

— Moi, massacrer mon propre frère ? s'exclama-t-il sur un ton faussement scandalisé. Je suis mortifié d'entendre cela, ma chère petite femme. J'ai tenu parole. Le Chevalier Noir est toujours vivant.

— Je n'aimerais pas être à ta place si tu as tué Drake, cria Raven. Le roi le tient en haute estime. Il te punirait.

Waldo éclata de rire.

— Le Chevalier Noir a enlevé ma femme et il m'a privé de ma nuit de noces. Tu crois qu'Édouard serait prêt à accepter qu'un de ses chevaliers se conduise ainsi ?

— J'exige de voir Drake, insista Raven.

Elle commençait à avoir peur. Pourquoi Waldo refusait-il d'aller chercher Drake ? Son bien-aimé était-il toujours en vie ?

— Très bien, dit Waldo.

Visiblement furieux, il se tourna pour dire quelques mots aux soldats qui se trouvaient derrière lui et Raven éprouva une pointe de satisfaction en se rendant compte qu'elle avait gagné la première manche.

— Je viens d'ordonner qu'on l'amène ici, cria-t-il à Raven. Mais cela va prendre un peu de temps.

— N'essaie pas de me duper, Waldo. Et n'envoie pas tes hommes pour m'attraper car je me fais fort de leur échapper et alors je disparaîtrais à jamais.

Prête à partir au triple galop si la situation l'exigeait, elle attendit impatiemment l'apparition de Drake au sommet des remparts du château.

Trois jours avaient passé depuis la dernière bastonnade. Drake en avait profité pour se requinquer un peu. Le gentil garde lui avait apporté par deux fois de la viande et du pain. Il lui avait bandé le torse pour soutenir ses côtes cassées et fourni des onguents pour ses plaies. À l'en croire, beaucoup d'hommes dans l'armée de Waldo respectaient le Chevalier Noir et n'approuvaient pas la manière dont Waldo le traitait. Par malheur, ils avaient trop peur de la colère de Waldo pour l'aider à s'évader. Mais, à présent, l'esprit de Drake fonctionnait de nouveau et il s'était souvenu de quelque chose d'important. Quelque chose qui lui rendait l'espoir.

Drake commença par apercevoir la lumière au sommet de l'escalier. Puis, il sentit l'air frais. Puis, il vit les deux hommes d'armes arborant les couleurs du comte de Lleyn.

— On te réclame là-haut, dit l'un des deux soudards.

Drake sentait le danger mais il était encore trop faible pour se défendre. Il se laissa traîner hors du cachot. Après être resté longtemps dans la pénombre, la lumière du jour lui parut aveuglante. Les gardes lui firent traverser la cour. Il respirait laborieusement en se tenant les côtes.

Lorsqu'il se rendit compte que les gardes l'entraînaient vers les remparts, il eut un mouvement de recul.

— Où m'emmenez-vous ?

— Monseigneur Waldo exige ta présence sur le chemin de ronde.

Le chemin de ronde ! Drake pensa immédiatement que Waldo allait le faire jeter du haut des remparts. Et puis, une autre idée lui vint à l'esprit. Si Waldo avait décidé de se débarrasser de lui, était-ce parce que Raven avait refusé de revenir à Klyme ?

Même si cela devait signifier la mort pour lui, Drake éprouva un certain réconfort en songeant que Raven était toujours avec grand-mère Nola, hors d'atteinte de la cruauté de Waldo.

Il comprit son erreur lorsqu'il arriva au sommet de l'escalier et qu'il aperçut Raven sur sa jument blanche de l'autre côté des douves.

12

Celui que l'on met en prison obscure
Et en vermine et en ordure.

Pour la première fois de sa vie, Drake fut pris de terreur. Raven avait l'air tellement minuscule et vulnérable, seule au pied du château !

— Que fait-elle là ?

— Elle vient à ton secours, répondit Waldo avec un sourire sarcastique. Je lui ai dit que tu étais toujours en vie mais elle n'a pas voulu me croire. Elle a exigé de te voir avant de franchir le pont-levis.

Il toisa Drake du coin de l'œil.

— Tu as l'air moins mal en point que je ne l'aurais cru, reprit-il sur un ton qui se voulait dédaigneux mais laissait poindre de l'inquiétude. Pour un homme à demi mort de faim et de soif, je dirais même que tu as plutôt bonne mine.

— Je suis peut-être indestructible, qui sait ? répondit Drake.

— Nul homme n'est indestructible, dit sentencieusement Waldo. Ça dépend seulement de l'ardeur avec laquelle on le cogne.

Il fit signe aux gardes.

— Approchez-le du bord, que sa putain puisse le voir.

Drake fut traîné jusqu'à un créneau. Raven leva les yeux vers lui. Oubliant toute prudence, il mit les mains en porte-voix autour de sa bouche et cria :

— Va-t'en, Raven! Waldo te veut du mal! Sauve-toi! Il en est encore temps!

— Salaud! rugit Waldo en l'écartant d'une bourrade. Eh bien, poursuivit-il à l'adresse de Raven, maintenant que tu as vu ton amant, tu peux entrer dans le château. Il ne te sera fait aucun mal.

Duff survint, jeta un coup d'œil par-dessus le parapet, vit Raven et changea de figure. Du coup, Drake se reprit à espérer. Même si Duff n'avait jamais fait preuve de beaucoup de jugeote ni de beaucoup de cran, il était, après tout, le frère de Raven et il devait la protéger.

— Waldo veut faire du mal à ta sœur, lui dit Drake. Empêche-le!

— Ne te mêle pas de cela, Duff, recommanda Waldo. Raven est ma femme avant d'être ta sœur. Je la traite comme il me plaît.

— Tu as promis de ne pas lui faire de mal, rappela Duff.

— C'est exact, répondit Waldo. Et je n'ai nulle intention de la brutaliser pour le plaisir. Mais il faut, naturellement, qu'elle soit punie. Elle m'a fait cocu. J'ai le droit de demander réparation. Mais je te garantis qu'elle aura la vie sauve... ne serait-ce que pour pouvoir me donner un héritier.

Duff ne parut pas convaincu mais ne dit rien de plus.

— Si j'étais toi, Duff, je surveillerais Waldo, insista Drake. Raven est la seule sœur qui te reste. Si je me souviens bien, ton autre sœur est morte dans des circonstances étranges alors qu'elle était mariée à Waldo. T'a-t-il convenablement expliqué comment une femme jeune et en bonne santé a pu tomber malade et mourir aussi vite?

Duff prit un air pensif. Drake s'en réjouit. Si le doute germait dans l'esprit de Duff, cela pourrait peut-être sauver Raven.

— Du nerf, Duff! gronda Waldo entre ses dents. Montre-toi! Parle-lui! Persuade-la d'entrer!

Duff se montra dans l'embrasure d'un créneau et se pencha:

— Petite sœur! cria-t-il. Je te donne ma parole que tu n'as rien à craindre. Rejoins ton mari! Avec le temps, il finira par te pardonner.

— Bien dit! approuva Waldo en hochant la tête.

Quant à Drake, il eut tout juste le temps de crier: «Ne les crois pas, Raven, sauve-toi!» avant que Waldo ne le repousse vers les deux gardes, qui l'empoignèrent sans ménagement.

Raven n'eut qu'à voir Drake pour comprendre qu'il avait beaucoup souffert. Elle était trop loin pour distinguer les plaies et les ecchymoses mais, d'après le son de sa voix et sa façon de se tenir, il avait été brutalisé. Les promesses de Duff ne lui furent pas d'un grand réconfort car il n'avait jamais été son champion. Connaissant la fourberie de Waldo, elle exigea de voir Drake de plus près.

— Je refuse d'entrer tant que je ne lui aurai pas parlé, cria-t-elle.

— Salope! grommela Waldo.

Puis, d'une voix haute et claire, il répondit:

— Très bien! Ton amant va venir t'accueillir près de la herse.

Raven, qui retenait son souffle depuis trop longtemps, poussa un immense soupir de soulagement. Puis, le cœur battant, elle attendit.

Lorsque Drake apparut, elle poussa un cri horrifié. C'était un crève-cœur de le voir, en haillons et soutenu par deux gardes. Oublieuse de sa propre sécurité, elle franchit le pont-levis, passa sous la herse, descendit de cheval au milieu de la cour et se précipita vers Drake.

— Que lui as-tu fait? demanda-t-elle à Waldo en le foudroyant du regard.

— Tu n'aurais pas dû venir, lui dit Drake d'une voix étranglée.

Raven se mit à pleurer. Drake était dans un état lamentable. Son visage était meurtri, ses yeux et sa bouche atrocement tuméfiés. Ses chausses étaient en lambeaux et le rembourrage de son pourpoint s'échappait par d'énormes accrocs. Elle aurait voulu le prendre dans ses bras mais elle n'osa pas.

Waldo se fit une joie de la narguer.

— Voilà, tu as vu ton cher Chevalier Noir, ou du moins ce qu'il en reste, dit-il. Maintenant, es-tu prête à devenir ma femme ?

— Commence par libérer Drake, répondit-elle sur un ton péremptoire.

— *Tss-tss*, fit-il en clappant de la langue. Rien ne presse. Tout dépendra de ta docilité. Si j'ai tant tenu à te récupérer, c'est que je veux que tu me donnes un héritier.

— Raven, non ! s'écria Drake. Ne fais aucune promesse, je t'en prie. On ne peut pas se fier à Waldo.

Avec son instante prière, Drake faillit la fléchir. Mais elle tint bon. La seule voix qu'elle consentait à écouter, c'était celle de son cœur.

— Je ferai tout ce que tu voudras, mais seulement *après* que tu auras libéré Drake. Tu n'as pas le droit de le retenir prisonnier. Tant que tu ne lui auras pas rendu sa liberté, je jure de ne pas te donner d'enfant. Réfléchis-y un peu, mon cher mari. Tu dois savoir qu'il existe des moyens d'éviter les grossesses.

Raven n'avait qu'une vague idée des choses que les femmes font pour ne pas tomber enceintes. Elle aurait été bien incapable de les mettre en pratique. Mais elle espéra que la menace suffirait à impressionner Waldo.

Elle ne suffit pas.

— Drake restera mon prisonnier jusqu'à ce que tu sois enceinte, dit-il. À ce moment-là, si je suis de bonne humeur, peut-être que je le libérerai.

Considérant que Waldo n'était presque jamais de bonne humeur, Raven essaya une autre tactique.

— Drake est le champion du roi, dit-elle. Édouard ne sera pas content de la manière dont tu le traites. Seul le roi a le droit de châtier un chevalier qui a failli.

— J'ai peur que Raven n'ait raison sur ce point, intervint Duff. Le Chevalier Noir est le champion du roi. Les charges contre Drake devraient être produites devant Édouard, pour qu'il les examine et rende sa sentence en toute équité.

Waldo devint rouge de colère.

— Te retournerais-tu contre moi, Duff ?

— Non, je ne fais que dire ce qui est.

— La vérité, c'est que Drake de Windhurst a violé ma femme et l'a enlevée le soir même de mes noces.

— Non ! s'écria Raven. Drake n'a rien pris de force et je l'ai suivi de mon plein gré. Duff sait que je n'ai jamais voulu t'épouser. Pour t'échapper, j'aurais accepté l'aide du diable en personne. Tu as tué ma sœur.

Waldo leva la main pour la gifler mais Duff lui agrippa le poignet avec une force étonnante, l'empêchant de frapper.

— Et ta promesse de ne pas lui faire de mal ? rappela Duff. Elle sera bien assez punie quand tu l'auras forcée à coucher avec toi, vu comme tu la dégoûtes. Ce n'est pas le moment de l'estropier. Si tu veux qu'elle te donne un héritier, préserve-la !

Personne ne fut plus étonnée que Raven en entendant cette tirade. Duff ne passait pas pour hardi et il n'avait pas l'habitude de contrarier Waldo. Se sentant soutenue, elle décida qu'il était temps d'évoquer la possibilité que son commerce charnel avec Drake n'ait pas été sans conséquence. Waldo risquait-il de réagir brutalement ? Sans doute. Mais, advienne que pourra !

— Hé ! Je suis peut-être déjà enceinte de Drake...

Cette fois, Waldo la gifla bel et bien. Duff ne put rien empêcher. Tout se passa si vite que Raven se retrouva par terre, du sang plein la bouche, sans même avoir vu arriver le coup.

— Si tu la touches encore, je te garantis une mort atroce, dit Drake en se débattant contre ses gardes.

Mais Waldo ne s'intéressa guère à lui. Toute sa colère était tournée contre Raven.

— Espèce de putain ! rugit-il. T'a-t-il engrossée ?

Raven se redressa, incapable de s'humilier devant Waldo. Elle haussa les épaules.

— Peut-être.

— Combien de temps pour que tu en sois sûre ?

— Je n'en sais rien. Deux semaines, dit-elle en exagérant la vérité. Peut-être trois. C'est difficile à dire.

— Gardes ! vociféra Waldo. Emmenez ma femme dans ses anciens appartements et enfermez-la à double tour. J'attendrai pour la rejoindre d'avoir eu la preuve irréfutable que mon bâtard de frère ne lui en a pas mis plein le ventre.

Raven se retrouva encadrée par deux robustes soudards.

— Quant à toi, poursuivit-il en se tournant vers Drake, prie pour que ta putain ne soit pas enceinte de ton fait. Pour l'instant, tu vas continuer à jouir de l'hospitalité du donjon, jusqu'au moment où Raven consentira à devenir véritablement ma femme. Elle sait que ta vie est entre mes mains. Cela devrait la rendre un peu plus conciliante.

Il fit signe aux gardes d'emmener Drake.

— Attends ! cria Drake. Que se passera-t-il s'il se trouve que Raven est enceinte ?

Waldo eut un sourire féroce.

— Dans ce cas-là, mon très aimé frère, répondit-il avec suavité, Raven et toi, vous irez poursuivre votre charmante idylle dans l'autre monde.

Fou de rage, Drake se démena si bien qu'il réussit à se libérer, mais il fut rattrapé avant d'avoir atteint Waldo. Sur un signe de Waldo, l'un des gardes abattit son poing ganté de fer sur le sommet du crâne de Drake, qui tomba assommé. Raven poussa un cri déchirant et se débattit comme une énergumène. Ses gardes ne furent pas trop de deux pour la maîtriser tandis que Drake était traîné vers le donjon, aussi inerte qu'un mort.

Raven arpentait sa chambre, la peur au ventre. En venant à Klyme, elle n'avait guère amélioré le sort de Drake. Tout ce qu'elle avait réussi à faire, c'était de se mettre en danger à son tour. Et son enfant avec elle, si jamais elle était enceinte. Elle ne pouvait pas en être certaine, mais grand-mère Nola avait eu l'air de le penser.

Elle s'approcha de la fenêtre et laissa planer son regard au-dessus de la lande et des collines boisées. La frontière avec le pays de Galles, toute proche, représentait le salut. Mais elle était inaccessible.

Découragée, Raven se laissa choir sur le banc. La situation était tragiquement simple : si elle n'avait pas bientôt ses règles, ils mourraient tous, Drake, elle et l'enfant qu'elle portait.

Raven entendit un bruit de clé et se tourna vers la porte. Une servante qu'elle ne connaissait pas entra dans la pièce. Elle apportait un plat et une coupe.

— Je m'appelle Lark, dit la fille en considérant Raven avec un dédain mal dissimulé. Je suis à votre service.

— Où est Thelma ? Elle était ma femme de chambre autrefois.

Lark haussa les épaules.

— Pour autant que je sache, il n'y a pas de Thelma parmi les servantes.

— Et messire Melvin, l'intendant de mon frère ?

— Là, je sais, répondit Lark. Messire Melvin est parti vivre avec sa fille, dont le mari, un baron, est en ce moment captif en France. C'est lui qui s'occupe de rassembler la rançon. Le nouvel intendant est messire Edgar. Avez-vous faim ? Je vous ai apporté à manger.

Elle posa brutalement le bol de soupe et la coupe de bière sur la table près de la cheminée, renversant un peu de chaque. Elle était jeune, bien faite et particulièrement effrontée. Ce qui mit la puce à l'oreille de Raven.

— Tu es nouvelle ici ? demanda-t-elle.

— Je suis au service de Waldo, répondit Lark. Il m'emmène avec lui partout où il va.

Raven remarqua que la fille avait appelé Waldo par son prénom, qu'elle n'avait pas dit « messire Waldo » ou « monseigneur ». Ce qui ne fit que confirmer ses soupçons.

— Tu couches avec lui ?

— Est-ce que cela vous chagrine ? répondit Lark. Waldo est un homme plein de sève. Comme vous n'êtes pas pressée d'accomplir votre devoir conjugal, je vous remplace en attendant. À propos du Chevalier Noir, poursuivit-elle, tandis que ses grands yeux clairs pétillaient de malice, êtes-vous sa maîtresse ? À ce qu'on dit, il est bien outillé et c'est un merveilleux amant. Est-ce vrai ?

Raven, écœurée, détourna les yeux.

— Si mon cher et tendre époux t'a envoyée pour m'espionner et me poser des questions impertinentes, dis-lui qu'il perd son temps. Maintenant, va-t'en. J'ai envie d'être seule.

Lark partit vers la porte sans rechigner.

— Je reviendrai voir l'état de vos dessous quand vous serez couchée, lança-t-elle avant de sortir. Pour pouvoir dire à Waldo que vous avez vos règles... *Ou que vous ne les avez pas,* conclut-elle sur un ton lourd de sens.

De retour dans son cachot, Drake reprit lentement connaissance. Il avait une bosse sur le sommet du crâne, qui lui faisait mal. Mais le plus atroce, c'était que Raven se trouvait désormais à la merci de Waldo.

Malgré une intolérable migraine, il avait l'esprit clair. Il se demanda quand les hommes de Waldo reviendraient le bâtonner. Et puis, il se mit à compter les pierres des murs qui l'entouraient, avec la crainte que cet abject cul-de-basse-fosse ne soit bientôt son tombeau.

Soudain, au milieu de ces sombres méditations, il se souvint de quelque chose de tellement important qu'il n'arriva pas à comprendre pourquoi la mémoire ne lui était pas revenue plus tôt. Des années auparavant, alors qu'il venait tout juste d'arriver à Klyme, Waldo l'avait mis au défi de passer une nuit entière seul dans le donjon.

Bien que terrifié, il l'avait fait, pour ne pas passer pour un couard.

Cette nuit-là, torche en main, il avait descendu l'escalier qui s'enfonçait dans les ténèbres. C'est là que, par hasard, il avait découvert le tunnel. Il avait commencé par remarquer une pierre un peu différente des autres et il avait décidé d'y regarder de plus près. Il avait poussé de toutes ses forces sur ladite pierre, qui avait pivoté, révélant l'entrée d'un tunnel. Le passage avait été étroit, obscur et plein de toiles d'araignée. Il n'avait pas osé l'explorer.

Il avait remis la pierre en place et il était allé se coucher. Par la suite, il était revenu par trois fois dans le donjon, en cachette de tout le monde, trop heureux de savoir quelque chose que les autres ignoraient. Pendant ces visites clandestines, il avait exploré le réseau de tunnels. Il y en avait eu trois en tout. L'un qui débouchait à l'abri d'un bosquet de l'autre côté des douves. Un deuxième qui conduisait à la salle de garde. Le troisième, continué par un escalier secret, aboutissait à l'appartement principal, au sommet du donjon. L'entrée se trouvait parfaitement dissimulée parmi les panneaux d'une boiserie.

Dans toutes les places fortes, il y avait des tunnels pour permettre au seigneur et à sa famille de s'enfuir en cas de besoin. Drake ne savait pas si ceux de Klyme avaient jamais eu l'occasion de servir. Après les avoir bien explorés, il n'y avait plus repensé.

Il se demanda s'il serait capable de retrouver l'entrée et si elle consentirait encore à s'ouvrir après tout ce temps. Il était du moins certain d'une chose à propos de ces tunnels : ni Duff ni Waldo n'avaient jamais eu vent de leur existence. Autrement, Waldo aurait eu soin de le faire enchaîner.

Drake passa les jours suivants à rechercher la pierre mobile. Il fallait qu'il la trouve vite car il était de plus en plus faible, à cause du manque de nourriture et d'eau. Le bon chevalier ne pouvait plus rien lui apporter depuis que Waldo avait fait doubler la garde devant le cachot.

Il n'était pas loin de perdre espoir lorsqu'il trouva enfin une pierre qui ressemblait à celle qu'il cherchait. À force de pousser dessus, elle finit par bouger. Pas de beaucoup mais assez pour lui mettre du baume au cœur. Dans sa joie, il pensa d'abord à s'évader sur-le-champ. Mais il était épuisé. Alors, il se recoucha sur sa litière de paille pourrie avec l'intention de se reposer un peu avant de tenter l'affaire. Mais son esprit était trop agité pour qu'il puisse espérer dormir. Alors, il pria.

Cela faisait longtemps qu'il ne s'était pas tourné vers Dieu alors que la religion était censée tenir une place prépondérante dans la vie d'un chevalier. Le serment qu'il prêtait lui faisait obligation d'assister à la messe aussi souvent que possible. Sa cuirasse symbolisait la piété ; son écu, la foi et la protection contre l'hérésie ; sa lance, la droite vérité. Drake se souvenait que sa mère était restée pieuse et n'avait jamais perdu l'espérance malgré ses déboires. Elle avait coutume de dire que la première devise des preux, c'était : « Dieu aimer et chastement vivre », qu'il n'en fallait pas plus pour sauver son honneur et son âme. Il se souvenait même des prières de son enfance. Alors, il pria. Et, lorsqu'il eut fini, sa pensée se tourna vers la seule chose qui comptait désormais pour lui. Raven. Waldo l'avait-il déjà violée ? se demanda-t-il. L'avait-il punie pour s'être enfuie ? Et pour avoir pris un amant ? Il se dépêcha de faire une prière supplémentaire, pour que Dieu daigne insuffler à Duff assez de forces pour protéger sa sœur.

Il réussit quand même à s'endormir mais fut brusquement réveillé par des bruits de pas dans l'escalier du cachot. Il se releva d'un bond, ne sachant à quoi s'attendre. Mais il se détendit lorsqu'il reconnut le bon Samaritain qui l'avait soigné, pansé et nourri.

— Je ne peux pas rester longtemps, monseigneur, dit l'homme. Je ne suis plus jamais de garde. On m'a affecté ailleurs. Messire Waldo commence à se méfier de moi.

Il vous fait surveiller par des hommes qui ont toute sa confiance. Je crois qu'il a décidé de vous laisser mourir de faim.

— Je m'en doutais, dit Drake. Quoi qu'il en soit, je vous suis reconnaissant de m'avoir aidé.

— Si jamais vous survivez, monseigneur, je m'appelle Hugh de Blackstone. Si j'avais le choix, je préférerais être votre vassal plutôt que celui de messire Waldo. Et, parmi ceux qui sont sous la bannière de messire Waldo, j'en connais plus d'un qui pense de même.

— Grand merci, messire Hugh. Si jamais je sors d'ici vivant, je me souviendrai de vous et de votre bienfaisance.

Messire Hugh tira de dessous son manteau un sac de toile et un cruchon.

— Voici, dit-il à voix basse, c'est tout ce que j'ai pu vous apporter. Prenez-le. Je ne crois pas que je pourrai revenir. Et, ajouta-t-il sur un ton navré, Waldo a prévu de vous faire bâtonner encore une fois. Je ne sais pas quand mais c'est pour bientôt.

Drake accepta les dons de Hugh. Avec un peu de chance, il ne serait plus là pour recevoir la bastonnade promise. Ouvrant le sac, il y découvrit un énorme morceau de rôti et un pain. Il mangea la moitié du rôti, la moitié du pain, but la moitié du cruchon d'eau et garda le reste pour plus tard.

Puis, il se coucha et dormit.

Raven tournait en rond dans sa chambre comme une lionne en cage. Plusieurs jours avaient passé sans qu'elle voie personne, à part Lark. Elle avait été convenablement nourrie. On lui avait même octroyé un bain. Mais, malgré de fréquentes demandes, elle n'avait pas pu parler à Waldo. Elle avait passé beaucoup de temps à genoux, priant pour Drake. Elle avait essayé d'avoir de ses nouvelles par Lark mais la méchante fille n'avait rien voulu dire.

Elle ne savait pas si elle devait souhaiter avoir ses règles ou pas. Waldo la violerait dès qu'elle les aurait ou bien il la tuerait si elle ne les avait pas. Elle porta la main à son ventre, désormais certaine qu'un petit être y mûrissait.

Pour le bien de son bébé, il fallait qu'elle vive, quitte à coucher avec Waldo. Après cela, il serait obligé de penser que l'enfant était de lui. Elle imagina le fils de Drake, par quelque ironie du sort, héritant un jour des biens et du titre de Waldo ! Un bâtard de bâtard qui deviendrait comte de Lleyn ! Quelle farce ! pensa-t-elle. Et puis, surtout, quelle bâtardaille que la noblesse !

Sa décision prise, elle agit. Lark n'allait pas tarder à venir faire l'inspection de ses vêtements du dessous. Elle saisit le petit couteau dont elle se servait pour couper sa viande, souleva sa jupe et s'incisa le haut de la cuisse. Lorsqu'elle commença à saigner, elle macula sa chemise au bon endroit. Cela fait, elle se déshabilla, posa la chemise souillée en évidence sur une chaise, en enfila une propre et se mit au lit.

Puis, la couverture remontée jusqu'au menton, elle attendit anxieusement la venue de Lark. Un quart d'heure plus tard, elle entendit la clé tourner dans la serrure. La porte s'ouvrit et Lark entra.

— Déjà couchée ? s'étonna-t-elle. Êtes-vous malade, milady ?

— Qu'est-ce que ça peut te faire ?

La servante ricana.

— À dire vrai, rien. Mais, n'ayez crainte, je ne vais pas m'attarder. Waldo m'attend dans sa chambre et j'ai hâte de le rejoindre.

Raven resta de marbre.

— Il va me falloir des vêtements propres, dit-elle.

— Ah ? s'exclama Lark en plissant les yeux. Vous avez eu vos règles ?

— Oui. Et je ne me sens pas très bien, répondit Raven avec une petite grimace de douleur pour appuyer ses dires. J'ai mal au ventre. Tu pourrais peut-être demander à la cuisinière de me préparer une infusion de sauge ?

Les poings sur les hanches, Lark s'approcha du lit.

— Je ne vous crois pas !

Raven montra du doigt la chemise qui en faisait foi.

— Tu n'as qu'à regarder.

Toujours pas convaincue, Lark ramassa la chemise et l'examina sous toutes les coutures.

— Je vais montrer ça à Waldo, dit-elle.

Elle partit vers la porte en faisant la dégoûtée, la chemise ensanglantée brandie à bout de bras entre le pouce et l'index. Arrivée près de la porte, elle fit volte-face.

— Vous n'en avez pas fini avec moi, dit-elle, le visage bouffi de colère. Vous n'arriverez jamais à satisfaire Waldo aussi bien que moi. Une fois qu'il vous aura fait lever le ventre, il me reviendra.

— Je l'espère de tout cœur, rétorqua Raven. Crois-tu que j'ai l'intention de faire le bonheur de Waldo ?

Le lendemain, Waldo vint voir Raven. Elle avait été obligée de rouvrir sa coupure, pour fournir à la soupçonneuse Lark une nouvelle preuve qu'elle saignait. Elle était prête à continuer aussi longtemps qu'il faudrait. Mais la visite de Waldo la prit au dépourvu.

— Lark m'a dit que tu avais enfin eu tes règles et que tu as été malade hier, est-ce vrai ?

— Ta catin n'a pas menti.

Cette cinglante réplique n'était pas faite pour lui déplaire.

— Serais-tu jalouse ? demanda-t-il en prenant un air avantageux.

Raven ouvrit des yeux ronds.

— Moi, jalouse ? Quelle idée ridicule ! Tu peux coucher avec qui tu veux.

— Et, *avec toi*, quand pourrai-je ?

La première réponse qui vint à l'esprit de Raven, la seule sincère, c'était *Jamais !* Se résignant à l'inéluctable, elle répondit :

— Dans une semaine.

— Trois jours, trancha Waldo. Ça suffit pour n'importe quelle femme, ça suffira pour toi.

Il la considéra d'un œil dur et farouche.

— Je n'ai pas oublié que tu m'as assommé et que tu m'as cocufié, reprit-il. N'espère pas que je te pardonne. Duff s'est soudain découvert du courage et il refuse que je te punisse dans sa demeure mais, lorsque nous serons à Lleyn, ton frère ne sera plus là pour te défendre.

— Libère Drake maintenant, demanda Raven sur un ton qui n'était pas suppliant.

— Peut-être que je le libérerai si tu es docile et complaisante avec moi. Quand je prends une femme, je ne suis pas doux, sache-le ! Tu n'as pas intérêt à te plaindre à Duff, si jamais je te fais un peu mal. Écoute-moi bien, Raven : tu ne seras pas traitée avec la considération qu'on ne réserve qu'aux épouses irréprochables. Mais je te promets de te faire préférer mon engin à celui de mon frère.

Raven pâlit, abasourdie par la grossièreté de la remarque.

— Comment pourrai-je mener à bien une grossesse si tu me brutalises ? lança-t-elle.

— Je tâcherai de me contrôler tant que tu n'auras pas accouché.

Soudain, sans crier gare, il la prit par les épaules et la serra contre lui.

— Ne me nargue pas, dit-il d'une voix menaçante. Tu feras ton devoir d'épouse ou bien il t'en cuira. Je n'oublierai jamais que mon bâtard de frère t'a eue avant moi. Alors, je te recommande l'humilité, compris ?

Comme elle refusait de le regarder, il la prit par la pointe du menton et la força à relever la tête. Puis, il l'embrassa sur la bouche. Il n'y mit pas le moindre atome de tendresse. C'était plutôt une morsure qu'un baiser, un moyen de montrer sa force, d'affirmer son pouvoir. Raven resta comme une bûche. Lorsqu'il lui enfonça sa langue dans la bouche, elle eut un haut-le-cœur. Alors, lui, aussi soudainement qu'il l'avait prise, il la repoussa, avec une telle vigueur qu'elle faillit perdre l'équilibre. Elle recula de plusieurs pas en titubant, buta contre le lit et se rattrapa à l'une des colonnes du baldaquin.

— Mon frère ne t'a pas bien déniaisée, dit Waldo en se rengorgeant. Je vais me charger de remédier à cela.

Provisoirement satisfait, il tourna les talons. En le voyant quitter la pièce, Raven faillit s'évanouir de soulagement. Trois jours! Elle avait droit à un répit de trois jours! Passé ce délai, Waldo viendrait se jeter sur elle et, par amour pour l'enfant qu'elle portait, elle serait obligée d'accepter ses répugnants baisers et le reste. Laissant s'exhaler un cri plaintif, elle s'effondra sur le lit et pleura toutes les larmes de son corps.

13

Il réussit, celui que Dieu protège.

Drake alla chercher la torche accrochée en haut de l'escalier, redescendit les marches en vitesse et s'approcha du mur derrière lequel se trouvait peut-être le salut. Il retrouva facilement l'énorme moellon qui bloquait l'entrée du tunnel et l'examina sous tous ses aspects. À onze ans, il avait eu la force de le déplacer. Était-il trop affaibli aujourd'hui pour en faire autant ? Rassemblant ses forces, il colla son épaule contre la pierre et appuya. Elle pivota d'un pouce, puis de deux, puis de trois, ce qui ne faisait pas une ouverture assez large pour qu'il puisse s'y glisser.

Il prit une profonde inspiration et poussa de nouveau, avec l'énergie du désespoir. Comme par miracle, le bloc s'écarta de quelques pouces supplémentaires. Et maintenant, cela suffirait-il ?

Drake vida ses poumons, se retint de respirer et glissa son grand corps dans la petite brèche. Au prix de quelques écorchures, il réussit à se faufiler. Une fois de l'autre côté, il marqua une pause, le temps de reprendre son souffle et d'essuyer la sueur sur son front. S'il voulait avoir une chance de réussir, il fallait qu'il referme le passage secret, pour donner l'impression qu'il s'était volatilisé. S'il le laissait ouvert, Waldo saurait tout de suite quel chemin prendre pour le rattraper. À la lueur de la torche, il examina l'envers du moellon et s'aperçut que, pour le remettre en place, il n'y avait qu'à pousser dans l'autre sens. Le mécanisme était d'une grande simplicité et Drake eut une pensée admirative pour le maçon qui l'avait conçu.

Avec ce qui lui restait de vigueur, il poussa jusqu'à ce que la grosse pierre, lentement mais sûrement, ait repris sa place. Cela fait, il s'avança, le cœur battant, dans une étroite galerie, parmi les toiles d'araignée, la vermine et les rats. Il arriva devant un embranchement de trois tunnels. Pour autant qu'il s'en souvienne, celui de gauche débouchait derrière un râtelier d'armes dans la salle de garde. Celui de droite conduisait vers la liberté, mais il n'était pas encore prêt à s'y engager. Pas sans Raven.

Le bon tunnel, c'était celui du milieu, terminé par un escalier qui montait jusqu'au sommet du donjon.

Raven était au désespoir. Le délai de grâce allait bientôt expirer. Il ne lui restait plus qu'une nuit de paix. Elle savait que c'était un grave péché de souhaiter la mort de son prochain mais elle espérait sincèrement que, d'ici à demain, Waldo avalerait quelque chose de travers et s'étoufferait avec.

Elle avait fini de manger la soupe que Lark lui avait apportée. La nuit était tombée depuis longtemps. Elle aurait dû se coucher mais elle n'avait pas sommeil.

L'inquiétude la rongeait. Elle avait été sur des charbons ardents toute la journée, comme si elle pressentait quelque événement extraordinaire. Elle ne s'était pas déshabillée, n'avait pas défait ses tresses. Elle restait là sans bouger, à attendre Dieu sait quoi.

Le silence, à la longue, était oppressant. À cause de l'épaisseur des murs, les bruits dans la grande salle ne parvenaient pas jusqu'au sommet du donjon. Raven poussa un soupir. Elle était prisonnière dans sa propre demeure. Elle se sentait humiliée, vaincue.

Elle était tellement absorbée dans sa tristesse qu'elle ne prit pas garde aux raclements et aux grincements qui se firent entendre quelque part derrière elle. Puis, soudain, elle sentit une présence dans la chambre. La porte ?

Toujours fermée à double tour. Était-il possible que le château soit hanté ? Risible ! La flamme de la bougie vacilla, comme sous l'effet de la brise. Mais quelle brise ? Toutes les fenêtres étaient closes.

Raven sentit ses petits cheveux se hérisser sur sa nuque. Elle se retourna lentement. Et c'est alors qu'elle le vit. Non pas un fantôme mais une créature de chair et de sang. Un homme. Couvert de plaies et de bosses, sale, hirsute, en haillons. Et néanmoins magnifique.

— Drake !… Comment… ?

Il lui tendit la main.

— Je te le dirai plus tard. Viens ! il faut partir sans tarder.

— Mais, Drake !

— Dépêche-toi, ma mie. Nous n'avons pas beaucoup de temps. Dès qu'ils se rendront compte que je ne suis plus dans le cachot, ils vont fouiller partout.

De même que la stupeur avait lié la langue de Raven, de même une bouffée d'enthousiasme la lui délia.

— Drake, oh, Drake ! s'exclama-t-elle. Grâce à Dieu, te voici ! J'étais folle d'inquiétude.

Elle se jeta dans ses bras. Il la serra fort et l'embrassa sur le front.

— Moi aussi, j'ai failli devenir fou en pensant à ce que Waldo allait te faire subir, reconnut-il. T'a-t-il touchée ?

— Non.

— Je respire, murmura Drake, se parlant à lui-même.

— Pour une fois, Duff a pris ma défense, poursuivit Raven. Il a interdit à Waldo de me faire du mal. Mais je n'aurai pas pu échapper indéfiniment à la consommation du mariage. Il l'avait prévu pour *demain*…

— Oh, alors, il était temps que j'arrive ! s'exclama Drake. Viens ! Partons vite !

Raven attrapa son manteau et se déclara prête à le suivre. Elle ne voyait pas du tout comment ils allaient pouvoir sortir d'une place forte aussi bien gardée que Klyme, mais elle se fiait à Drake. Il avait réussi à s'échapper du cachot. Combien d'autres prodiges du même genre était-il encore capable d'accomplir? Elle lui prit la main et le suivit. Quel ne fut pas son effarement quand elle le vit écarter un panneau de boiserie, révélant un escalier dont elle avait toujours ignoré l'existence. Le panneau couina. Elle se souvint d'avoir entendu le même bruit un peu plus tôt et de ne pas y avoir prêté attention.

Drake récupéra sa torche, qu'il avait coincée entre deux pierres de la paroi.

— Ne lâche pas ma main, recommanda-t-il. Je vais te guider.

— Comment as-tu découvert ce passage secret? Sais-tu où il mène? demanda Raven en regardant avec méfiance les toiles d'araignée qui pendaient au-dessus de sa tête.

— J'étais hébété en arrivant ici mais, lorsque j'ai recouvré mes esprits, je me suis souvenu d'avoir exploré les oubliettes du donjon quand j'étais jeune et d'avoir découvert un réseau de tunnels. À l'époque, je n'en avais parlé à personne. Par la suite, je n'y ai plus jamais repensé. Étant donné les conditions dans lesquelles j'avais dû en partir, j'ai préféré oublier Klyme et tout ce qui s'y rattachait.

Arrivé au bas de l'escalier, Drake entraîna Raven dans un passage souterrain qui descendait en pente douce. Raven frissonna de dégoût lorsqu'une bestiole se faufila entre ses pieds.

— Où allons-nous? demanda-t-elle d'une voix sans timbre.

— Il y a un tunnel qui passe sous les douves et ressort dans les bois, expliqua Drake. Nous allons le prendre.

Raven ne fut qu'à demi rassurée. Elle avait vécu à Klyme toute sa vie sans jamais entendre parler de ces tunnels. À présent, ils étaient peut-être éboulés, ou alors ils ne conduisaient plus nulle part.

— Et si le tunnel n'existe plus? Il s'est écoulé beaucoup de temps depuis que tu l'as exploré.

— Je trouverai un moyen, promit-il.

Le souterrain était de plus en plus sombre et malodorant. Ils respiraient laborieusement. La flamme de la torche peinait. Raven pensa qu'ils devaient se trouver sous les douves car de l'eau suintait à travers les parois et formait des flaques sur le sol. Ses souliers et le bas de sa robe étaient trempés.

— Fais attention ! recommanda Drake. C'est glissant.

— Est-ce encore loin ?

— Je ne m'en souviens pas bien mais, oui, je crois que le chemin de la liberté est encore long.

Il s'arrêta brusquement. Raven se cogna contre son dos.

— Qu'est-ce qu'il y a ? demanda-t-elle.

Il leva la torche et poussa un cri de déception. Au fil des ans, l'eau avait érodé murs et plafond et un tas de pierres et de boue obstruait l'étroit passage.

— C'est bouché, dit-il en essayant de ne pas trahir son anxiété.

— Allons-nous pouvoir passer quand même ? En creusant ?

— Je n'en sais rien.

Il examina les débris et fut soulagé de constater que le tunnel n'était pas complètement bloqué.

— Nous avons de la chance, regarde ! dit-il en montrant le sommet du tas de débris. Ça ne monte pas jusqu'au plafond. Il y a du jour. Je vais déblayer un peu et nous pourrons nous faufiler.

— Et si le tunnel est encore bouché un peu plus loin ?

Drake la prit dans ses bras et l'embrassa.

— Il ne sera pas bouché, murmura-t-il. Nous devons nous efforcer de le croire. Et, s'il est bouché, eh bien, nous rebrousserons chemin et nous réfléchirons à un autre moyen de nous enfuir. As-tu confiance en moi ?

Raven hocha la tête. La réponse était oui.

— Je vais t'aider à creuser, proposa-t-elle.

— Non, éclaire-moi plutôt !

Il lui donna la torche et se mit à gratter à mains nues dans les éboulis. Peu à peu, l'ouverture s'élargit suffisamment pour qu'ils puissent s'y glisser.

Ils reprirent leur marche en avant. Le tunnel se rétrécissait par endroits mais jamais assez pour les empêcher de continuer. Et puis, l'air devint progressivement moins fétide; les murs ne dégoulinèrent plus; le sol ne fut plus couvert de flaques: autant de signes que leur épreuve tirait à sa fin.

— J'ai l'impression que nous avons franchi la douve, dit Drake. La sortie n'est sans doute plus très loin.

Visiblement, personne n'avait utilisé le tunnel depuis qu'il l'avait exploré, des années auparavant. Pour autant qu'il sache, le château de Klyme n'avait jamais été assiégé. Selon la chronique, c'était le roi Jean sans Terre qui en avait ordonné la construction pour protéger la frontière contre les incursions galloises. Par la même occasion, il avait érigé la terre de Klyme en comté. Cela voulait dire que le château avait dans les cent cinquante ans.

— De l'air frais! s'écria joyeusement Raven.

Un instant plus tard, ils débouchèrent dans une grotte. Un rayon de lune filtrait par l'ouverture.

— Je n'ai pas la moindre idée de ce qui nous attend dehors, dit Drake. Ne bouge pas d'ici tandis que je vais en éclaireur.

— Il fait nuit noire, murmura Raven, apeurée.

Drake aurait voulu pouvoir lui jurer que la grotte ouvrait sur la liberté mais c'était impossible.

— L'obscurité joue en notre faveur, dit-il en la prenant dans ses bras.

Elle l'agrippa par le cou et se serra contre lui.

— Je pourrais passer ma vie dans cette grotte obscure, murmura-t-elle, pourvu que ce soit avec toi.

— Raven, je... commença Drake d'une voix sourde.

Elle lui posa son doigt sur les lèvres pour l'interrompre.

— Le moment est mal choisi pour exprimer des sentiments. Je suis l'épouse d'un autre. Et toi, tôt ou tard, tu en épouseras une autre. Ce jour-là, il ne me restera plus qu'à m'effacer. En attendant, tout ce que je demande, c'est que tu me laisses profiter du temps qui nous reste.

Devant la souffrance de Raven, Drake ne pouvait rien, à part compatir.

— Je ferai tout ce qui sera en mon pouvoir pour te protéger, dit-il.

— Ne fais pas de promesses que tu n'es pas sûre de tenir, murmura-t-elle. Devant Dieu et devant les hommes, j'appartiens à un autre et l'on n'y peut plus rien changer. Je ne veux pas que tu souffres par ma faute. Je serai peut-être obligée de retourner avec Waldo, qui sait ?

— Non, tu n'auras jamais à retourner avec Waldo, dit Drake d'un ton farouche. J'irai voir le roi et je plaiderai ta cause.

— A-t-il le pouvoir de dissoudre un mariage ?

— Ton mariage n'a jamais été consommé, rappela Drake. Tout est possible quand on le souhaite vraiment.

— Alors, je vais le souhaiter de toute mon âme, dit Raven avec ferveur.

Drake aurait voulu pouvoir exaucer tous les vœux de Raven mais c'était impossible. Alors, il l'embrassa. C'était la meilleure façon qu'il avait trouvée de lui faire comprendre qu'il ne permettrait jamais qu'elle soit livrée à Waldo.

Il la lâcha et lui tendit la torche.

— Tiens, garde-la ! Le clair de lune devrait me suffire.

— Sois prudent ! lui recommanda Raven.

Drake fut obligé de se mettre à quatre pattes pour passer par la sortie. Il poussa un soupir de pur bonheur lorsqu'il se retrouva avec le ciel étoilé au-dessus de sa tête. Il avala plusieurs goulées d'air frais avant de s'intéresser aux alentours de la grotte. Comme il s'y était attendu, il se trouvait sur le flanc d'une colline, parmi les arbres et les ajoncs.

— Tu peux sortir, dit-il tout bas à Raven. Ne prends pas la torche. Elle ne servirait qu'à nous faire repérer. Laisse-la. Elle finira par s'éteindre toute seule.

Un court instant plus tard, Raven passa la tête par l'ouverture. Drake s'accroupit et la saisit par les aisselles pour l'aider à sortir. Elle tremblait comme une feuille.

— Penses-tu que Waldo va trouver le tunnel? demanda-t-elle.

— Oui, tôt ou tard, il finira bien par le dénicher, répondit-il avec franchise. Mais, d'abord, il faudra qu'il trouve la porte secrète dans les boiseries de ta chambre. Cela prendra du temps. Ensuite, ils ne savent pas quel tunnel suivre. Mais nous devons quand même nous dépêcher car nous sommes à pied alors que Waldo et ses hommes auront des chevaux.

— Quelle est notre avance sur eux?

— Oh, ça! je n'en sais rien, répondit Drake. Ils vont commencer par fouiller le château de fond en comble, et puis les dépendances. À mon avis, ça leur prendra deux ou trois jours. Ce n'est qu'ensuite qu'ils fouilleront la forêt… Viens, ajouta-t-il en lui tendant la main. Je vais te montrer le chemin.

— Où veux-tu m'emmener?

— Chez grand-mère Nola. Après quoi, je retournerai à Windhurst. Je dois protéger mes biens.

— Je ne veux pas aller au pays de Galles, dit Raven. Emmène-moi avec toi à Windhurst.

— Non, c'est probablement le premier endroit où Waldo viendra te chercher. Par bonheur, l'hiver n'est plus très loin. Pour une fois, je vais prier pour qu'il soit précoce et qu'il y ait de la neige.

— Nous devons aller directement à Windhurst, insista Raven. Il n'y a pas de temps à perdre.

— Tu n'y serais pas en sécurité.

— Je m'en moque, répondit Raven avec obstination. Il faut regarder les choses en face, Drake. Nous sommes à pied. Si encore nous avions de l'argent pour acheter des chevaux, mais nous n'avons que nos guenilles.

Drake sourit malicieusement.

— Pour les chevaux, j'avais prévu d'en voler.

— Nous perdons du temps à ergoter, trancha Raven. Je vais avec toi à Windhurst, un point, c'est tout !

Drake la regarda avec des yeux ronds. Elle avait beaucoup changé, l'espiègle petite fille d'autrefois !

— D'accord, dit-il en poussant un soupir résigné, tu viens avec moi à Windhurst. Mais je persiste à penser que c'est une mauvaise idée.

Ils s'engagèrent dans la forêt, la lune éclairant leurs pas. Drake était sérieux lorsqu'il avait parlé de voler des chevaux. Un long voyage les attendait et ils étaient déjà fatigués.

Soudain, Drake s'immobilisa et pressa la main de Raven dans la sienne pour l'alerter.

— Un bruit ! chuchota-t-il

— Je n'ai rien entendu, répondit Raven.

Ils cessèrent de bouger, retinrent leur souffle et tendirent l'oreille. Un cheval renâcla. Drake tressaillit.

— Cette fois, tu as entendu ?

— Oui. Qu'est-ce que cela signifie ?

— Que quelqu'un campe non loin.

— Des braconniers ?

— Peut-être. Reste ici pendant que je vais voir.

Drake rampa dans les ajoncs en se guidant sur le bruit. Il tomba sur le campement plus vite que prévu car aucun feu ne le signalait. Drake aperçut un homme qui dormait par terre, avec son manteau en guise de couverture et sa selle en guise d'oreiller. Scrutant les alentours, il ne vit personne d'autre. Avec des prudences de chat, il se faufila entre les arbres et s'arrêta net lorsqu'il découvrit deux chevaux entravés près du campement. Deux chevaux pour un seul homme ? L'un des deux était un étalon noir qui avait l'air de piaffer joyeusement. Drake resta bouche bée en reconnaissant Zeus. Le second était le bel alezan de messire John. Zeus lui souhaita la bienvenue en hennissant.

Soudain, une silhouette lui barra le passage. Machinalement, Drake porta la main à son côté, à la recherche d'une épée qui n'y était pas.

— Je me demandais si je te reverrais un jour, monseigneur.

— John !

— Oui. Il t'en a fallu, du temps !

— Comment as-tu su que c'était moi ?

— Zeus, expliqua messire John. Ton cheval a senti ta
présence avant moi. J'ai fait semblant de dormir, la main
sur la poignée de mon épée, jusqu'à ce que je me rende
compte que c'était toi qui rôdais autour de mon campement.

— Tu étais certain que je finirais par me montrer ?

Messire John sourit.

— Oui, je n'en ai jamais douté.

— Où as-tu trouvé Zeus ?

— C'est l'un de tes chevaliers qui l'a récupéré après la
bataille. La plupart de tes hommes sont sains et saufs.
Presque pas de morts et peu de blessés. Après mon
retour de Builth Wells avec dame Raven, je les ai trouvés
qui cantonnaient dans la forêt. Ils avaient décidé de rester là jusqu'à ce qu'ils soient fixés sur ton sort.

— Où sont-ils maintenant ?

— Je les ai renvoyés à Windhurst. J'étais certain que
tu réussirais à t'évader, Drake. Aucun donjon n'a des
murs assez épais pour retenir le Chevalier Noir.

— Ta confiance m'honore, John, mais je t'avouerai
que, par moments, j'ai bien cru que je n'en sortirais
jamais vivant.

— Comment t'es-tu évadé ? J'ai hâte de l'entendre.

— Plus tard, John, dit Drake. Raven est cachée à cent
pas d'ici. Elle va s'inquiéter si je la laisse attendre trop
longtemps.

John parut interloqué.

— Dame Raven est avec toi ? Par Dieu ! C'est incroyable !
Va vite la chercher ! Je vais lever le camp et seller les chevaux. Zeus est de taille à vous porter tous les deux.

Drake tapa sur l'épaule de John.

— Merci, mon ami. Il se pourrait que tu sois en train
de nous sauver la vie, à Raven et à moi.

Lassée d'attendre, Raven partit à la recherche de Drake. Il lui avait recommandé de ne pas bouger mais il avait peut-être besoin d'aide.

Elle n'eut pas à aller loin. Bientôt elle distingua deux hommes dans la clairière, qui parlaient à voix basse. L'un était Drake et l'autre... messire John! Elle poussa un cri de joie et courut les rejoindre.

L'entendant venir, ils se retournèrent brusquement. Drake fut le premier à la reconnaître.

— Raven! Je t'avais demandé de m'attendre.

— Je m'inquiétais et je voulais t'aider si jamais c'était nécessaire.

— Et vous espériez protéger le Chevalier Noir sans autres armes que vos ongles et vos dents? demanda messire John en ricanant doucement.

Raven ne partagea pas son hilarité. En cas de besoin, elle aurait effectivement été capable de griffer et de mordre pour défendre Drake.

— Comment se fait-il que vous soyez toujours ici, messire John?

— Je ne voulais pas partir avant d'avoir eu des nouvelles de Drake. Je tenais à être là pour l'aider quand il s'évaderait. Après vous avoir quittée, j'ai trouvé le reste de notre armée qui se cachait dans la forêt, les valides veillant sur les blessés. Eux aussi, ils espéraient apprendre ce qui était arrivé à Drake. Je les ai renvoyés à Windhurst et je suis resté. Vous voyez, je n'ai jamais perdu espoir de le revoir. J'étais persuadé qu'il réussirait à s'enfuir.

— Nous devons partir sans tarder, dit Drake.

Messire John avait déjà sellé les deux chevaux.

— J'espère que vous n'avez pas faim car je n'ai pas grand-chose à vous offrir, dit-il. Nous pourrons toujours acheter à manger dans le premier village que nous rencontrerons.

— Je n'ai pas d'argent, dit Drake.

— N'aie crainte, mon ami. J'ai assez d'argent pour nous trois.

— J'ai une faveur à te demander, John, dit Drake. Tu m'as déjà souvent prouvé ta loyauté, et j'ai encore besoin que tu fasses quelque chose pour moi.

— Tu n'as qu'à parler.

— Va dire à ma grand-mère que Raven et moi, nous allons bien. Elle doit s'inquiéter.

— C'est entendu, je vais y aller, répondit John. Je vous retrouverai à Windhurst. Mais d'abord, prenez l'argent qui me reste. Je n'en aurai pas besoin.

Il prit l'escarcelle qui était accrochée à sa ceinture et la tendit à Drake.

— Gardes-en un peu pour toi, dit Drake en faisant deux parts.

Drake se mit en selle sur Zeus et John aida Raven à monter en croupe. Lorsque le bel étalon noir s'élança au galop, Raven passa ses bras autour de la taille de Drake pour ne pas tomber.

14

N'est pas échappé qui traîne son lien.

Ils chevauchèrent toute la nuit sans personne à leurs trousses. Raven, épuisée par tant d'émotions, dormit, cramponnée à Drake. La forêt, à présent, était loin derrière eux. Ils traversaient des landes tapissées de bruyère et longeaient des falaises au pied desquelles les flots mugissaient.

Au petit matin, Raven se réveilla.

— Où sommes-nous ? demanda-t-elle, désorientée.

— Assez loin de Klyme pour s'arrêter sans crainte.

Lorsqu'il se retourna, elle vit qu'il avait les traits ravagés par la fatigue et elle se demanda comment il avait pu tenir en selle aussi longtemps.

— Il y a un village à une demi-lieue d'ici, au bord d'une rivière, ajouta-t-il. Nous allons nous y arrêter pour acheter de quoi manger. Et puis, nous irons dormir au bord de la rivière. Je connais un endroit à l'écart, où nous serons tranquilles. Zeus en profitera pour boire et reprendre des forces.

— Je pourrais m'y baigner, dans ta rivière ? demanda Raven. J'ai des fourmillements partout. Je me sens crasseuse après nos mésaventures dans le tunnel.

— L'eau sera froide.

— Tant pis.

Drake sourit gaiement.

— Je suis exactement du même avis que toi. J'ai hâte de me débarrasser de la puanteur du cachot.

Il dirigea Zeus vers l'intérieur des terres et ils arrivèrent bientôt dans le village. C'était jour de marché. Les ruelles étaient encombrées de gens. Les marchands, derrière leurs étals, criaient pour attirer le chaland. Ils achetèrent deux tourtes à la viande, qu'ils dévorèrent sur place, puis firent des provisions pour le voyage : des pâtés, du pain, du fromage et de la bière. Comme l'argent ne manquait pas, ils purent encore acheter une petite jument pommelée pour Raven, un manteau pour Drake et de quoi les rhabiller proprement tous deux. Le marchand d'habits, au vu de leurs figures barbouillées et de leurs chevelures hirsutes, leur fit cadeau d'un pain de savon blanc et d'un démêloir.

Après avoir attaché à sa selle le sac de victuailles et la gourde de bière, Drake aida Raven à se mettre en selle et puis ils s'éloignèrent du village. Drake retrouva facilement l'endroit qu'il cherchait : une petite clairière blottie dans un méandre de la rivière et protégée des regards par un rideau d'arbres.

— J'ai déjà campé ici, expliqua-t-il. C'est tranquille. Nous pourrons faire du feu sans crainte d'être vus. Il n'y a pas beaucoup de voyageurs dans ce coin du Wessex.

Il descendit de cheval et aida Raven à en faire autant.

— Penses-tu que Waldo soit déjà au courant de ma disparition ? demanda-t-elle.

— Oui, ils s'en sont sûrement rendu compte lorsqu'ils t'ont apporté ton déjeuner. Et ils s'apercevront de la mienne quand les gardes descendront dans le cachot pour m'administrer la bastonnade que Waldo a ordonnée. Ensuite, ce sera le branle-bas de combat. Ils vont fouiller partout, en partant du principe que nous n'avons pas pu quitter le château et que nous nous terrons quelque part à l'intérieur. Avant qu'ils comprennent ce qui s'est vraiment passé et se mettent à chercher dans la forêt, il leur faudra plusieurs jours, peut-être une semaine, peut-être plus.

Raven s'assit par terre au pied d'un arbre. Drake dessella les chevaux et les fit boire. Puis, il les entrava dans un coin où ils pourraient brouter tout leur soûl et vint s'asseoir près de Raven.

— Prête pour un bain ?

Raven se mit pieds nus et entra dans l'eau en faisant *Brrr !*

— Elle est froide ? demanda Drake.

— Oui, mais je me sens tellement sale que ce n'est pas cela qui va me décourager.

Elle ôta le reste de ses vêtements, ne gardant que sa chemise. Drake ne put s'empêcher de l'admirer. Elle était gracieuse et flexible comme un scion de peuplier. Et, malgré la saleté sur ses joues et dans ses cheveux, elle était d'une beauté fascinante.

La rivière était peu profonde. Arrivée au milieu, Raven s'assit sur le fond sablonneux, ravalant son souffle quand l'eau atteignit ses seins.

— Tu as oublié le savon, lui cria Drake. Ne bouge pas, je te l'apporte.

Pour commencer, il prit les couvertures qui étaient attachées à sa selle et les posa dans l'herbe près de la berge. Puis, il attrapa le morceau de savon qui était dans le même paquet que leurs vêtements neufs et le démê-loir, se déshabilla rapidement, enleva le bandage qui soutenait ses côtes abîmées et entra dans l'eau sans bar-guigner.

— Par Dieu, c'est vrai qu'elle est froide ! s'exclama-t-il en frissonnant.

Raven éclata de rire et Drake se réjouit de la voir si gaie.

— Lève-toi, dit-il en la rejoignant. J'ai très envie de savonner de haut en bas ce délicieux petit corps.

— N'est-il pas inconvenant que l'illustre Chevalier Noir fasse la besogne d'une servante ? le taquina-t-elle.

— Le Chevalier Noir est suffisamment illustre pour faire ce qui lui plaît, répliqua Drake.

Il lui ôta sa chemise, qu'il jeta sur la berge.

— Tu m'as manqué, dit Raven en se blottissant dans ses bras.

Elle lui caressa les épaules, et puis le dos, et puis les fesses. Il était tiède et vivant. Son membre se raidit. Raven le sentit tressaillir contre son ventre. Elle poussa une petite plainte. Elle aimait de toute son âme cet homme extraordinaire et elle souffrait de ne pas pouvoir proclamer ses sentiments à la face de monde. Elle n'avait pas le droit d'aimer Drake alors qu'elle appartenait à un autre.

Soudain, elle se figea. Ses doigts venaient de rencontrer des endroits inégaux sur les épaules et dans le dos de Drake.

— Tourne-toi, dit-elle.

Il la regarda obliquement.

— Pourquoi ?

— Ton dos.

— Ce n'est pas important.

— Pour moi, si.

À contrecœur, il lui montra son dos. Un cri de détresse lui échappa lorsqu'elle découvrit les longues entailles qui s'entrecroisaient dans la chair de son dos.

— Il t'a battu ! s'exclama-t-elle. Waldo t'a battu ! Il me semble avoir vu un bandage autour de ton torse avant que tu n'entres dans l'eau.

— Tout cela guérira vite, insista Drake.

— Tu as des côtes cassées ?

— Par Dieu, Raven, je te dis que ce n'est rien. Une ou deux côtes cassées, cela n'a jamais tué personne. Les plaies dans le dos, c'est parce que Waldo m'a fait bâtonner. Maintenant, tu sais tout.

— Ce Waldo, je le hais ! dit Raven avec conviction. C'est un monstre. C'est à cause de moi qu'il s'est acharné sur toi.

— Ne pense plus à Waldo, ma douce. Laisse-moi te laver. Dépêchons-nous, je commence à mourir de froid.

Il fit de la mousse en frottant le savon entre ses mains et en enduisit le corps de Raven. L'eau était fraîche mais les mains de Drake la réchauffèrent. Il la frictionna de la tête au pied sans omettre la plus infime parcelle de sa jolie peau. Le temps qu'il achève de la rincer, elle tremblait de désir.

— Maintenant, baisse la tête, demanda-t-il. Je vais te laver les cheveux.

— Je peux me débrouiller toute seule.

— Non, laisse-moi faire.

Il l'aida à s'asseoir dans le lit de la rivière, lui renversa la tête en arrière. Haletante, elle ferma les yeux et ne bougea plus, tandis qu'il lui savonnait doucement son abondante chevelure et la rinçait dans le courant de la rivière.

— À ton tour maintenant, dit-elle en lui prenant le savon. Tourne-toi. Je vais te savonner le dos.

Comme il hésita, elle ajouta :

— Je promets de ne pas te faire de mal.

— Ce n'est pas ce qui m'inquiète, dit Drake d'une voix rauque.

Il prit la main de Raven et se la posa sur le bas-ventre.

— J'ai envie de toi, ma tendre mie, reprit-il. Cela fait trop longtemps que je n'ai pas été en toi, que je n'ai pas été enveloppé par ta chaleur.

Son membre surgissait fièrement d'un buisson de poils noirs. Elle le prit dans sa main. Il était dur comme le roc. Elle frissonna, mais pas de froid.

— Moi aussi, j'ai envie de toi, dit Raven. Mais d'abord, je vais t'aider à te laver.

Elle lui savonna la poitrine. Déjà, elle descendait vers le ventre, mais il lui prit la main.

— Non, je vais faire cela tout seul. Il fait froid. Va te sécher au soleil. Je te rejoins dès que je m'estimerai suffisamment propre pour cela.

À regret, Raven lui rendit le savon et retourna sur la berge. Elle trouva les couvertures que Drake avaient préparées et en pris une pour s'essuyer. Puis, elle s'assit au soleil et regarda Drake. Il avait maigri. Son corps était plus sec qu'avant. Ses muscles et ses tendons saillaient sous la peau. Elle compatit devant ses plaies et ses bleus et rendit grâce à Dieu de l'avoir gardé en vie.

Drake finit de se laver et rejoignit Raven.

— Je vais faire un feu pour que tu puisses t'asseoir devant et faire sécher tes cheveux.

Il eut tôt fait de joindre le geste à la parole et bientôt un feu de bois crépita joyeusement au milieu de la clairière. Raven s'assit tout près. Drake alla chercher le démêloir, revint s'asseoir derrière elle et entreprit de mettre de l'ordre dans le brouillamini de ses longues mèches.

— Tu as de très beaux cheveux, murmura-t-il. Comme des fils d'or.

— Tu sais t'y prendre, le complimenta Raven.

— Pour cela aussi ? dit-il plaisamment.

Son ton était plein de sous-entendus, enjôleur et câlin. Il l'embrassa dans le cou. Puis, d'un geste impatient, il lui ôta sa couverture et fit pleuvoir sur son dos nu une grêle de petits baisers, du haut en bas de l'échine.

— Ta peau est magique, dit-il. Elle a la couleur des perles, la douceur de la soie, la saveur du nectar.

Il l'enlaça, lui caressa les seins, titilla les mamelons avec les pouces jusqu'à ce qu'ils durcissent. Sentant le sexe de Drake dans le creux de ses reins, elle se retourna vers lui, toute vibrante de désir.

— J'aime la façon dont tu t'offres à moi, dit-il. Je vais te donner du plaisir, ma mie. Je vais t'en donner tant et tant. D'abord, avec ma bouche. Et, quand tu crieras de plaisir, je me glisserai en toi et nous nous envolerons comme deux anges vers le paradis.

Il l'allongea sur les couvertures. Les grands yeux verts de Raven brillaient. Il s'allongea près d'elle et l'embrassa longuement, tendrement. Elle s'abandonna.

— Voilà ce dont j'ai rêvé pendant que je croupissais dans les oubliettes de Klyme, dit-il. J'ai parfois pensé que plus jamais je ne te tiendrais dans mes bras, que cette prison putride serait mon tombeau.

— J'ai toujours su que tu t'en sortirais, répondit Raven. Tu n'es pas homme à t'avouer vaincu, quoi qu'il arrive. J'ai prié pour toi et Dieu m'a exaucée.

Drake la regarda pensivement avant de dire :

— Je n'ai pas le droit de te vouloir pour moi, ma mie, mais si je pouvais...

Raven l'interrompit en lui mettant la main sur la bouche.

— Je t'en prie, ne fais pas de déclaration maintenant, implora-t-elle. Ce serait mal. Nous sommes ensemble, c'est déjà beaucoup. Pour le reste, notre sort est entre les mains de Dieu.

— Oui, acquiesça Drake. Nous sommes ensemble.

Il l'embrassa de nouveau sur la bouche et puis descendit le long de son corps. Raven laissa échapper une exclamation de stupeur lorsqu'il lui glissa sa tête entre les cuisses et l'embrassa à cet endroit-là. Il écarta les pétales avec les pouces et les humecta avec sa langue. Elle gémit et haleta alors qu'il léchait tantôt la corolle et tantôt le bouton. Vacillant au bord d'un abîme, elle aurait voulu lui accorder la réciprocité d'une telle faveur. Mais il ne lui en laissa pas le temps.

Sans savoir comment c'était arrivé, elle se retrouva sous lui, les jambes ouvertes, et il était en elle, et il allait et venait, et elle n'avait plus froid, elle était même brûlante, et le membre de Drake vibra, et un liquide chaud se répandit en elle par saccades, et Drake cria : « Oh, Raven ! Raven ! » et elle murmura quelque chose d'indistinct, et, exactement comme Drake l'avait prédit, ils s'envolèrent ensemble vers le paradis des amants.

Château de Klyme

Lark descendit l'escalier en criant à tue-tête :

— Elle est partie ! Elle est partie !

Tout le monde dans la grande salle la regarda comme si elle avait perdu l'esprit.

— Qui est partie, femme ? rugit Waldo en se levant de son banc alors que Lark accourait vers lui, les yeux ronds de frayeur. Il n'y a plus moyen de déjeuner en paix !

— Elle est partie ! Tu sais, dame Raven !

Waldo prit Lark par les épaules et la secoua sans ménagement.

— Calme-toi. Tu dois te tromper. C'est impossible que Raven se soit échappée. Tu n'as pas bien regardé. Retourne là-haut et cherche mieux.

— Elle est partie, je te dis ! insista Lark en triturant nerveusement un coin de sa tunique. J'ai regardé partout. La chambre est vide.

Waldo écarta brutalement Lark et monta l'escalier quatre à quatre. Le garde était toujours planté devant la porte, l'air perplexe et inquiet. Waldo entra en trombe dans la chambre. À première vue, elle semblait vide, mais, bien entendu, c'était impossible. Waldo se mit à genoux pour regarder sous le lit ; il chercha derrière les baldaquins : Raven n'y était pas. Il regarda dans le coffre le long du mur, jetant les vêtements dans tous les coins sans égard pour la fragilité de la soie ou du satin : pas plus de Raven que de beurre en broche.

— Elle ne peut pas s'être volatilisée ! hurla-t-il.

Comme il semblait fou de rage, Lark battit en retraite de quelques pas.

— Appelle le garde, ordonna-t-il.

Lark se hâta d'obtempérer et, un bref instant plus tard, le garde posté devant la porte fit son apparition, les jambes tremblantes. Le caractère de Waldo, perfide et vindicatif, était connu de ses hommes. Ils le craignaient tous.

— Blake de York, qu'as-tu à me dire ? demanda Waldo d'un ton menaçant.

— Je suis resté à mon poste toute la nuit, monseigneur, affirma Blake. Si dame Raven n'est pas dans ses appartements, elle a trouvé une autre sortie. Elle ne peut pas être passée par cette porte.

— Crénom, elle se sera envolée par la fenêtre ! s'exclama Waldo avec des sarcasmes plein la voix. Tu es mon plus fidèle compagnon, celui en qui j'ai toute confiance. Comment une telle chose a-t-elle pu arriver ?

— Je n'ai pas failli à mon devoir, assura Blake. Dame Raven n'est pas sortie par cette porte.

Waldo lâcha un juron. Il ne croyait pas un traître mot de ce que disait Blake. Raven ne pouvait pas avoir sauté par la fenêtre car la chute l'aurait tuée.

À force de réfléchir, Waldo finit par trouver une explication plausible.

— Avoue, Blake! dit-il alors qu'un terrible rictus incurvait ses lèvres. Ma femme t'a séduit. Tu l'as laissé s'enfuir en échange de ses faveurs. J'espère que ça t'a semblé bon car tu vas payer de ta vie cette trahison.

— Monseigneur, cela ne s'est pas passé ainsi! Je ne vous ai pas trahi!

Tout à coup, deux hommes d'armes firent irruption dans la pièce. Leurs visages étaient pâles, leurs traits décomposés par la peur. Waldo fronça les sourcils. Il avait déjà deviné que ces deux-là n'étaient pas porteurs d'une bonne nouvelle.

— Messire Waldo, dit l'un des hommes. Le Chevalier Noir s'est échappé!

— Non! grogna Waldo. C'est impossible!

Waldo sortit de l'appartement, dévala les escaliers, avec ses hommes d'armes dans son sillage. Il s'immobilisa devant le cachot ouvert.

— Il fait noir, là-dedans! Où est passée la torche?

— Elle n'était plus là quand nous sommes arrivés pour lui caresser les côtes, comme vous l'aviez ordonné, monseigneur, répondit l'un des gardes. Il doit l'avoir emportée avec lui car nous ne l'avons trouvée nulle part.

— Êtes-vous sûrs d'avoir bien cherché? demanda Waldo.

— Il n'y a pas tant de cachettes que cela dans le cachot, monseigneur.

Waldo n'arrivait pas à comprendre comment deux personnes avaient pu disparaître simultanément de deux endroits clos et situés à l'opposé l'un de l'autre, le premier en haut du donjon, le second en bas. Il réclama une torche et descendit dans le cachot pour le fouiller lui-même.

Il donna des coups de pied dans la paille humide qui avait servi de lit à Drake et fouilla tous les coins et recoins, et plutôt deux fois qu'une.

— Les hommes qui étaient de garde hier seront enfermés dans la salle de garde, aboya Waldo, qui était sur le point d'exploser. Coûte que coûte, je saurai le fin mot de cette histoire.

Il remonta l'escalier et commanda à la garnison de fouiller le château de fond en comble à la recherche des fuyards.

Duff, qui rentrait de la chasse, tomba en plein chaos.

— Qu'est-ce qui se passe ? demanda-t-il lorsque Waldo revint dans la grande salle.

— Ils sont partis, répondit Waldo entre ses dents. Mais, n'aie pas peur, je les retrouverai.

— Qui ?

— Ta putain de sœur et mon bâtard de frère.

Duff tressaillit en entendant insulter sa sœur mais ne répliqua pas. Il se contenta de demander comment ils s'étaient évadés.

— Si j'en crois ce qu'on me dit, Raven s'est envolée par la fenêtre et Drake est passé à travers les murs, expliqua Waldo sur un ton aigre et sarcastique. Personnellement, je pencherais pour des explications moins extraordinaires. Les hommes qui étaient de garde hier resteront enfermés jusqu'à ce que je puisse les interroger. Pendant que je te parle, toute la garnison est mobilisée pour passer le château au peigne fin.

— Les portes étaient fermées cette nuit, le pont-levis relevé et les poternes n'ont pas servi, dit Duff. Ils sont forcément encore dans le château. Que vas-tu faire d'eux quand tu les auras trouvés ?

Le visage de Waldo devint plus dur que jamais.

— Mon frère, je vais le tuer sur-le-champ. Quant à Raven, j'attendrai qu'elle me donne un héritier. Ensuite...

Il haussa les épaules.

— Je ne te laisserai jamais faire du mal à Raven, dit gravement Duff. J'ai peut-être eu tort de la forcer à t'épouser. J'aurais mieux fait d'écouter ses prières et de lui trouver quelqu'un qui lui plaise.

— Peut-être, mais maintenant c'est trop tard, dit Waldo avec à-propos. Raven est ma femme. Je vais l'emmener à Lleyn et, une fois là-bas, je la traiterai comme je voudrai.

— Comme pour Daria? dit Duff sur un ton accusateur. Je ne sais pas ce qui est arrivé à Daria, mais si jamais tu fais du mal à Raven, je te jure que je demanderai une enquête au roi.

— Tu me fais rire, Duff, repartit Waldo avec un reniflement de mépris. Tu n'as jamais été qu'une larve, une poule mouillée, un trembleur, et tu le sais aussi bien que moi. Demande plutôt à tes hommes de participer à la fouille au lieu de rester planté là comme un nigaud.

Duff lança à Waldo un regard dédaigneux avant de s'en aller en bougonnant: «Tu vas voir un jour, ce qu'elle va te faire, la poule mouillée...»

Waldo fit fouiller le château pendant trois jours. Ensuite, il envoya ses hommes dans la forêt avoisinante, au village, dans les villes voisines. L'évasion de ses prisonniers n'était rien d'autre qu'un miracle mais Waldo ne croyait pas au miracle. Quelqu'un les avait aidés mais même la torture ne suffit pas à délier les langues. Les hommes de garde s'obstinaient à clamer leur innocence.

Waldo avait bien essayé de faire parler les serviteurs et les villageois. Peine perdue. À ses plus habiles questions, ils répondaient par des regards idiots et des moues. Il aurait pu se douter qu'il n'y avait rien à attendre de ces manants. Raven avait été leur châtelaine trop longtemps pour qu'ils la trahissent.

15

Qui aura de beaux chevaux si ce n'est le roi ?

Le ciel était gris et couvert de nuages le jour où Drake et Raven atteignirent Windhurst. L'océan, au pied de la falaise, semblait noir. Le vent ululait. Le cœur de Drake s'emplit de fierté en voyant que les remparts avaient été réparés pendant son absence. Ils étaient de taille à soutenir une attaque ennemie. Un garde s'avança sur le pont-levis, comme pour barrer le passage aux intrus. Puis, il reconnut Drake et poussa un cri de joie.

Drake et Raven entrèrent dans la cour du château. Les hommes qui y étaient en train de s'exercer à l'escrime ne firent pas attention à eux. Ils arrivèrent devant l'entrée du donjon et descendirent de cheval.

Evan accourut à leur rencontre.

— Monseigneur Drake ! Dame Raven ! Grâce à Dieu, vous êtes en vie ! Messire Richard s'apprêtait à aller vous secourir. Dès que les machines de guerre auraient été prêtes, il aurait rassemblé votre armée et il serait allé assiéger Klyme.

Les chevaliers et les hommes d'armes, prévenus du retour de Drake, s'empressèrent autour de lui. Balder, alerté par le bruit, surgit à son tour par la porte des cuisines. Lorsqu'il vit Drake, un sourire illumina son visage.

— Monseigneur ! Milady ! Quel bonheur de vous revoir ! J'ai rappelé les serviteurs au retour de messire Richard. Nous n'avons jamais douté de vous revoir bientôt. Tout est prêt. On va vous servir un repas chaud.

Drake fut profondément ému par l'accueil qui lui était réservé car un tel dévouement, une telle loyauté étaient rares. Prenant Raven par les épaules, il la fit entrer dans le donjon. Il faisait bon dans la grande salle. On y respirait de bonnes odeurs de cuisine. Drake et Raven allèrent s'asseoir près du feu qui brûlait dans l'âtre. Quelqu'un leur tendit à chacun un bol de bière.

Les chevaliers et les hommes d'armes s'agglutinèrent autour de Drake, curieux d'entendre le récit de ses aventures.

— Comment se fait-il que messire John ne soit pas avec toi ? demanda messire Richard. Il est resté près de Klyme pour essayer d'avoir de tes nouvelles. Il avait l'intention de camper dans la forêt avec Zeus. Et je constate que tu as trouvé Zeus. Mais qu'en est-il de messire John ?

— N'aie crainte. Raven et moi, nous sommes tombés par hasard sur le campement de messire John peu de temps après notre évasion. Je lui ai confié une mission.

— Racontez-nous comment vous vous êtes échappés du château, monseigneur, demanda un chevalier. Ne nous faites grâce d'aucun détail.

Ce chevalier n'était pas le seul à se demander comment leur seigneur avait retrouvé dame Raven. Il n'y avait qu'à voir la tête des autres.

— Je suis fatigué, répondit Drake. Je me doute que vous avez hâte de savoir ce qui s'est passé depuis que mon frère m'a emmené prisonnier à Klyme et je vous raconterai tout dans les moindres détails, c'est promis, mais d'abord, dame Raven et moi, nous allons souper.

— Nul doute que cette aventure ajoutera encore à ta gloire, prophétisa Richard. Sous peu, tous les jongleurs et tous les ménestrels du royaume chanteront les nouveaux exploits du Chevalier Noir.

Drake poussa un soupir. Espérons que cette histoire n'arrivera jamais aux oreilles du roi, se dit-il. Car il ne pouvait pas savoir comment Édouard réagirait s'il apprenait que son champion avait séduit la femme d'un autre chevalier. Mais il s'en soucierait le moment venu. Pour l'heure, il n'avait de pensées que pour Raven. Elle était livide, avec des cernes bistre autour de ses beaux yeux.

— Je nous ai imposé un train d'enfer et tu as été obligée de suivre, lui dit-il. Pas étonnant que tu aies l'air aussi fatiguée. Viens, il faut que tu te reposes.

Raven lui prit la main et le suivit dans l'escalier jusqu'à l'appartement au sommet du donjon.

— Je suis sérieux, dit-il une fois arrivé là-haut. Tu as besoin de repos. Tu es épuisée. Je vais faire monter un baquet d'eau chaude pour que tu prennes un bain. Si tu peux dormir, dors ! Veux-tu que je demande qu'on te serve ton souper dans la chambre ?

— Oui, ce serait bien. J'ai l'impression que je pourrais dormir pendant une quinzaine de jours d'affilée.

Il la prit dans ses bras et la dévisagea.

— Tu as mauvaise mine, dit-il carrément. Es-tu malade ? Je n'ai pas fait assez attention à toi. Je suis habitué à de longues chevauchées mais j'aurais dû penser que tu n'étais pas aussi robuste que moi. Je te demande pardon.

— Tu n'as pas à t'excuser. Sans toi, à l'heure qu'il est, je serais entièrement à la merci de Waldo.

Après l'avoir embrassée sur le front, il alluma un feu dans la cheminée.

— Je reviendrai quand j'aurai pris un bain, mangé abondamment et régalé mon petit monde avec le récit de notre évasion.

Il l'embrassa de nouveau et quitta la chambre. Raven se sentait plus morte que vive. La chevauchée jusqu'à Windhurst l'avait épuisée. Elle avait tout fait pour dissimuler à Drake ses nausées du matin. Elle aurait eu envie de lui parler du bébé mais c'était impossible. Elle devait se taire. Le contraire ne servirait à rien, à part compliquer la situation.

Raven avait déjà décidé qu'elle devait quitter Windhurst avant que Waldo n'arrive. Drake avait assez souffert à cause d'elle. Si elle n'était plus là quand Waldo viendrait, car il viendrait, la guerre deviendrait inutile.

Raven avait beaucoup réfléchi et elle avait décidé d'aller chercher refuge en Écosse. Édimbourg, c'était bien loin pour une femme seule, mais elle n'avait pas le choix. Une fois chez sa tante, elle pourrait tranquillement élever son enfant. Et Drake ne saurait jamais qu'il était père.

Être obligée de vivre loin de l'homme qu'elle aimait, ce serait son châtiment pour les graves péchés qu'elle avait commis. Mais avait-elle vraiment péché? Sa conscience lui disait que non. Elle n'avait rien fait de pire que de se donner à l'homme qu'elle avait toujours aimé. Cela ne pouvait pas être un péché.

Raven en était là de ses réflexions lorsque son bain arriva. Elle se mit alors à songer savonnage, frottage, rinçage. Une jeune servante resta pour l'aider.

— Je m'appelle Lora, milady. Messire Drake m'a demandé de me mettre à votre service.

— Qu'est-il arrivé à Gilda? demanda Raven.

— Gilda a épousé le fils du forgeron. Il paraît qu'elle est déjà grosse.

Lora était peut-être moins jolie que Gilda mais elle paraissait franche et sans malice.

— Je suis sûre que nous allons bien nous entendre, Lora, lui dit Raven avec un sourire.

Elle sortit du baquet et s'enroula dans la grande serviette que Lora lui tendit. Elle étouffa un bâillement. Le bain l'avait alanguie.

— Avez-vous envie de dormir, milady? demanda la petite servante. Faut-il que j'ouvre le lit?

— Oui, je vais faire un petit somme, dit Raven.

Elle laissa tomber la serviette et entra nue dans le lit. Lora la couvrit, la borda et quitta la chambre sur la pointe des pieds. Raven ne sut jamais combien de temps elle dormit mais, quand elle rouvrit les yeux, elle se trouvait entre les bras de Drake. Elle remarqua que le feu dans l'âtre avait été ranimé car il faisait tiède et la pièce baignait dans une douce lumière dorée.

— Je commençais à me demander si tu allais te réveiller un jour, dit Drake. Je ne peux pas dormir quand je suis comme ça.

Il se colla contre elle pour lui faire sentir la vigueur de son érection.

— Tu dormais tellement bien que je n'ai pas eu le cœur de te déranger, reprit-il. As-tu faim ?

— Oui, un peu.

Drake repoussa les couvertures et sortit du lit. Il était dans la tenue d'Adam.

— J'ai apporté un plateau. Je l'ai mis près de la cheminée pour qu'il reste au chaud. Tu devais être morte de fatigue. Je suis désolé de t'avoir infligé cela.

— Ce n'est pas ta faute, répondit Raven. Tu sais aussi bien que moi que nous ne pouvions pas nous permettre de musarder en chemin. Pose le plateau sur la table, proposa-t-elle en commençant à se lever.

— Non, reste où tu es, j'apporte le plateau.

Raven s'assit dans le lit, d'où elle pouvait l'admirer à loisir. Elle était fascinée par son corps de guerrier. Il était plus maigre que la première fois qu'elle l'avait vu nu mais toujours aussi beau. De superbes muscles dansaient sous la peau de ses épaules et de sa poitrine. Ses fesses étaient fermes, ses jambes droites et puissantes. Quand il fit volte-face avec le plateau, Raven écarquilla les yeux en découvrant son superbe membre qui semblait lui surgir du ventre, long, épais et terminé par un bulbe aux belles couleurs moirées.

Drake plaça le plateau devant elle et enleva le tissu qui le couvrait, révélant des mets dignes d'un roi. Il y avait là du gibier, du porcelet rôti, du pain, un assortiment de légumes d'hiver, des fruits, des fromages. Raven fit honneur à tout.

Rassasiée, elle repoussa le plateau.

— Tu escomptais nourrir combien de personnes ?

— Cela fait plusieurs jours que tu ne manges presque plus rien, rappela Drake. Il ne m'a pas échappé que tu es toute pâlotte ces temps-ci. De la bonne viande, voilà ce qu'il te faut. Je sais que je t'ai déjà posé la question, mais je te le redemande : es-tu malade ?

Raven n'osa pas regarder Drake dans les yeux. Elle ne mentait pas facilement.

— Non, je ne suis pas malade. Laisse-moi me reposer quelques jours et tu me verras toute ragaillardie.

Il la prit par la pointe du menton et la força à le regarder.

— Es-tu sûre que c'est tout ?

Raven se figea. Avait-il déjà deviné la vérité ? Elle décida que non. Il ne pouvait pas savoir. Elle avait toujours le ventre aussi plat. Sans son estomac délicat et ses seins un peu douloureux, elle-même ne se serait doutée de rien.

— Je vais bien, Drake, ne t'inquiète pas pour moi. Tu as des soucis plus importants que cela.

— Rien n'est plus important que toi, Raven, répondit Drake avec tant de sincérité qu'elle faillit pleurer. Tout ce qui t'arrive est ma faute. Si je ne t'avais pas déflorée au soir de tes noces, ta vie serait tout autre. Je dois te protéger, c'est une question d'honneur.

Cette fois, Raven faillit *vraiment* pleurer. Elle n'avait que faire de la pitié de Drake. Il ne lui devait rien. Elle ne voulait pas entendre dire qu'il la gardait près de lui parce que l'honneur l'exigeait. Elle porta la main à son cœur. C'était comme si elle avait reçu un coup de poignard. Elle chercha une bonne réponse et n'en trouva pas. À moins d'avouer qu'elle l'aimait, elle n'avait rien à lui dire.

Désormais, tout était clair aux yeux de Raven. Lorsqu'elle serait obligée de partir, Drake n'aurait pas de chagrin, elle ne lui manquerait pas. En fait, il serait sans doute soulagé de ne plus avoir à veiller sur elle.

Raven négligea le fait qu'il aurait pu l'accompagner en Écosse s'il avait vraiment voulu se débarrasser d'elle. Ou qu'il aurait pu s'enfuir seul et la laisser à Klyme au lieu de risquer sa vie pour la secourir. Elle ne se souvint pas qu'il l'avait mise en sûreté chez sa grand-mère. Tout ce qu'elle retint, c'est qu'il avait omis de parler d'amour. Il avait dit «devoir», «honneur», «protection». Mais pas le mot qui aurait tout scellé.

Drake la serra dans ses bras. Lorsqu'il voulut faire l'amour, elle s'abandonna tout entière et d'autant plus promptement qu'elle voulait encore engranger quelques souvenirs avant de s'en aller.

Château de Klyme

Après quinze jours de recherches infructueuses, Waldo arriva à la conclusion qu'il n'y avait pas trente-six façons de sortir d'une pièce hermétiquement close. Il prit Duff à l'écart.

— Tu connais le château mieux que moi, lui dit-il. À ton avis, comment ont-ils pu s'enfuir?

— Il faudrait être idiot pour penser qu'ils sont passés à travers les murs ou qu'ils se sont envolés par une fenêtre, répondit Duff. Mais je t'avoue que je ne sais toujours pas comment ils s'y sont pris pour nous fausser compagnie. Les portes étaient fermées, le pont-levis relevé. J'ai interrogé les serviteurs mais ils ne savent rien.

— J'ai beaucoup réfléchi, dit Waldo sur le ton de la confidence. À mon avis, Drake a découvert un passage secret. C'est la seule explication plausible. Pour autant que tu t'en souviennes, ton père t'a-t-il jamais parlé d'un tunnel sous le château?

Duff réfléchit un moment.

— Maintenant que tu m'en parles, dit-il enfin, je me rappelle vaguement que mon père a parlé quelquefois d'un souterrain. Sur le coup, cela ne m'a pas paru important et je ne lui ai pas posé de questions. Klyme n'a jamais été assiégé. Je me souviens d'avoir entendu mon père demander à notre ancien intendant, messire Martin, de veiller à ce que le tunnel soit toujours bien entretenu. Par malheur, ce n'est pas messire Martin qui pourra nous renseigner car il est mort à présent.

— Ce tunnel, as-tu essayé de savoir où il était?

— Non, je te le répète : ça ne m'a pas semblé important. Si tu n'en avais pas parlé en premier, je n'y aurais jamais repensé.

— Je le savais ! s'exclama Waldo. Je me doutais bien qu'il y avait un passage secret dans le donjon. Les gens ne se volatilisent pas comme ça ! Je vais ordonner qu'on fouille à nouveau chaque pièce.

En fin de compte, ce fut Waldo qui dénicha le passage secret dans la boiserie et il s'en voulut d'avoir perdu des semaines à chercher quelque chose qui se trouvait sous son nez.

Ravis de leur découverte, Waldo, Duff et deux hommes d'armes s'engagèrent dans le passage secret. Ils trouvèrent l'éboulement dans lequel Drake avait creusé. Après un bref instant d'hésitation, Waldo passa par le trou et fit signe aux autres de le suivre. Ils débouchèrent dans la grotte et, pour finir, ils se retrouvèrent dans la forêt qui entourait le château.

— Je n'en reviens pas, dit Duff, abasourdi. Je me demande comment Drake était au courant.

— J'aurais dû y penser plus tôt, bougonna Waldo. Je me souviens maintenant que j'ai poussé Drake à passer une nuit tout seul dans les sous-sols du donjon quand nous étions jeunes. Il l'a fait pour prouver son courage. Peut-être que c'est là qu'il a découvert le tunnel.

— Et maintenant, que vas-tu faire ?

— Attaquer Windhurst, tuer Drake et ramener ma femme chez moi, répondit Waldo avec un sourire carnassier. Es-tu de mon côté ?

— Je refuse de prendre part à cette guerre privée, dit Duff. J'ai toujours su que tu haïssais Drake. Quand nous étions jeunes, je me suis mis de ton côté parce que c'était un bâtard et que nous étions d'un rang plus élevé que le sien. Mais il ne nous a fait aucun mal. Il s'est illustré sur le champ de bataille, il a été fait chevalier par le roi en personne. Tu as des griefs contre lui, certes. Réclame justice au roi. Mais ne le tue pas.

— Le roi! rugit Waldo. Mais le roi est entiché de Drake!

— Essaie. Tu verras bien.

— Non! Drake a enlevé ma femme, il l'a dépucelée et il m'a ridiculisé!

— Drake a eu tort d'enlever Raven, concéda Duff. C'est pourquoi j'irai avec toi à Windhurst mais sans mon armée. Mes hommes d'armes resteront à Klyme. Avec de la bonne volonté de part et d'autre, nous pourrons peut-être trouver un arrangement.

— Je ne veux pas d'arrangement, moi! se récria Waldo. Je veux Drake dans la tombe et Raven dans mon lit. Rien d'autre ne pourra m'apaiser.

Trois jours plus tard, Waldo, Duff et l'armée de Waldo franchirent le pont-levis et prirent la direction du Wessex. Après avoir admiré Waldo pendant des années, Duff déchantait. Il était arrivé à la conclusion que Waldo était tyrannique, cruel et peut-être même un peu fou. Il se rendait compte qu'il n'avait pas été un bon frère pour Raven, qu'il n'aurait jamais dû la forcer à épouser Waldo. C'est pourquoi il avait consenti à aller à Windhurst. Il était peut-être encore temps de réparer ses torts et d'éviter un bain de sang.

Château de Windhurst

Raven se réveilla dans les bras de Drake. C'était l'aube mais elle avait beaucoup de choses à faire. Elle préparait son départ depuis des semaines. Drake lui avait donné de l'argent pour acheter ce qu'elle voudrait aux colporteurs qui se présentaient au château, mais elle en avait épargné la plus grande part au lieu de tout dépenser sottement. En étant regardante, elle avait de quoi tenir jusqu'à Édimbourg.

Elle devait partir sans tarder. Même si Drake ne s'apercevait encore de rien, sa taille commençait à s'épaissir. Si par malheur il devinait son secret, elle serait obligée de rester. Et la guerre avec Waldo deviendrait inévitable.

Hier soir, Drake lui avait dit qu'il irait à la chasse aujourd'hui. Le garde-manger avait besoin d'être rempli et il espérait tuer un cerf ou un sanglier. Le gibier serait salé en prévision de l'hiver tout proche. Drake serait parti toute la journée et Raven avait décidé de profiter de son absence. Une telle occasion ne se présenterait pas deux fois.

Lorsqu'elle s'apprêta à sortir du lit, Drake ouvrit les yeux et la retint par le bras.

— Tu as l'air pressée de te lever ce matin, ma tendre mie. As-tu quelque chose d'urgent à faire ?

Raven pâlit.

— Nenni. J'ai prévu de fabriquer des bougies. C'est une tâche longue et fastidieuse et il vaut mieux commencer de bonne heure.

— Quant à moi, je dois aller rejoindre les chasseurs, dit Drake. Je préférerais rester au lit et faire l'amour, mais le devoir m'appelle. Messire Richard ne va pas à la chasse, continua-t-il en se levant. Si tu as besoin de quoi que ce soit, adresse-toi à lui. Les sentinelles sur les remparts ont ordre d'être vigilantes. J'ai le pressentiment que Waldo ne va pas tarder à arriver. Mais cette fois le château est prêt à le recevoir.

— N'y a-t-il pas moyen d'éviter une bataille ? demanda Raven. Je ne veux pas que le sang coule à cause de moi.

— Tu n'es pas la seule cause de l'inimitié de Waldo, expliqua Drake en s'habillant. Qu'il te récupère ou non, il veut ma mort. La haine de Waldo est ancienne et elle n'a fait que croître et embellir au fil des ans. Je n'en connais pas la raison. Peut-être la découvrirai-je un jour.

Il se pencha pour lui donner un petit baiser sur le front avant de partir mais Raven n'était pas prête à se contenter de si peu alors que c'était sans doute la dernière fois qu'elle le voyait. Elle le prit par le cou, l'attira vers elle et l'embrassa avec toute la ferveur dont elle était capable.

Après ce baiser extraordinaire, Drake recula d'un pas et la regarda avec curiosité.

— Peut-être que je devrais me recoucher à côté de toi, dit-il avec une œillade égrillarde.

— Ce soir, répondit Raven en souriant malgré le chagrin qui la dévorait.

Elle savait d'avance que Drake serait furieux en découvrant qu'elle était partie. Mais, si elle voulait éviter un carnage, elle n'avait pas d'autre choix.

— Ce soir, acquiesça Drake.

Aussitôt la porte refermée, Raven se leva et s'habilla. Elle enfila une épaisse chemise, une tunique de laine, des bas en tricot, des chaussures robustes. Ensuite, elle mit dans un baluchon toutes les affaires qu'elle voulait emporter.

Il lui restait une dernière chose à faire, redoutable entre toutes. Après y avoir beaucoup réfléchi, elle avait décidé de laisser une lettre à Drake. Elle allait lui dire que, pour le bien de tous, elle avait jugé bon de partir. Elle le prierait de ne pas essayer de la rattraper. Elle pourrait même laisser entendre que, tout compte fait, elle retournait avec son mari.

Sa décision prise, elle alla trouver Balder et lui demanda de quoi écrire. Ensuite, elle remonta dans l'appartement pour rédiger sa lettre. L'inspiration fut longue à venir.

Lorsqu'elle eut fini, elle plia la lettre en deux, écrivit dessus : « Pour Drake » et la déposa sur son oreiller, où il était obligé de la trouver. Puis, elle prit son baluchon et descendit le cacher dans les écuries. En cas de besoin, elle était prête à expliquer que c'était du linge sale qu'elle emportait à la buanderie. Mais personne ne lui posa de questions.

Ensuite, elle veilla à la confection des chandelles comme si de rien n'était. Quand tout le monde fut rassemblé dans la grande salle pour le repas de midi, elle se faufila jusqu'aux écuries avec l'intention de seller sa jument et de quitter discrètement le château.

Mais le ciel, ce jour-là, n'était pas propice à ses desseins. À l'instant où elle allait pousser la porte de l'écurie, un guetteur sonna l'alarme. Raven comprit tout de suite ce que cela signifiait. Des cavaliers approchaient. Les hommes sortirent de la grande salle la bouche pleine et coururent chercher leurs armes. Raven poussa un cri de déception. Trop tard ! Elle avait attendu trop long-temps pour partir. Maintenant, Waldo était là. Il allait assiéger le château. Elle songea alors à Drake, qui était dehors, et elle faillit se pétrifier de peur.

Elle s'en retourna vers le donjon. Dans la cour, c'était le branle-bas de combat. Des hommes se précipitaient sur les remparts tandis que d'autres couraient au pont-levis. Raven remonta dans l'appartement, d'où elle pourrait avoir une vue d'ensemble. Elle poussa un soupir de sou-lagement lorsqu'elle vit Drake franchir le pont-levis avec les chasseurs. La herse descendit derrière eux. Drake échangea quelques mots avec messire Richard avant d'entrer dans le donjon.

Raven se préparait à aller à sa rencontre lorsqu'il fit irruption dans l'appartement.

— As-tu entendu ? demanda-t-il.

Il avait l'air agité, ce qui se comprenait sans peine.

— Tu penses que c'est Waldo ?

— Oui. Je dois m'armer. Ne sors pas d'ici tant que nous n'en saurons pas plus sur ses intentions.

La réponse de Raven ne franchit jamais ses lèvres. Quelqu'un tambourinait à la porte.

— Monseigneur, c'est moi, Evan ! Ce n'est pas la ban-nière de Waldo de Lleyn qui est en vue. C'est celle du roi ! Un héraut vient juste de nous informer de l'arrivée immi-nente d'Édouard. Quels sont vos ordres, monseigneur ?

— Va m'attendre dans la grande salle, Evan, cria Drake à travers la porte. Je descends tout de suite.

— Le roi ! s'exclama Raven. Que peut-il vouloir ?

— Nous le saurons bientôt, répondit Drake d'une voix sourde. Waldo a peut-être sollicité l'intervention du roi et Édouard est là pour me punir.

— Par la sainte Vierge ! soupira Raven.

Si elle avait docilement épousé Waldo au lieu de demander l'aide de Drake, rien ne serait arrivé. Le roi ne se résoudrait jamais à punir le Chevalier Noir, n'est-ce pas ? Certes, il l'avait séduite et enlevée le soir de ses noces mais, au fond, si quelqu'un était coupable, c'était elle !

Drake regarda ses vêtements de chasse tachés de sang et fit la grimace.

— Je ne peux pas accueillir le roi dans cet état-là. Il faut se dépêcher. Balder attend mes ordres.

— Je peux m'en occuper pendant que tu te changes. Que veux-tu que je lui dise ?

— Dis-lui de faire préparer des chambres pour nos invités et de prévoir pour ce soir un banquet et une fête dignes d'un roi. Je ne sais pas de combien de personnes se compose la suite d'Édouard mais le chiffre doit être considérable.

— Je verrai cela moi-même avec la cuisinière, dit Raven. Ne te fais pas de souci.

— Raven, attends ! dit Drake en la rattrapant par le bras. Ne traîne pas au rez-de-chaussée. Je ne sais pas ce que veut le roi. Pour le moment, ne te montre pas trop. Je voudrais lui parler avant de te présenter.

Raven acquiesça volontiers. Il valait mieux sonder l'humeur du roi avant de lui parler d'elle.

— Je ne serai pas partie longtemps, dit-elle avant de sortir.

Drake ôta sa tunique et remplit d'eau une cuvette. Bientôt, Evan arriva.

— C'est dame Raven qui m'envoie pour que je vous aide à vous habiller, monseigneur, dit le jeune écuyer. Dites-moi quels vêtements je dois vous préparer.

— Mes meilleurs bas-de-chausses noirs et mon justaucorps en velours noir, répondit Drake sans hésiter. Et ma courte cape noire.

Tandis que Drake se débarbouillait, Evan disposa avec soin les riches vêtements sur le lit.

— Merci, Evan. Maintenant, va chercher mon épée dans la salle d'armes.

Après le départ d'Evan, Drake s'assit sur le lit pour enfiler ses bas-de-chausses et ses bottes. C'est là qu'il vit la lettre posée sur l'oreiller. Il la ramassa, en proie à un mauvais pressentiment, la déplia, la lut, la relut, la froissa.

— La petite garce ! dit-il entre ses dents.

Elle s'apprêtait à le quitter. Elle envisageait de retourner avec Waldo et elle lui défendait de la suivre. Depuis combien de temps mûrissait-elle sa trahison ? Ah, elle l'avait bien berné avec ses caresses !

La fureur s'empara de lui. Il avait risqué sa vie pour la protéger. Il avait enduré mille souffrances pour elle. Et elle n'avait pas eu la décence de lui dire en face qu'elle voulait le quitter. Elle avait juste laissé un mot, très bref dans la forme et très froid dans le fond. Sans la providentielle survenue du roi, la perfide femelle serait partie avant son retour de la chasse.

Drake n'ignorait pas que la fortune de Waldo surpassait de beaucoup la sienne. Raven s'était-elle aperçue qu'elle n'avait pas envie de renoncer à un fief immense pour un miteux petit château au sommet d'une falaise battue par les vents ? Il se traita de fou. Sa mésaventure avec Daria aurait dû lui apprendre qu'il ne fallait pas se fier aux femmes de Klyme !

Il se leva, s'approcha de la cheminée, jeta au feu la maudite lettre et la regarda se transformer en cendres. Puis, le cœur plein de fiel, il acheva de s'habiller.

Un court instant plus tard, Evan revint avec l'épée. Ses yeux étaient brillants, sa poitrine haletante.

— Le roi est en train de franchir le pont-levis, monseigneur, annonça-t-il d'une voix entrecoupée.

Drake prit l'épée et la mit à sa ceinture.

— As-tu vu… *dame Raven* ?

À présent, c'est à peine s'il pouvait prononcer son nom sans une moue dégoûtée.

— Oui, elle est avec Balder dans la grande salle.

Au même moment, Raven rentra dans la chambre.

— Me voici ! annonça-t-elle. J'ai transmis tes ordres à Balder, il s'occupe de tout.

Drake se contenta de hocher la tête. Raven s'étonna.

— Quelque chose ne va pas ? Tu as l'air furieux.

— Habille-toi. Nous allons accueillir le roi tous les deux ensemble.

— Mais… je ne comprends pas. Tu disais que je ne devais pas me montrer jusqu'à ce que tu aies eu l'occasion de parler seul à seul avec Édouard.

— J'ai changé d'avis. Dépêche-toi.

Raven sortit de son coffre une tunique neuve et une robe qu'elle avait faite elle-même dans une pièce de soie achetée récemment à un colporteur. Elle se hâta de les mettre, noua une ceinture de brocart autour de sa taille et posa sur ses cheveux un voile qu'elle assujettit avec un serre-tête en or.

— Je suis prête, Drake ! annonça-t-elle.

Drake la prit par le coude et l'entraîna vers la porte après l'avoir à peine regardée.

Soudain, Raven se souvint de la lettre. Il ne fallait surtout pas que Drake la lise. Elle s'arrêta net.

— Attends, j'ai oublié quelque chose.

— Non, je ne crois pas, répliqua sèchement Drake.

Il la serra plus fort, lui enfonçant ses doigts dans la chair.

— Tu me fais mal ! s'exclama-t-elle. Que se passe-t-il ? Pourquoi es-tu en colère ?

— Qu'est-ce qui ne va pas ? répéta Drake avec dédain. Mais rien ! Tout va très bien, au contraire. Lorsque Waldo arrivera, je veillerai à ce que tu le rejoignes sans tarder. Et, s'il ne vient pas, je te ferai raccompagner jusqu'à lui.

Raven fit mine de s'étonner mais elle avait fort bien compris. Drake savait tout. Il avait trouvé la lettre. Elle se souvint qu'elle avait employé exprès un ton distant. Mais elle avait voulu éviter qu'il ne se lance à sa poursuite. Elle avait essayé, par le seul moyen possible, d'empêcher une tuerie.

— Tu as lu ma lettre, murmura-t-elle.

Il l'écrasa de son mépris.

— Oui, répondit-il. Quel genre de femme es-tu ? Tu n'as même pas la décence de me dire en face que tu veux retourner avec ton mari. Je te rappelle que c'est toi qui as imploré ma protection. Tu vis sous mon toit, tu manges mon pain, tu couches avec moi. Je ne te comprends pas, femme. T'es-tu soudain rendu compte qu'un bâtard n'était pas assez bien pour toi ?

Raven fut ébahie. Elle n'arrivait pas à croire que c'était sa lettre qui provoquait la fureur de Drake. Elle avait prévu qu'au contraire il se réjouirait d'être débarrassé d'elle. Comment avait-elle pu se tromper à ce point ?

— Tu ne comprends pas, Drake ! s'exclama-t-elle, désemparée. En m'en allant, je voulais juste éviter un bain de sang.

— Je n'ai pas envie de parler de cela, Raven, lança Drake en la traînant vers l'escalier. Viens, Édouard nous attend.

Ils arrivèrent au rez-de-chaussée juste à temps pour accueillir le roi qui faisait son entrée dans la grande salle, avec sa suite et ses gardes du corps. Raven resta en retrait tandis que Drake se dépêchait d'aller mettre un genou en terre devant le roi.

— Votre Grâce, c'est un immense honneur que vous me faites.

Édouard le troisième était un solide gaillard d'une bonne quarantaine d'années, avec des traits réguliers, de beaux cheveux qui ondulaient sur ses épaules et une forte barbe. Il veillait à entretenir de bonnes relations avec ses barons. Par exemple, il avait marié quelques-unes de ses filles à quelques-uns d'entre eux. Édouard et son fils aîné, le fameux Prince Noir, faisaient l'admiration des Anglais à cause de leurs victoires contre le roi de France.

— Relève-toi, Drake de Windhurst, dit le roi. Je vois que tu as bien réparé ce château. Mais je n'ai pas parcouru tant de lieues pour m'émerveiller sur la solidité de tes remparts. Non, Drake, je t'apporte un cadeau.

— Un cadeau, votre Grâce ? Mais vous m'avez déjà comblé de vos bienfaits.

— Tu méritais chacun d'entre eux, et bien davantage, proclama Édouard avec exubérance. Maintenant, c'est une épouse que je viens t'offrir.

Raven, sentant que ses jambes commençaient à se dérober sous elle, se laissa choir sur le banc le plus proche. Une épouse ! Drake allait épouser la jeune fille que le roi lui avait choisie. Raven avait toujours su qu'un tel jour viendrait. Elle avait l'impression que le monde chavirait. D'abord, Drake la honnissait. Et, ensuite, il allait prendre femme.

— Une épouse, votre Grâce ? répéta Drake. Je, euh, je n'avais pas prévu de me marier si tôt.

— Un homme a besoin d'une épouse, dit Édouard avec d'autant plus de chaleur qu'il était lui-même un mari comblé. Une présence féminine agrémentera ton château. Sans compter qu'il te faut des héritiers.

— Oui, votre Grâce, dit Drake à contrecœur.

Sur un signe du roi, une jeune personne s'avança, les yeux pudiquement baissés. Elle était richement vêtue. Elle avait une chaîne d'or autour de la taille et sa coiffe était d'une grande complexité.

— Willa, je te présente messire Drake, dit fièrement Édouard.

Willa releva la tête, sourit craintivement et se dépêcha de piquer du nez. Raven eut quand même le temps de remarquer qu'elle avait des cheveux très noirs, un teint d'une blancheur immaculée et de grands yeux dorés. Elle était si belle que Raven, malgré tous ses appas, ne pouvait pas soutenir la comparaison. C'est du moins ce que Raven pensa. Willa exécuta une révérence impeccable et Raven ne vit pas pourquoi Drake résisterait aux charmes d'une aussi merveilleuse jeune fille.

— Willa est ma pupille, dit Édouard. Lorsqu'il a fallu lui choisir un mari, j'ai tout de suite pensé à toi. Les fiançailles auront lieu demain et le mariage après-demain. J'ai demandé à mon confesseur de m'accompagner. C'est lui qui célébrera la cérémonie.

Soudain, Raven ne vit plus très clair. La tête lui tourna. Le château parut vaciller comme une nef dans la tempête. Il fallait qu'elle s'en aille vite, avant de se ridiculiser. Tandis que les paroles du roi continuaient de lui résonner aux oreilles, elle se redressa sur ses jambes flageolantes, avec l'intention de se réfugier dans sa chambre, où elle ne serait plus obligée de voir la trop jolie fiancée de Drake.

Mais le sort en décida autrement.

Pour la première fois de sa vie, Raven s'évanouit.

16

À grand maître, hardi valet.

Lorsque Raven reprit connaissance, Drake était penché sur elle. Sourcils froncés et lèvres pincées, il avait l'air fort mécontent. Elle s'aperçut qu'elle était allongée sur un banc et essayait de se lever.

— Reposez-vous encore un peu, milady.

Raven se tourna vers Édouard, qui la regardait avec sollicitude. Et puis, la mémoire lui revint. Drake allait épouser dame Willa et elle s'était évanouie.

— Je suis navrée, sire, murmura Raven. Je ne sais pas ce qui m'est arrivé. Mais, maintenant, je vais bien.

Le roi lui prit la main et l'aida à s'asseoir.

— Il ne me semble pas vous connaître, milady.

— Je vous demande pardon, sire, intervint Drake en désignant Raven d'un dédaigneux mouvement de menton. C'est ma concubine, Raven de Klyme.

— Drake ! s'exclama Raven en fermant les yeux pour ne plus voir le château qui recommençait à tanguer.

Témoin du désarroi de Raven, le roi dit à Drake en aparté :

— Vous êtes délibérément méchant avec cette jeune personne, messire. Nous reparlerons de cela plus tard.

Tournant de nouveau son attention vers Raven, il poursuivit :

— Il me semble avoir entendu dire que vous aviez épousé Waldo de Lleyn, c'est bien cela ?

Le menton de Raven se mit à trembler.

— Dame Raven ? insista le roi.

— Oui, votre Grâce, je suis l'épouse de Waldo de Lleyn, répondit-elle d'une voix sans timbre. Enfin, sur le papier seulement, s'empressa-t-elle d'ajouter. Le mariage n'a jamais été consommé.

— Si ma mémoire est bonne, dit Édouard, Waldo ne m'a pas demandé la permission de se marier. N'avait-il pas déjà épousé votre sœur ? Elle est morte, n'est-ce pas ? Se remarier avec sa belle-sœur, cela pue l'inceste, conclut-il.

À ces mots, son confesseur vint lui glisser quelques mots à l'oreille.

— Mais oui, l'abbé, je me souviens, maintenant ! Messire Waldo a obtenu une dispense du pape pour épouser la sœur de sa défunte épouse. Ce n'est pas pour le plaisir de contredire le pape mais je n'aime toujours pas ça. Où est votre mari, dame Raven ?

— Je m'attends à ce qu'il vienne un jour ou l'autre me la réclamer, dit Drake. Il est probablement déjà en route.

— Je n'y comprends rien, dit Édouard avec une pointe d'agacement. Après un aussi long voyage, je suis trop fatigué pour écouter vos explications. Plus tard, après le souper, je vous verrai en privé, messire Drake. Je suppose que le récit de vos aventures et de vos mésaventures nous fera veiller tard dans la nuit. Avez-vous fait préparer des chambres pour moi et ma suite ?

Balder s'approcha.

— Sire, dit-il en faisant une profonde révérence. Si vous voulez bien me suivre, je vais vous montrer vos appartements. Nous avons préparé le logis pour votre Grâce et sa suite. Vos hommes d'armes trouveront des lits dans la salle de garde. Pour dame Willa et sa suivante, des chambres sont prêtes au sommet du donjon.

— Personne ne pourra prétendre que vous n'avez pas le sens de l'hospitalité, messire Drake, dit le roi.

— Si vous avez besoin de quoi que ce soit, votre Grâce, ajouta Drake, nous sommes tous à vos ordres.

244

— Je vais me charger d'accompagner dame Willa jusqu'à sa chambre, proposa Raven.

Drake était tout frémissant de colère. Raven se rendait compte qu'avec sa malencontreuse lettre elle l'avait profondément blessé. Mais ça ne pouvait pas être pire que ce qu'il venait de lui faire. Il l'avait désignée comme sa putain devant le roi.

— Venez-vous, dame Willa ? reprit-elle avec insistance.

Willa hésita. Elle se tourna vers Drake et l'interrogea du regard. Mais il ne semblait guère s'intéresser à elle. Alors, faisant fi de ses scrupules, elle suivit Raven.

— Depuis combien de temps êtes-vous la concubine de Drake ? demanda Willa en arrivant au sommet de l'interminable escalier.

Raven estima que la question était déplacée et s'abstint d'y répondre.

— Moi, jamais je n'accepterais de devenir la catin d'un homme, reprit Willa en plissant le nez. Et je n'accepterais jamais non plus que mon époux héberge une concubine sous le même toit que moi. Lorsque messire Drake et moi serons mariés, vous irez chercher un autre protecteur ailleurs.

— Quel âge avez-vous, dame Willa ? demanda Raven.

— Quinze ans. Le roi Édouard dit que c'est le bel âge pour se marier.

Raven poussa un soupir navré.

— Vous êtes si jeune ! Vous ne connaissez rien à la vie. Les hommes comme messire Drake sont des loups pour les innocentes brebis dans votre genre.

Willa ouvrit des yeux ronds.

— Que voulez-vous dire ?

— Rien, répondit Raven. Ne faites pas attention à mon bavardage. Je ne suis pas moi-même aujourd'hui.

Elle s'immobilisa devant une chambre vide.

— C'est ici. J'espère que vous vous y plairez. Si vous avez besoin de quoi que ce soit, demandez à votre femme de chambre de s'adresser à n'importe lequel des domestiques.

— Votre chambre *à vous*, où se trouve-t-elle ? demanda Willa.

— À l'autre bout de ce couloir. On ne va pas tarder à vous apporter vos bagages. Si vous voulez prendre un bain, votre suivante n'aura qu'à descendre à la cuisine demander un baquet d'eau chaude.

Elle tourna les talons, s'apprêtant à partir.

— Dame Raven ?

Raven regarda Willa par-dessus son épaule.

— Oui ?

— Et messire Drake, où dort-il ?

— Où bon lui semble, répondit Raven.

Ses jambes tremblantes la portèrent tant bien que mal jusqu'au bout du couloir. Une fois seule dans sa chambre, elle se laissa tomber sur le lit et pleura.

Drake échangea quelques mots avec Balder puis s'entretint avec messire Richard. Quand il fut certain que tout était en ordre, il s'assit à une table dans la grande salle et ordonna qu'on lui apporte de la bière. Un serviteur apparut presque immédiatement avec un pichet et une coupe. Drake remplit la coupe à ras bord et la vida d'un trait. La tête lui tournait après tant d'événements inattendus. L'envie de se venger de Raven l'avait poussé à la présenter comme sa concubine et il regrettait déjà l'horrible mot.

L'arrivée d'une fiancée l'avait abasourdi. Dame Willa, malgré sa beauté, n'éveillait pas son désir. Elle semblait indolente, au contraire de Raven qui était pleine de feu, de fougue et parfois de folie. Certes, Willa ferait une excellente comtesse de Windhurst. Elle régenterait la maisonnée et élèverait les enfants sans jamais se mêler de ce qui ne la regardait pas. Par malheur, il attendait de son épouse autre chose que de la docilité et de la discrétion. Il voulait une femme qui ait le sang aussi chaud que lui. Une femme passionnée. Une femme voluptueuse…

Bref, il voulait Raven.

Drake finit sa bière et en redemanda. Mais, quoi qu'il ingurgite, il n'arrivait pas à se soûler. Il repensait au moment où Raven avait tourné de l'œil. Par Dieu, comme il avait eu peur pour elle ! Raven avait le caractère bien trempé, elle n'était pas du genre qui se pâme pour un oui ou pour non. Elle avait été sur le point de le quitter. Elle avait envisagé de faire un long voyage, seule, sur des chemins peu sûrs. Cela demandait du courage.

En repensant à la lettre qu'elle lui avait écrite, il la maudit une fois de plus. Certes, son inquiétude pour la santé de Raven avait un peu tempéré sa colère mais il lui en voulait encore.

Soudain, il se leva, poussé par le besoin de la voir et de lui reprocher sa déloyauté. Il traversa la grande salle, l'air si sombre que les serviteurs s'écartèrent sur son passage, monta l'escalier quatre à quatre et entra sans frapper dans la chambre de Raven. Elle était allongée sur le ventre en travers du lit. Au fracas qu'il fit en claquant la porte, elle se redressa d'un bond.

— Que viens-tu faire ici ? demanda-t-elle sèchement.

Il s'approcha, les poings sur les hanches, l'air farouche.

— Es-tu malade, Raven ?

— Je vais très bien.

Il n'en crut pas un mot.

— Pourquoi t'es-tu évanouie ?

Elle le regarda droit dans les yeux et répondit à sa question par une autre.

— Pourquoi m'as-tu présentée comme ta catin ?

— Réponds d'abord à ma question.

— Réponds d'abord à la mienne.

— Soit, je t'ai présentée comme ma concubine parce que c'est exactement ce que tu es.

— C'était méchant, lança Raven.

— Je n'ai fait que suivre ton exemple, gente dame, répondit-il avec un sourire amer. Tu avais prévu de me quitter. La lettre que tu as laissée était digne d'une poltronne et d'une sans-cœur. Crois-tu que je t'aurais empêchée d'aller retrouver ton mari si tu me l'avais demandé ?

Pourquoi, Raven ? Pourquoi as-tu décidé de partir en catimini ? Pourquoi as-tu voulu me quitter ? Moi qui t'aurais défendue au péril de ma vie.

— Je voulais empêcher une effusion de sang, dit Raven d'une voix fluette.

— La vérité, Raven ! Je veux la vérité ! ordonna Drake avec rudesse. Est-ce ma bâtardise qui te déplaît ? C'est pour cela que tu voulais rejoindre Waldo ?

— Non, je n'ai jamais eu l'intention de rejoindre Waldo. J'ai tourné ma lettre de façon à le laisser entendre, mais…

— J'ai dit que je voulais la vérité, Raven ! trancha-t-il.

— C'est toi que je veux, Drake, la voilà, la vérité. C'est toi que j'ai toujours voulu.

Drake plissa les yeux.

— Alors, prouve-le !

Il se coucha sur elle et l'embrassa à pleine bouche, sans une once de tendresse, mais avec rage, avec férocité, comme s'il voulait la punir d'être aussi belle, aussi désirable, aussi aimable. Aucune femme ne l'avait jamais séduit comme Raven. Aucune femme ne l'avait jamais autant déçu.

Il se redressa un peu et la regarda dans les yeux.

— Je vais te coïter, maintenant, Raven. Tu n'es bonne qu'à cela.

Elle laissa échapper un sanglot mais il fit la sourde oreille. Il savait qu'il lui faisait du mal mais guère plus qu'elle ne lui en avait fait. Impatient, fébrile, il lui arracha ses vêtements.

— Voilà comment je te veux, dit-il en montrant les dents. Toute nue et les jambes écartées.

Il baissa ses chausses, empoigna son membre et s'apprêta à la pénétrer sans délai. Il se comportait comme un furieux. Raven prit peur. Tel qu'elle le voyait, il était devenu imprévisible. Elle ne voulait pas de sa colère. Elle ne voulait pas de ce désir mêlé de dégoût. Elle voulait son amour.

— Drake, arrête ! s'écria-t-elle.

Stupéfait, il se redressa sur ses avant-bras.

— Quoi! tu ne veux pas de mon vit entre tes jambes! Première nouvelle!

Bien sûr qu'elle le voulait! D'autant plus que c'était sans doute la dernière fois qu'ils se retrouvaient ensemble dans un lit, ventre contre ventre. Connaissant Drake, il allait forcément obéir au roi et épouser Willa. Après quoi, elle n'aurait plus qu'à s'en aller, avec des souvenirs plein la tête, du désespoir plein le cœur et un enfant dans le ventre.

Drake voulut l'embrasser de nouveau mais elle détourna la tête.

— Non, pas comme ça! murmura-t-elle.

— Que veux-tu dire?

— Tu me traites comme si tu me haïssais.

En même temps, il avait l'air si triste et si découragé que Raven, dans un mouvement de tendresse irraisonnée, lui caressa l'épaule. Il commença par tressaillir, et puis, l'instant d'après, changeant de figure, il la considéra avec dérision.

— Enfin, tu te décides! s'exclama-t-il. Tu le veux donc bien, ce coup de braquemard?

Mortifiée par cette nouvelle injure, Raven le repoussa.

— Alors, c'est donc vrai, tu me considères seulement comme ta catin? demanda-t-elle d'une voix éraillée par la tristesse.

Il se leva brusquement.

— La vérité, puisque tu tiens à la connaître, c'est que tu ne représentes plus rien pour moi.

Il savait bien que ce n'était pas vrai, que jamais dame Willa ni aucune autre ne remplacerait Raven dans son cœur. Mais il se sentait obligé de le dire.

— Je n'arrive pas à croire que je compte aussi peu pour toi, murmura Raven.

— Je pourrais t'en dire autant, rétorqua-t-il en se rajustant.

— Oh non, ce n'est pas vrai! Mais comment pourrais-je t'en convaincre alors que tu refuses de m'écouter?

— C'est trop tard pour nous, Raven, dit Drake d'un ton radouci. Le vrai, le faux, cela n'a plus aucune espèce d'importance. Le roi ordonne que j'épouse dame Willa et je ne peux qu'obéir.

Raven poussa un soupir qui trahissait toutes les peines de son âme.

— Je serai partie avant les épousailles, dit-elle.

Drake s'abstint de demander où elle comptait aller. Raven n'était plus sous sa protection.

— Je dirai à Balder de te donner de l'argent en suffisance pour tes frais de voyage. Quand tu auras choisi une destination, je te fournirai une escorte.

Il partit vers la porte. La main sur la clenche, il se retourna pour la regarder une ultime fois. Elle couvrait sa nudité vaille que vaille avec ses bras et ses cheveux. Des larmes ruisselaient sur ses joues. Ses lèvres tremblaient. Son regard implorait vaguement quelque chose.

— Par Dieu! s'écria Drake en revenant vers le lit. Qu'attends-tu de moi? J'ai juré obéissance au roi. Je sais que je t'ai déshonorée, Raven, mais, ensuite, ne t'ai-je pas protégée au péril de ma vie? J'ai même fait davantage! poursuivit-il, emporté par son élan. J'ai pris le risque de souffrir comme un jouvenceau. Avec ta lettre, tu as bien failli me déchirer le cœur. Même si dame Willa ne me plaît pas, je dois l'épouser. Mais, après la nuit de noces, j'ai l'intention de quitter Windhurst et d'aller chercher mes plaisirs ailleurs. Je jure de ne plus jamais me laisser attendrir par une femme.

Avec le sentiment d'en avoir un peu trop dit, Drake quitta la pièce… et tomba sur Willa.

— Messire Drake! s'exclama-t-elle.

Devant son air féroce, elle battit en retraite, les yeux écarquillés par la peur.

— Je… je croyais que c'était les appartements des dames à cet étage du donjon. Je me m'attendais pas à vous y croiser.

Elle montra la porte par laquelle Drake venait juste de sortir.

— Ne s'agit-il pas de la chambre de dame Raven ?

Drake n'était pas d'humeur à finasser.

— En effet, milady.

— Quand s'en va-t-elle ?

Drake, impatienté, répliqua d'un ton cassant.

— Quand il lui plaira.

Willa, du coup, rentra dans sa coquille.

— Pardonnez-moi, monseigneur, je ne voulais pas vous fâcher.

— Non, c'est plutôt à moi de vous présenter des excuses. J'ai grand peur de vous avoir froissée.

La tête dans les épaules, elle esquissa un sourire craintif.

— Vous êtes tout pardonné, monseigneur.

Elle mit la main devant sa bouche pour étouffer un petit rire nerveux.

— Il me tarde d'être au banquet de ce soir, reprit-elle. Nous profiterons sans doute de l'occasion pour faire plus ample connaissance.

Drake lui offrit son bras.

— Permettez-moi de vous accompagner jusqu'à la grande salle.

Willa devint soudain rouge comme une pivoine.

— Non, en fait, je, euh ! je cherchais, comment dire ? l'endroit où le roi va tout seul.

Drake crut qu'il allait être obligé de l'accompagner jusqu'à la chaise percée ! Il en fut dispensé par la providentielle apparition de la femme de chambre, tout époumonée, qui annonça :

— Je l'ai trouvée, milady ! C'est par là !

— À ce soir, monseigneur, dit Willa.

Elle fit une révérence et partit au petit trot derrière sa servante.

— Dieu nous préserve des pucelles minaudières ! bougonna Drake en partant dans l'autre sens.

Raven aurait préféré souper dans sa chambre mais cela risquait de passer pour de la lâcheté. Alors, elle mit sa plus belle robe, coiffa son plus beau hennin et descendit dans la grande salle. Tout le monde était déjà installé lorsqu'elle arriva. Elle se chercha une place vacante le plus loin possible de la table d'honneur.

Pour l'occasion, la vaisselle d'or et d'argent étincelait sur les tables. Devant chaque convive était placée une épaisse tranche de pain rassis destinée à servir de tranchoir. Drake avait sorti son meilleur vin. Les serviteurs naviguaient entre les tables avec des corbillons de pain frais. Margot et ses marmitons avaient fait merveille. Les mets qui se succédaient étaient tous somptueux. Il y eut de la soupe, des anguilles en gelée, du pâté de venaison, du porcelet rôti, du faisan. Le repas s'acheva avec des tourtes aux poires, des fruits secs et des fromages.

Raven ne mangea presque rien. Elle n'avait eu qu'à voir dame Willa auprès de Drake pour perdre aussitôt l'appétit.

En voyant Raven entrer dans la grande salle, Drake avait ressenti comme un pincement au cœur. Dame Willa était peut-être très belle, en effet, mais, comparée à Raven, elle lui semblait fade.

Il songea que la place de Raven était près de lui, à la table d'honneur. Il serait bien allé la chercher mais il savait qu'en s'affichant avec sa maîtresse devant sa promise il allait s'attirer les foudres du roi.

Il s'intéressa à ce qui se trouvait sur son tranchoir. Tout était délicieux mais il n'avait pas faim. Il constata avec satisfaction qu'Édouard paraissait apprécier le repas. De son côté, Willa ne faisait que pignocher.

— Comment trouvez-vous cette terrine de chevreuil, dame Willa ? demanda Drake.

Elle sursauta, laissa échapper son couteau, battit des paupières et leva vers lui des yeux de biche aux abois.

— Vous ai-je fait peur, milady ? reprit-il, étonné par sa réaction.

Willa baissa les yeux.

— Pardonnez-moi, messire. J'ai été élevée dans un couvent et les voix d'hommes m'effraient encore parfois.

Drake grogna. Élevée dans un couvent ! Elle s'évanouirait sans doute le soir des noces en le voyant nu.

— Comment se fait-il que vous ayez été élevée dans un couvent, milady ?

— Je suis une riche héritière, monseigneur. Je suis devenue la pupille du roi lorsque mes parents sont morts de la peste noire. C'était il y a huit ans, au tout début de l'épidémie. Édouard m'a placée chez les sœurs pour me mettre à l'abri des chasseurs de dot.

— Les bonnes sœurs vous ont-elles informée de vos devoirs d'épouse ? demanda Drake.

Les yeux de Willa demeuraient pudiquement baissés.

— Je sais ce qu'il y a à savoir, messire. Je...

Elle hasarda un regard vers lui.

— J'espère que vous ne serez pas trop exigeant, reprit-elle d'une voix murmurante. Lorsque nous aurons un enfant, ce serait un péché de continuer à avoir... *hum !*... des relations charnelles... *hum ! hum !*... à moins que ce ne soit pour procréer à nouveau.

Drake fut stupéfait par cette tirade.

— Avec de telles conceptions, vous ne devriez pas voir d'inconvénient à ce que j'aie une maîtresse, dit-il pour la sonder.

Cette fois, Willa le regarda bien en face.

— Ce serait contraire à la loi de Dieu, dit-elle, scandalisée. Vous commettriez l'adultère. Je ne l'accepterai jamais.

Elle avait l'air d'une enfant gâtée qui tient à ce que tout se fasse selon ses caprices. Drake aurait peut-être respecté la jalousie d'une jeune fille amoureuse mais il n'était capable d'aucun égard pour les caprices d'une mijaurée.

— Quelle conduite attendez-vous de moi, milady ? Vous venez de dire que je ne serai le bienvenu dans votre lit que pour faire des enfants. J'ai peur qu'on ne vous ait mal renseignée sur les hommes et leurs désirs. Vous êtes

bien jeune, milady. Le roi a eu tort de vous amener jusqu'ici. Nous ne serons jamais heureux ensemble.

Cela dit, Drake se remit à manger, sans plus se soucier
d'elle et de ses scrupules de dévote. Par malheur, Édouard
n'avait pas perdu un mot de leur conversation.

Il se pencha vers Drake.

— Dame Willa vous aurait-elle déplu, messire?
demanda-t-il tout bas.

— Dame Willa est trop jeune et trop innocente pour
moi, répondit Drake en pesant ses mots. Nous ne
sommes pas faits l'un pour l'autre.

— Fadaises! s'exclama le roi. C'est exactement la
femme qu'il vous faut pour fonder une famille. Certes,
elle est jeune et innocente, mais ce ne sont pas des incon-
vénients. Tout homme avisé s'en réjouirait: telle qu'elle
est, vous la façonnerez à votre convenance.

Se penchant davantage, le roi poursuivit sur le ton de
la confidence:

— De plus, dame Willa est immensément riche. Dans
la corbeille de mariage, vous allez trouver plusieurs
grands domaines.

La fortune n'intéressait pas le Chevalier Noir.

— Qu'est-ce qui pourrait encore vous faire changer
d'avis, votre Grâce?

Édouard se renfrogna.

— C'est à cause de Raven de Klyme, n'est-ce pas? C'est
par attachement pour elle que vous n'êtes pas pressé de
prendre femme? Il faudra que nous parlions seul à seul,
Drake. J'ai hâte de savoir comment cette jolie personne
est devenue votre concubine. Je connais Waldo de Lleyn.
Il n'est pas homme à se laisser prendre sa femme sans
réagir.

— Oui, sire, acquiesça Drake. Nous avons besoin de
parler. Que diriez-vous de remettre ce mariage à plus
tard?

— Non, Drake, c'est tout à fait impossible. Willa est ma
pupille préférée. Je tiens à assister à son mariage et je ne
pourrai pas revenir. Sachez que la guerre va reprendre

incessamment en France. Le roi Jean a trouvé le moyen de faire la paix avec la Navarre et il s'implante solidement en Normandie. Il faut que j'intervienne avant qu'il ne soit trop tard. Le Prince Noir vient de débarquer à Bordeaux avec mission de dévaster la Guyenne. Moimême, j'ai prévu de débarquer à Calais dans deux ou trois semaines. Vous voyez bien, Drake, c'est maintenant ou jamais.

«J'aimerais autant que ce soit *jamais*», pensa Drake.

— Le père Bernard est prêt à célébrer les fiançailles, reprit le roi. La cérémonie aura lieu après la fête… car je suppose que vous avez prévu une fête.

Drake marmonna quelque chose qui ressemblait à un oui.

— Balder a embauché tous les bateleurs et les saltimbanques disponibles dans les alentours, poursuivit-il. Il y a même un jongleur qui est le meilleur conteur que je connaisse.

La satisfaction brilla dans les yeux du monarque.

— Tant mieux, j'adore les bonnes histoires. Quant au mariage, je prédis qu'il sera heureux et fécond.

Drake était d'un autre avis mais il garda le silence. À quoi bon provoquer la colère du roi ? Il fit signe à Balder et aussitôt une troupe d'acrobates déferla dans la salle. Drake resta impassible pendant tout le spectacle. Même le bouffon ne réussit pas à lui arracher un sourire. Enfin, le jongleur récita des poèmes et entonna des chants à la gloire du Chevalier Noir. Il avait presque terminé lorsqu'un garde survint, tout rouge d'avoir couru. Il se dirigea à grands pas vers la table d'honneur et, après s'être dûment incliné devant le roi, se tourna vers Drake.

— Messire John s'approche du château, monseigneur, annonça-t-il. Il n'est pas seul. Un cavalier l'accompagne.

— Qu'on lève la herse, ordonna Drake. Priez messire John de me rejoindre ici dès qu'il aura mis pied à terre. J'ai hâte de le voir.

— Messire John a-t-il été parti longtemps ? demanda le roi.

— Oui, sire. Il y a au moins une semaine qu'il devrait être là. Je commençais à craindre qu'il ne lui soit arrivé quelque malheur. Je suis soulagé d'apprendre qu'il est revenu sain et sauf.

Le jongleur acheva son chant et salua la noble assistance, en commençant par le roi. En s'en allant, sa viole dans une main et son archet dans l'autre, il croisa messire John qui arrivait, accompagné d'un vieillard en robe de bure.

— Messire John, lui dit Drake, c'est bon de te revoir. Salue ton roi et puis dis-nous qui est ce vénérable moine que tu ramènes avec toi.

Messire John salua Édouard.

— Sire, quelle joie de vous revoir! J'ai été surpris de voir votre bannière qui flottait au-dessus des remparts. Est-il impertinent de vous demander ce qui justifie une royale visite à Windhurst?

— C'est également une joie de vous revoir, messire John, repartit Édouard. Vous et messire Drake, vous êtes parmi mes plus fidèles soutiens. Je n'oublierai jamais comment vous avez fait briller la gloire de l'Angleterre à Crécy et ailleurs. Quant à la raison de ma visite, eh bien! elle est excellente. Jugez-en: j'amène à messire Drake une épouse. Messire John, je vous présente dame Willa.

John jeta un bref regard à Drake avant de contempler l'exquise jeune fille assise à côté de lui. S'il se posa des questions à propos de Raven, il eut le bon goût de les garder pour lui.

— Enchanté, dit-il en s'inclinant dans la direction de dame Willa.

— Qui est avec toi? demanda Drake.

— Quelqu'un que tu auras plaisir à connaître, répondit John. Drake de Windhurst, permets-moi de te présenter le père Ambrose. Le père Ambrose est le prêtre qui a marié ton père et ta mère.

Drake se leva d'un bond et s'agrippa au bord de la table en le serrant si fort que ses phalanges devinrent blanches.

— Père Ambrose ! Dites-moi la vérité ! Est-il exact que vous ayez procédé au mariage de messire Basil de Lleyn avec Leta ap Howell ?

Le vieux moine s'approcha et s'inclina devant le roi. Puis, il se tourna vers Drake en plissant les yeux à la manière des myopes.

— Oui, monseigneur, c'est la vérité. Votre père et votre mère ont été légalement mariés dans le village de Builth Wells, au pays de Galles. J'ai célébré le mariage et je l'ai consigné moi-même dans le registre de la paroisse.

Édouard se pencha en avant.

— Et c'est seulement maintenant que vous en parlez, curé ?

— Peu de temps après le mariage, l'église a été détruite par un incendie, expliqua le père Ambrose. J'ai fui pour sauver ma vie quand j'ai su que le père de messire Basil avait donné l'ordre de tuer tous ceux qui pourraient porter témoignage du mariage de son fils avec une roturière galloise. Ses hommes de main ont brûlé mon église mais j'ai réussi à sauver le registre. Je l'ai pris avec moi quand je me suis enfui.

— Sire, le père Ambrose a apporté les pages du registre où leurs noms sont inscrits, dit messire John.

Le roi caressa pensivement sa belle barbe.

— Continuez, père Ambrose. Où étiez-vous pendant toutes ces années ?

— Je me suis réfugié sur l'île d'Anglesey, en mer d'Irlande. Là, j'ai trouvé un village qui avait besoin d'un prêtre. J'y suis resté.

— Où avez-vous déniché ce brave curé, messire John ? demanda le roi.

— Messire Drake m'a envoyé à Builth Wells avec un message pour sa grand-mère. Quand je suis arrivé, elle m'a dit qu'elle avait enfin réussi à savoir où se trouvait le père Ambrose, l'homme qui pouvait certifier que la naissance de Drake était légitime. Elle avait su par le prêtre du village qu'il venait d'entrer dans un monastère proche de Builth Wells avec l'intention d'y finir ses jours.

— C'est vrai, sire, confirma le père Ambrose. Je ne savais pas que Nola ap Howell me recherchait, sinon il y a longtemps que je serais revenu. Comment aurais-je pu me douter qu'il y avait un litige à propos d'un enfant né après mon départ? Mais, à présent, me voici, pour proclamer devant Dieu et devant mon roi que Drake de Windhurst n'est pas un bâtard. Si jamais Basil de Lleyn a épousé une autre femme sans faire annuler son mariage avec Leta ap Howell, alors, c'est la progéniture issue de ce second mariage qui est illégitime.

— Cela change beaucoup de choses, dit Édouard. Il faut que je réfléchisse. Et, bien entendu, je vais demander à voir ce fameux registre avant d'accorder à Drake le titre de comte de Lleyn. En attendant que cette affaire soit réglée à ma convenance, les fiançailles sont reportées.

Un sourire illumina le visage de Drake. Scrutant la salle, il réussit à accrocher le regard de Raven. Au bout d'un moment, elle se leva en vacillant un peu et décampa.

17

*Les uns naissent grands, les autres se haussent
jusqu'à la grandeur, d'autres s'en voient revêtir.*

Drake se rembrunit. Il aurait voulu suivre Raven mais
le roi posa sa main sur son épaule.

— Vous irez la rejoindre plus tard. Pour l'heure, nous
avons des choses importantes à régler. Venez vous
asseoir avec moi près du feu. Nous y serons tranquilles
pour parler.

— Oui, sire, acquiesça Drake en suivant Édouard jusqu'à la cheminée, à l'autre bout de la grande salle.

Balder vint leur apporter un pichet de vin et deux
coupes. Drake fit le service pendant qu'Édouard dérou-
lait la page arrachée dans le registre paroissial et l'exa-
minait avec soin.

Après avoir médité un moment, le roi dit :

— Il semble que vous ayez été victime d'une grande
injustice, messire Drake. J'ai entendu parler de l'ancien
comte de Lleyn, le père de Basil. Il était courageux mais
sans foi ni loi. Apparemment, il était prêt à tout pour
empêcher son fils de se marier avec une femme du commun.

— Je n'ai jamais douté de la légalité du mariage de
mes parents, dit Drake. Ma grand-mère m'a toujours dit
que nous en aurions la preuve un jour. Elle avait raison.

Édouard donna le parchemin à Drake pour qu'il l'examine à son tour.

— Il a l'air authentique, conclut Drake.

— C'est aussi mon avis, dit le roi. Mais j'aurais cru le père Ambrose même s'il n'y avait eu aucun document pour appuyer ses dires. Les simples prêtres ne mentent pas. Les évêques, les cardinaux, le pape, c'est une autre histoire. Mais un petit curé de village, non, cela ne ment pas.

Édouard se mit à tapoter sur le bras de son fauteuil tout en réfléchissant aux meilleurs moyens de redresser les torts faits à Drake.

— À partir de maintenant, vous serez comte de Lleyn et de Windhurst, annonça finalement le roi. Le comté de Lleyn, son château, ses terres et ses richesses vous appartiennent désormais.

— Et Waldo, sire ?

— Il ne mérite rien. Mais, à cause de sa bravoure à Crécy, il ne sera pas puni. Je ferai proclamer partout qu'il n'est plus que messire Waldo, un chevalier sans terre, et qu'il est votre vassal. En tant que son suzerain, vous êtes en droit d'exiger de lui un serment d'allégeance.

Après avoir été traité si longtemps de bâtard, Drake trouvait la situation extraordinaire. Une pensée, cependant, l'empêchait de se réjouir tout à fait.

— Waldo aura du mal à accepter cela, dit-il.

Édouard sourit avec condescendance.

— Je sais que Waldo est ombrageux et querelleur mais je suis son roi et il m'obéira.

Drake était d'un autre avis mais il ne jugea pas utile de contredire le roi.

— Maintenant que vous êtes l'héritier légitime de Basil, reprit le roi, parlons du mariage. Les biens de votre femme s'ajoutant aux vôtres, cela va faire de vous l'un des hommes les plus riches d'Angleterre.

Drake toussota pour s'éclaircir la voix.

— À propos de dame Willa, sire, il faut que je vous dise qu'elle a peur de moi. C'est écrit dans ses yeux quand elle me regarde. J'implore votre Grâce de revenir sur sa décision. Il ne doit pas être difficile de trouver un mari qui lui conviendra mieux que moi.

La figure du roi s'assombrit brusquement.

— Il serait peut-être temps de parler de dame Raven. C'est à cause d'elle que vous ne souhaitez pas épouser ma pupille, n'est-ce pas ? Comment la femme de Waldo s'est-elle retrouvée dans votre lit ?

Drake poussa un soupir. Il n'y avait pas d'échappatoire. Il devait dire la vérité. Pas plus que les curés de campagne, les preux chevaliers ne mentent.

— Je vais tout vous raconter, sire, même si la bonne opinion que vous avez de moi doit en pâtir.

— Ça, ce sera à moi d'en juger. Je vous en prie, continuez, messire Drake.

— Très bien, votre Grâce. Il y a quelques mois, je suis allé à Klyme pour participer à un tournoi. Je ne savais pas que ce tournoi était organisé à l'occasion du mariage de Raven de Klyme avec Waldo. J'ai moi-même grandi au château de Klyme. J'y ai été écuyer, avant d'être contraint d'en partir à l'âge de dix-sept ans. C'est à cette époque, vous vous en souvenez peut-être, que vous avez eu la bonté de me prendre à votre service.

Édouard regarda Drake avec une tendresse toute paternelle.

— Je m'en souviens fort bien, messire. Vous avez sauvé la vie du Prince Noir à Crécy. C'est là que je vous ai armé chevalier. Plus tard, pour vous récompenser de votre héroïsme pendant le siège de Calais, je vous ai fait comte de Windhurst. Et je vois que j'ai eu raison. Vous avez rendu tout son lustre à ce malheureux château.

— Merci, votre Grâce, murmura Drake d'une voix émue.

— Mais, reprit le roi, il y a une troisième raison pour laquelle vous êtes cher à mon cœur, messire Drake, outre que vous avez sauvé la vie de mon fils aîné et que vous êtes un preux et loyal soutien de ma couronne.

— Une troisième raison ? répéta Drake. Laquelle, votre Grâce ?

— C'est qu'après la prise de Calais vous avez été de ceux qui, autour de la reine, m'ont recommandé de gracier la demi-douzaine de bourgeois que j'avais prévu de faire pendre. C'était un excellent conseil. Je me félicite de l'avoir suivi. Depuis lors, on m'en reparle sans cesse, on m'en aime, on m'en loue. Au fond, je me demande si cet acte de clémence n'a pas fait davantage pour ma gloire que toutes mes victoires. Mais, je vous en prie, messire Drake, continuez.

— Le tournoi s'est magnifiquement déroulé. J'en ai été le vainqueur et j'ai gagné la prime offerte par Duff de Klyme. Quand Raven s'est rendu compte que le Chevalier Noir n'était autre que le garçon avec lequel elle avait grandi, elle est venue me demander de l'aider à échapper à ce mariage qui la dégoûtait. Elle voulait que je l'escorte jusqu'en Écosse. J'ai refusé car j'avais de vieux griefs contre elle.

Drake expliqua lesquels.

— Je sais aujourd'hui que j'avais tort de lui en vouloir, conclut-il, et que ce n'était pas elle qui avait dénoncé à son père mon intention d'enlever Daria.

— Pourquoi dame Raven voulait-elle tant échapper à Waldo ?

— Elle le tient pour responsable de la mort de Daria.

Édouard se donna le temps de digérer cette nouvelle, et puis, il ordonna à Drake de poursuivre son récit. Drake dit que Raven avait réitéré ses demandes et qu'il avait réitéré ses refus et il raconta comment Waldo avait essayé de l'empoisonner. Ensuite, il but une lampée de vin pour s'encourager, sachant d'avance que la suite allait déplaire au roi.

— Le mariage a donc eu lieu comme prévu, après le tournoi, reprit-il. J'y ai assisté et j'ai trop bu. Le vin m'a rendu mauvais. J'ai soudain eu envie de punir Waldo pour toutes les injustices que ma mère et moi avions subies. Vers minuit, Raven est allée se coucher. J'ai pensé que Waldo allait s'empresser de la rejoindre. Au lieu de cela, il a trouvé bon de faire des plaisanteries salaces à propos de Raven et il a continué à boire jusqu'à ce qu'il s'endorme sur la table. Et cela, le soir de ses noces ! C'est alors que j'ai décidé de prendre quelque chose que Waldo estimait au plus haut point : la virginité de sa femme. C'était une infamie et je ne sais pas comment j'ai pu trouver cela logique et légitime.

Le roi parut estomaqué.

— Par Dieu, moi non plus ! Votre audace me sidère.

L'honneur de Drake lui commandait d'absoudre Raven.

— Pour finir, dit-il, je suis allé rejoindre dame Raven dans la chambre nuptiale et je l'ai prise de force.

— Quoi ! vous l'avez violée ? s'exclama Édouard d'une voix tonnante.

— Ma foi, oui, votre Grâce.

— C'est faux, sire, il s'accuse à tort. J'étais consentante.

Drake se leva d'un bond, renversant du vin sur son pourpoint.

— Raven ! Que fais-tu ici ? C'est une conversation privée. Tu n'aurais pas dû écouter.

— Je n'ai pas écouté, j'ai entendu. J'étais redescendue pour parler au roi.

— Eh bien, attrapez une chaise et asseyez-vous à côté de moi, proposa Édouard. Je suis tout ouïe. Messire Drake vous a-t-il violée, oui ou non ?

— Ce n'était pas un viol, votre Grâce. J'ai commencé par résister mais, bien vite, j'ai cédé à son charme. Je me suis donnée de mon plein gré. Il m'a déflorée, certes, mais sans brutalité. Waldo aurait foulé aux pieds mon innocence. Le viol, c'est Waldo qui l'aurait commis.

Elle baissa les yeux et poursuivit à mi-voix :

— Lorsque c'est arrivé, je n'avais pas revu Drake depuis des années mais je n'avais jamais cessé de l'aimer. Cette nuit-là, il n'a fait que prendre ce que je lui avais toujours destiné.

Drake tressaillit. C'était la première fois que Raven parlait d'amour.

— Sire, reprit Raven, Drake vous a-t-il dit que c'était moi qui étais allée le retrouver à son campement et qui lui avais demandé de m'emmener avec lui ?

— Je regrette sincèrement ce que j'ai fait à Raven, intervint Drake. Lorsqu'elle est apparue cette nuit-là, devant mon pavillon et qu'elle m'a demandé de l'escorter jusque chez sa tante en Écosse, l'honneur commandait que je la prenne sous ma protection aussi longtemps qu'elle en aurait besoin. Mais je savais que Waldo irait la chercher en Écosse. Et sa tante n'aurait pas pu la protéger aussi bien que moi. Alors, je l'ai emmenée avec moi à Windhurst.

— Et vous en avez fait votre concubine ? dit Édouard sur un ton réprobateur.

— Disons plutôt ma maîtresse régnante, rectifia Drake.

— J'étais d'accord, insista Raven. Drake vous a-t-il dit que Waldo l'a enfermé dans le cachot de Klyme ? Qu'il l'a battu et affamé ?

— Drake, tomber entre les mains de Waldo ? s'étonna le roi.

— Dans une bataille très inégale, votre Grâce, expliqua Raven. Lorsque Waldo s'est mis en route avec son armée et ses machines de guerre, Drake a bien vu que les remparts de Windhurst n'étaient pas en état de soutenir un siège. Alors, après m'avoir mise en sûreté chez sa grand-mère au pays de Galles, il a attaqué Waldo. Mais Waldo pouvait compter sur le renfort des hommes de mon frère. Et Drake a croulé sous le nombre.

— Je savais que cette histoire nous entraînerait loin, dit Édouard en faisant signe à Raven de continuer.

— Une fois qu'il tenait Drake à sa merci, Waldo m'a envoyé messire John pour me dire qu'il tuerait Drake si je ne me livrais pas à lui sous quinzaine. Comme je ne voulais pas laisser mourir Drake, j'ai cédé à son chantage. À mon arrivée à Klyme, on m'a enfermée dans une chambre pour que j'y attende le bon plaisir de Waldo.

— C'est de plus en plus palpitant, dit Édouard en se redressant. Comment vous êtes-vous sortis de là ?

Drake prit le relais, racontant à grands traits l'évasion par le souterrain et le retour mouvementé jusqu'à Windhurst.

— Et maintenant, Waldo va venir vous réclamer sa femme sous la menace d'une armée et de quelques catapultes ? dit Édouard.

— C'est plus que probable.

— Et vous, dame Raven, êtes-vous prête à retourner vivre avec votre mari ?

— Je vous demande pardon, votre Grâce, répondit Raven, mais je ne considère pas Waldo comme mon mari. La cérémonie a eu lieu mais le mariage n'a pas été consommé. Je suis une honnête fille, je n'ai jamais appartenu qu'à un seul homme et, acheva-t-elle en se jetant aux pieds du roi, je vous en conjure, ne me forcez pas à retourner avec mon mari.

— Mais enfin ! s'exclama Drake. À quoi joues-tu ? Je pensais que tu voulais me quitter.

— C'était une ruse. Je savais que Waldo allait venir. Je ne veux plus qu'on s'entre-tue à cause de moi. Tu as assez souffert, Drake. Je devenais un fardeau. Je voulais juste te simplifier la vie.

— Je t'ai déshonorée aux yeux du monde, repartit sèchement Drake. En réparation du tort que je t'ai fait, j'ai juré de te protéger jusqu'à la dernière goutte de mon sang.

— C'est ton amour que je voulais, murmura Raven.

Se rendant compte de l'énormité de l'aveu qu'elle venait de faire, elle baissa les yeux.

— Je vous demande humblement pardon, votre Grâce. Je ne sais plus ce que je dis.

— Regarde-moi, Raven, ordonna Drake, oubliant le roi d'Angleterre, oubliant tout ce qui n'était pas les battements de son propre cœur.

Lorsqu'elle tourna vers lui un visage mouillé de larmes, il lui prit la main et l'aida à se rasseoir.

— Qu'attends-tu de moi ? lui demanda-t-il.

— Faut-il que je redise sans cesse ce que tu sais déjà ? s'écria-t-elle d'une voix entrecoupée de sanglots.

— Je ne sais rien. Nous n'avons jamais parlé de nos sentiments.

— Comment aurions-nous pu parler de nos sentiments alors que je n'étais pas libre ? Et maintenant tu n'es plus libre non plus. Tu vas épouser dame Willa, et moi, si j'ai de la chance, je serai autorisée à aller finir mes jours en Écosse.

Édouard se redressa et croisa les bras. Lui qui aimait les belles histoires, il y avait longtemps qu'il n'avait rien entendu de plus prenant.

— J'ai une question à te poser, Raven, dit Drake.

— Vas-y !

— Je veux savoir si tu es enceinte.

— Pardieu, moi aussi j'ai envie de connaître la réponse à cette question, dame Raven, dit le roi en se penchant vers l'avant pour ne rien perdre de sa réponse.

Raven devint blanche comme un linge.

— Comment l'as-tu su ?

Un sourire éclaira le visage de Drake.

— Tu n'étais plus toi-même ces temps derniers. Tu t'es évanouie. Ce n'est pas ton genre. Si tu te souviens bien, je me suis inquiété plusieurs fois de ta santé. Et puis, il y a des petits signes qui ne trompent pas. Ta taille n'est plus aussi fine, tu as souvent mal au cœur. Comment ne m'en suis-je pas aperçu plus tôt ? Quel idiot j'ai été !

— Je suis d'accord avec cela, dit Édouard. En tant que père de treize enfants, il y a longtemps que j'aurais remarqué les symptômes. Un grave problème subsiste toutefois. Raven est l'épouse d'un autre homme. Si elle devait retourner vivre avec son mari, l'enfant, légalement, lui appartiendrait.

Drake se leva d'un bond.

— Plutôt mourir !

— Je vais aller me coucher, dit le roi en bâillant derrière son poing. Il paraît que la nuit porte conseil. À mon réveil, qui sait ? j'aurai peut-être trouvé une solution qui satisfasse tout le monde.

Édouard se leva et quitta la pièce, les laissant vider leur différend.

— Viens, dit Drake, il est temps d'aller nous coucher.

Raven lui prit la main et le suivit dans l'escalier. Elle s'attendait à ce qu'il la laisse devant la porte de sa chambre mais il n'en fut rien. Il la suivit à l'intérieur. La pièce baignait dans la lumière dorée de la lune.

Raven se tordit les mains. Elle était au comble de l'embarras. À présent, Drake savait qu'elle avait fait pire que d'envisager de le quitter : elle lui avait caché qu'elle était enceinte de lui.

— Je préfère dormir seule, dit-elle en voyant qu'il s'apprêtait à retirer ses bottes.

— Et moi, je préfère dormir près de toi, répondit-il. Couche-toi, Raven, tu as l'air épuisée. Ce soir, nous allons seulement parler, pour tenter de clarifier les choses.

Trop fatiguée pour discuter, Raven ôta sa robe, versa de l'eau dans une cuvette et se rafraîchit le visage. Et puis, elle se mit au lit, en ayant soin de garder sa chemise. Drake se déshabilla entièrement et se coucha à côté d'elle.

Elle se crispa quand il la prit dans ses bras.

— Parle-moi de notre enfant. Depuis combien de temps sais-tu que tu es enceinte ?

— Je l'ai su à Klyme. Je me suis coupée et j'ai mis du sang sur mes vêtements et sur les draps pour convaincre la maîtresse de Waldo que j'avais eu mes règles. Waldo se refusait à me toucher tant qu'il n'était pas sûr que tu ne m'avais pas fécondée. S'il avait su que j'attendais un enfant de toi, il m'aurait tuée. Même si je ne supportais toujours pas l'idée qu'il me touche, je ne pouvais pas sacrifier ton enfant.

— Tu aurais couché avec mon frère et tu lui aurais fait croire que l'enfant était de lui ? dit Drake sur un ton d'amer reproche.

— Je n'avais pas le choix. J'ai espéré un miracle mais, oui, j'étais prête à tout pour sauver notre enfant. Par bonheur, Dieu n'a pas exigé de moi un sacrifice aussi affreux. Il a entendu mes prières et il t'a envoyé à mon secours.

— Pourquoi ne m'as-tu rien dit ? Pourquoi voulais-tu quitter Windhurst alors que tu savais que je t'aurais protégée au péril de ma vie ? Ta lettre a bien failli me rendre fou. J'aurais été capable de te remettre entre les mains de Waldo à l'instant où il se serait présenté à la porte du château.

— Comme je l'ai dit tout à l'heure devant le roi, je ne voulais pas que tu t'exposes pour moi. Je serais allée me placer sous la protection de ma tante. *Jamais*, dit-elle en soulignant le mot, jamais je ne serais retournée avec Waldo.

— À mon avis, même le roi d'Écosse n'aurait pas pu empêcher Waldo de te récupérer. Aucune loi ne protège les épouses en fuite contre la colère de leurs maris. Maintenant, la haine de Waldo n'est plus seulement dirigée contre toi.

— Tu vas te marier avec dame Willa, rappela Raven sur un ton accusateur. Ta fiancée m'a fait clairement comprendre que je ne serais pas la bienvenue dans sa demeure. C'est toujours vrai. Le roi n'a pas dit qu'il pourrait renoncer à son projet de te la faire épouser. Je n'ai plus ma place dans ta vie, Drake.

— Étais-tu sincère tout à l'heure, Raven ?

Elle plissa le front, essayant de se souvenir de ce qu'elle avait dit.

— À propos de quoi ?

— Quand tu as dit que tu m'aimais.

— Comment pourrais-tu douter de mon amour ? s'écria Raven. Quand j'étais petite fille et que tu n'étais encore qu'un simple écuyer, je t'admirais comme si tu avais été Lancelot du Lac et je rêvais d'être ta Guenièvre. J'étais jalouse de ton affection pour Daria.

— Tu avais douze ans, tu étais trop jeune pour éprouver un véritable attachement. Je parle de maintenant, Raven.

— Écoute-moi bien, Drake de Windhurst ! Je ne suis plus une petite fille. Je suis une femme à présent, avec des sentiments de femme et des désirs de femme. Et je te le redis solennellement : tu es l'homme que j'aime, l'homme que j'ai toujours aimé.

— Je t'ai déshonorée, rappela-t-il.

— Non, tu n'as rien fait de tel. Tu m'as permis de vivre une nuit de noces que je n'oublierai jamais.

— C'était quand même une mauvaise action.

— Et tu en as été suffisamment puni, repartit Raven. Nous ne serons jamais mari et femme mais je veux que tu saches que…

— Mariés ou pas, dit-il en l'interrompant, tu es mienne et il en sera toujours ainsi. Je ne t'abandonnerai pas, Raven. Même le roi ne pourrait pas m'y contraindre. S'il le faut, nous irons en France, ou en Italie, ou ailleurs, peu importe, pourvu que nous y soyons ensemble.

— Tu renoncerais à Windhurst pour moi?

— Je donnerais ma vie pour toi. Ne te l'ai-je pas déjà prouvé?

— Tu as fait ce que ton honneur commandait, répliqua Raven, toujours incapable de croire que le glorieux Chevalier Noir était amoureux d'elle.

— Au diable, mon honneur! s'exclama Drake. Je n'ai pas demandé à tomber amoureux. J'avais seulement le projet de faire de Windhurst le plus beau château du Wessex. Naturellement, il aurait fallu que je me marie un jour, ne serait-ce que pour avoir des héritiers. Je savais même déjà quel genre de femme j'allais choisir. Elle serait jeune, vertueuse et soumise. Elle ne se rebellerait jamais contre mon autorité, elle ne me ferait jamais de reproches. Surtout, je voulais une femme qui me soit indifférente.

— Tu viens de décrire dame Willa, murmura Raven.

— Et puis, je t'ai rencontrée, reprit Drake. Une femme avec toutes les qualités requises pour me déplaire.

— Et tu ne m'as pas aimée.

— Faux. Je ne t'ai aimée que trop.

— Tu as refusé de m'aider à fuir, malgré toutes mes supplications.

— Oui, acquiesça Drake, et ce n'est pas la seule erreur que j'ai commise. Mais à quoi bon nous quereller quand nous voulons tous les deux la même chose?

Raven retint son souffle.

— Laquelle, Drake ?

— Être ensemble.

— Oh, oui, Drake, s'écria Raven. C'est ce que j'ai toujours voulu. Par malheur, le ciel et le roi sont ligués contre nous.

— Je t'aime, Raven, et...

— Et ? demanda-t-elle, l'espoir au cœur.

— Je t'aime, c'est tout. Je n'aurais jamais pu aller jusqu'au bout de la cérémonie de fiançailles, hier soir, si elle avait dû avoir lieu. Par amour pour toi, j'étais prêt à tenir tête au roi. Messire John est arrivé avec le père Ambrose avant que j'aie eu le temps de faire connaître mes intentions.

Raven avait cessé d'écouter après l'avoir entendu dire qu'il l'aimait.

— C'est bien vrai ? murmura-t-elle.

— J'étais prêt à mourir pour toi. Tu ne devrais plus pouvoir douter de mon amour.

Elle se pelotonna dans ses bras et s'endormit peu après, l'esprit en repos. Bien sûr, demain, d'autres épreuves l'attendaient. Mais Drake l'aimait et, pour l'instant, c'était tout ce qui comptait.

Raven se coucha sur le ventre et mit l'oreiller sur sa tête. Comment dormir alors que quelqu'un dehors jouait de la trompette ? Quel tintamarre. Elle comprit que quelque chose n'allait pas quand Drake sauta du lit et commença à s'habiller.

— Que se passe-t-il ?

— N'entends-tu pas ? Cette sonnerie, c'est le signal que quelqu'un approche du château. À l'heure qu'il est, toute la garnison est sans doute déjà sur le pied de guerre. Je dois y aller.

— Sois prudent, dit Raven. C'est peut-être Waldo.

Drake se rendit sur les remparts pour attendre les intrus. Messire Richard et messire John y étaient déjà.

— Voyez-vous la bannière ? demanda Drake.

— Pas encore, répondit messire John. Attends! je crois que je commence à distinguer quelque chose. Un faucon debout, sur fond d'azur et d'or. Ce sont les couleurs de la maison de Lleyn.

Soudain, le roi se trouva près d'eux. Il regarda l'armée qui s'approchait.

— Qui va là, messire Drake?

— C'est Waldo de Lleyn, votre Grâce.

— Pensez-vous qu'il ait l'intention d'attaquer Wind-hurst?

— Oui, sire. Je m'attendais à sa venue. Il doit être d'une humeur de barbare.

— Quand il verra la bannière royale au sommet de vos remparts, je vous prédis qu'il va se «débarbariser» promptement, repartit Édouard avec conviction. Attaquer un lieu où se trouve le roi, ce serait un crime de lèse-majesté qui lui vaudrait de poser bientôt la tête sur le billot. Lorsque Waldo sera à portée de voix, invitez-le à entrer. J'ai hâte de lui apprendre qu'il n'est plus comte de Lleyn.

Il se tourna pour partir.

— Sire, lui dit Drake. Deux mots, s'il vous plaît?

— Deux mots, soit, messire Drake. Mais pas un de plus. J'ai faim.

— Je ne sais pas ce que vous avez décidé au sujet de Raven mais je ne l'abandonnerai pas. Nous nous aimons. Elle attend un enfant de moi. Je vous en conjure, votre Grâce, donnez dame Willa à un homme qui sera mieux à même que moi d'apprécier ses merveilleuses qualités. Sa beauté ne m'émeut pas, sa vertu me refroidit et je n'ai pas besoin de sa fortune.

— Nous reparlerons de cela plus tard, dit Édouard d'un ton tellement cassant que Drake se garda d'insister. Portez-vous plutôt à la rencontre de votre invité, ajouta-t-il. La journée menace d'être très intéressante.

Waldo avait envoyé l'un de ses chevaliers en éclaireur. L'homme revint avec une nouvelle extraordinaire.

— Messire Waldo, l'étendard du roi flotte sur les remparts de Windhurst !

— C'est impossible ! s'exclama Waldo, sidéré. Qu'est-ce qu'Édouard viendrait faire à Windhurst ?

Duff se porta à leur hauteur et se mêla à la conversation.

— Quelque chose qui ne va pas ?

— S'il faut en croire messire Justin, le roi est à Windhurst, expliqua Waldo avec aigreur.

— C'est la vérité, monseigneur, insista messire Justin.

— Tu ne vas pas attaquer Windhurst si le roi s'y trouve, dit Duff.

— C'est vrai, morbleu ! répondit Waldo. Que vais-je bien pouvoir faire maintenant ?

— Je suis sûr que tu vas trouver quelque chose, dit Duff sur le ton de la raillerie.

Un vague sourire retroussa les lèvres de Waldo.

— Oui, tu as raison, Duff. Je sais exactement ce que je vais faire. Raven est ma femme. Même le roi ne peut rien contre cela. Je vais demander à entrer. Une fois dans le château, j'accuserai Drake d'avoir enlevé ma femme et d'en avoir fait sa putain. Le roi n'aura pas d'autre choix que de punir messire Bâtard.

— Tu as oublié Raven. Elle va sans doute réfuter ton accusation en affirmant qu'elle n'a pas été enlevée.

Un éclair de férocité passa dans les yeux de Waldo.

— Elle n'osera pas me contredire. Ou alors, ce sera tant pis pour elle.

Duff ne dit rien de plus. Il connaissait bien sa sœur. Si elle tenait à Drake, elle n'hésiterait pas à le défendre.

— C'était donc vrai, marmonna Waldo en arrivant en vue du château. C'est bien l'étendard du roi qui flotte sur les remparts.

En redescendant du chemin de ronde, Drake se prépara mentalement à recevoir Waldo. Il avait donné l'ordre de baisser le pont-levis. Tous ses hommes étaient à leurs postes, l'arme à la main. Il arriva près de la porte et attendit.

Pas longtemps. Waldo laissa ses chevaliers derrière lui et s'approcha de la herse qui gardait l'entrée du château. Duff se trouvait à ses côtés. Drake ne s'étonna guère de sa présence.

— Comme on se retrouve, messire Bâtard, lança Waldo avec son habituel dédain.

Drake serra les dents pour ne pas être tenté de lui dire qui était vraiment le bâtard de la famille, ce privilège revenant au roi.

— Oui, répondit-il en souriant. Et toujours avec autant de satisfaction.

— Je veux ma femme, dit Waldo. Lève la herse.

— Sois le bienvenu dans ma demeure, dit Drake. Je suppose que tu viens en paix.

La herse se leva dans un grand bruit de ferraille et Waldo et Duff purent entrer. Lorsque l'armée de Waldo s'apprêta à suivre son seigneur, la herse se rabattit, barrant l'entrée.

— Où je vais, mes hommes vont, dit Waldo.

— Impossible, le château est déjà plein comme un œuf. L'escorte du roi est en garnison dans la salle de garde et sa suite a élu domicile dans le logis. Mais n'aie crainte, il ne t'arrivera aucun mal. Le roi ne pardonnerait pas à deux de ses chevaliers de s'entrebattre sous son nez.

— Comment va ma sœur ? demanda Duff anxieusement.

Drake le toisa.

— T'en soucies-tu vraiment ?

— Oui. Raven est tout ce qui me reste comme famille. J'ai commis quelques graves erreurs dans ma vie. L'une d'entre elles a été de donner Raven à Waldo. J'espère qu'elle me pardonnera.

— Bah, tu dis des âneries ! s'exclama Waldo. Raven est à moi et personne n'y peut plus rien changer. Pas même le roi ne peut empêcher un homme d'accéder à son épouse légitime. Je suis bien aise qu'Édouard soit ici, continua-t-il en s'adressant directement à Drake. Ce que tu as fait est tellement déshonorant qu'il va peut-être te bannir du royaume.

— Peut-être, admit Drake.

Il craignait effectivement que le roi ne tranche en faveur de Waldo. Si c'était le cas, il était disposé à se rebeller. Car il ne savait pas si un roi peut empêcher ou non un mari d'accéder à sa femme, mais il était sûr d'une chose : nul n'a le droit de séparer deux êtres qui s'aiment.

Édouard était en train de déjeuner à la table d'honneur lorsque Drake entra dans la grande salle, avec Waldo et Duff sur ses talons. Les trois hommes mirent un genou en terre et attendirent que le roi daigne s'apercevoir de leur présence.

— Relevez-vous, leur dit-il, et venez déjeuner avec moi.

Ils s'assirent en face de lui. Des serviteurs apportèrent à manger et à boire et ils déjeunèrent en silence. Waldo bouillait d'impatience mais il réussit à tenir sa langue jusqu'à ce que le roi ait vidé son tranchoir.

— Sire le roi, dit-il alors, je suis venu chercher ma femme. Mon intention était de la récupérer de vive force mais, puisque la Providence veut que votre Grâce se trouve ici, je vais réclamer votre justice. Vous ai-je dit que Drake l'a violée et enlevée ? C'est une triste histoire, sire, mais vraie néanmoins.

— Raven n'est pas ta femme, dit Drake.

— Morbleu ! Bien sûr qu'elle est ma femme. Va la chercher.

Comme Drake ne donnait pas l'impression de vouloir accéder à sa demande, Waldo poursuivit :

— Le roi sait-il que tu l'as réduite à l'état de catin ? Le fait que je sois prêt à la reprendre malgré ses souillures en dit long sur la bonté de mon caractère.

Édouard s'éclaircit la voix.

— Messire Drake, veuillez aller chercher messire John, le père Ambrose et mon confesseur. L'heure est venue de renseigner messire Waldo sur son nouveau rang dans le royaume. Et, ajouta-t-il, pendant que vous y serez, dites à dame Raven de venir, puisque tout ceci la concerne également.

Drake se leva, transmit ses ordres à Balder et revint se rasseoir. Waldo pâlit.

— De quoi s'agit-il, votre Grâce ? Je suis ici pour demander qu'on me rende ma femme, pas pour semer la zizanie. Et qu'est-ce que c'est que ce nouveau rang dont vous parlez ? Je suis Waldo, comte de Lleyn.

La réponse du roi fut retardée par l'arrivée de Raven. Drake se leva pour l'accueillir et la fit asseoir près de lui.

— J'espère que tu as préparé tes affaires, lui dit Waldo en guise de bienvenue, parce que nous partons pour Lleyn aujourd'hui même.

Raven regarda Drake. Ses yeux trahissaient sa peur. Drake lui mit la main sur l'épaule pour la rassurer.

— Rien n'est encore décidé, lui dit-il.

Waldo tiqua en entendant cela.

— De quoi parles-tu ? demanda-t-il. Il n'y a rien à décider. Raven est à moi.

Il se tourna vers le roi.

— Sire, les comtes de Lleyn ont toujours été loyaux envers la couronne, j'exige du respect.

— Ne vous en faites pas pour cela, messire Waldo, le comte de Lleyn jouit du respect du roi, dit Édouard.

— Ne croyez pas un mot de ce que mon bâtard de frère vous a dit, votre Grâce. Je ne fais que réclamer mon dû.

— L'actuel comte de Lleyn jouit de mon estime et de mon affection, répondit Édouard.

Waldo bomba le torse et regarda Drake avec commisération.

— Messire Waldo, reprit le roi, je vous présente le nouveau comte de Lleyn. Debout, messire Drake !

Drake se leva. Il avait longtemps attendu ce moment. Une immense fierté l'envahit. Sa mère, enfin, était vengée. Le titre importait peu, de même que la fortune. Ce qui comptait vraiment, c'était la reconnaissance publique de sa légitimité.

18

Ennemi ne dort.

Waldo se leva d'un bond, le visage tordu par la rage.

— Sire, je ne sais pas ce que Drake vous a dit mais c'est forcément un mensonge. Le seul et unique comte de Lleyn, c'est moi.

— Tout doux ! dit Édouard sur un ton péremptoire. Pour juger, je ne me contente jamais de la parole d'un seul homme. Il existe une preuve que Leta ap Howell et messire Basil de Lleyn étaient légalement mariés. Ce qui fait de Drake de Windhurst le fils aîné de Basil et son héritier, tandis que vous…

Le roi laissa sa phrase en suspens mais Waldo comprit très bien ce que cela voulait dire.

— Faites-moi voir cette prétendue preuve, dit Waldo. Je me fais fort d'en démontrer la fausseté.

— Ah, voici le père Ambrose et messire John, dit Édouard.

— Quelqu'un aurait-il la bonté de me dire qui est ce père Ambrose ? demanda Waldo.

— Le père Ambrose est le curé qui a marié mes parents, répondit Drake. Ce mariage était légal et celui de Basil avec ta mère ne l'était pas. Les deux mariages se sont suivis de trop près pour que le premier ait eu le temps d'être annulé. C'est pourquoi le père de Basil a essayé d'en effacer toute trace en faisant brûler l'église. En conclusion, le bâtard de la famille, c'est toi, Waldo, pas moi.

— Le prêtre ment, dit Waldo. Il a été payé pour faire un faux témoignage.

Le père Ambrose fit un pas en avant.

— Je ne mens pas, mon fils. J'ai célébré ce mariage de bonne foi et je l'ai consigné moi-même dans le registre paroissial. J'ai apporté la preuve de ce que j'avance.

— Ton église a brûlé il y a des années et ton satané registre avec, l'abbé, répliqua Waldo. Tu es un imposteur.

— Cela suffit ! rugit Édouard. L'église a brûlé, mais pas le registre. Le document que j'ai vu constitue une preuve irréfutable et ma décision est prise. Tout ce que j'attends de vous, messire Waldo, c'est que vous prêtiez serment à votre suzerain.

— Prêter serment à Drake ! éructa Waldo. Non, jamais !

Son regard se posa sur Raven et un sourire grimacier déforma ses traits.

— Tu m'as dépouillé de mon titre et de mes biens mais tu ne peux pas me prendre ma femme. Par Dieu, Raven m'appartient et j'ai le droit de l'emmener avec moi quand je quitterai ce maudit château.

L'expression de Drake devint féroce.

— Auparavant, il faudra me tuer, dit-il.

— Mon cher frère, je peux t'arranger ça, répondit suavement Waldo.

— Oh oui, je suis sûr que ça te plairait. Il y a long-temps que je me demande pourquoi tu tenais tant à me voir mort. Maintenant, j'ai compris : tu avais peur que la vérité ne soit découverte.

— Et encore, tu ne sais pas tout ! grommela Waldo entre ses dents.

À haute et intelligible voix, il dit :

— Sire, personne n'a le droit de m'enlever ma femme. Il n'y a que Dieu qui puisse séparer ce que Dieu a uni.

— Ce n'était pas un vrai mariage, intervint Raven. Pour être légal, un mariage doit avoir été consommé et le nôtre ne l'a pas été.

— Quant à savoir si notre mariage a été consommé ou non, c'est ta parole contre la mienne.

— Et nous savons tous que tu es un fieffé menteur, répliqua Raven. Depuis combien de temps sais-tu que Drake est le véritable héritier du comté de Lleyn ?

— Je ne suis pas obligé de répondre à tes questions, *ma mie.*

— Peut-être pas, intervint Édouard. Mais vous êtes obligé de répondre aux miennes. Depuis combien de temps savez-vous que c'est Drake, l'héritier de Basil ?

Drake pensa que son frère allait mentir mais apparemment Waldo avait trop peur du roi pour s'y risquer.

— Je le sais depuis que j'ai été en âge de m'étonner que Drake soit éduqué à Klyme avec moi. J'ai interrogé mon père. Il a confirmé mes soupçons. Si Drake avait été un bâtard, il n'y aurait eu aucune raison pour que mon père se donne autant de peine pour lui.

Cela dit, il se tourna de nouveau vers Raven.

— Viens, toi ! Il est temps de partir.

Raven lança au roi un regard suppliant.

— Sire, je vous en conjure, ne me forcez pas à partir avec Waldo. Je ne pourrais jamais vivre auprès d'un homme que je tiens pour responsable de la mort de ma sœur.

— Qu'avez-vous à répondre à cela, messire Waldo ? demanda Édouard.

— Ma femme ne sait pas ce qu'elle dit, votre Grâce. Daria est morte d'un mal de ventre. Et personne ne pourra prouver le contraire.

— Je ne vais rien décider avant d'avoir pesé le pour et le contre, dit le roi en lissant sa barbe. Il s'agit d'une affaire délicate. Le père Ambrose et mon confesseur consentiront sans doute à me faire profiter de leur sagesse. Quand j'aurai entendu leurs avis, je déciderai si votre mariage est légal ou non.

— Mon mariage est légal, persista Waldo. Drake n'aura pas Raven. Il y a trop longtemps que je la veux.

— Il ne s'agit pas de Drake, affirma Édouard. Drake a déjà une fiancée.

— Quand puis-je espérer votre réponse ? demanda Waldo un peu cavalièrement.

— Je vais m'entretenir avec les prêtres et je vous informerai de ma décision quand je l'aurai prise. D'ici là, messire Duff et vous, je vous laisse libres d'aller camper au milieu de vos hommes ou bien de rester au château.

— Je vais rester, dit Duff avec détermination. Je n'ai pas toujours été un bon frère pour Raven et je veux faire amende honorable.

— Je vais rester aussi, dit Waldo.

— Très bien, conclut Édouard, qu'il en soit ainsi. Je suis sûr que messire Drake va vous trouver des logements convenables dans le donjon.

Sur un signe de Drake, Balder vint s'incliner respectueusement devant Duff et Waldo.

— Veuillez me suivre, messeigneurs, leur dit-il.

Tout de suite après, le roi s'en alla et les autres aussi. Drake et Raven restèrent seuls.

— Je suis inquiète, dit Raven. Que se passera-t-il si le roi décide que je dois suivre Waldo et qu'il te force à épouser dame Willa ? Je hais Waldo de toute mon âme. Si je dois être sa femme, j'en mourrai. Et, d'ailleurs, où m'emmènerait-il ? Le château de Lleyn ne lui appartient plus.

— Je crois que sa mère lui a laissé un petit domaine du côté d'York. Il n'est pas réduit à la mendicité. Mais, toi, ne t'inquiète pas. Je jure qu'il ne t'aura jamais. Quelle que soit la décision d'Édouard, tu es à moi.

Il scella sa promesse par un long baiser.

— Le devoir m'appelle, dit-il ensuite. Essaie de ne pas t'inquiéter. Je suis sûr que le roi prendra la bonne décision.

Il n'avait pas envie de quitter Raven mais l'administration du château était une lourde tâche, surtout avec le roi dans ses murs. Lorsqu'il sortit de la grande salle, le capitaine de ses gardes vint à sa rencontre.

— Monseigneur, le capitaine des gardes de Waldo voudrait vous parler. Il vous attend près du pont-levis.

— Sais-tu ce qu'il veut ? demanda Drake, un peu étonné.

— Non, mais il tient à vous parler personnellement.

Une scène stupéfiante attendait Drake de l'autre côté du pont-levis. En bon ordre derrière leur capitaine, que Drake reconnut immédiatement comme étant messire Hugh de Blackstone, l'homme qui l'avait empêché de mourir de faim et de soif dans le cachot de Klyme, se trouvait l'armée de Waldo.

— Que se passe-t-il, messire Hugh ?

— C'est simple, monseigneur. Nous souhaitons prêter serment de fidélité au Chevalier Noir, le nouveau comte de Lleyn.

Messire Hugh s'agenouilla, aussitôt imité par tous les autres. La gorge de Drake se serra. Il n'aurait jamais cru qu'un jour il inspirerait un tel respect.

— Comment savez-vous cela ?

— Les nouvelles vont vite. Nous venons juste de l'apprendre. Je parle au nom de tous ceux qui sont ici, tant chevaliers qu'hommes d'armes. Nous vous rendons hommage, messire Drake de Lleyn et de Windhurst.

Hugh tendit sa main droite, paume ouverte. Drake y posa le pied pour signifier qu'il acceptait l'hommage.

— Relevez-vous, ordonna-t-il. Et considérez-vous désormais comme mes hommes liges.

— Quels sont vos ordres, monseigneur ? demanda messire Hugh en se relevant.

— Vous assisterez à la fête de ce soir mais, dès demain, je veux que vous alliez à Lleyn pour protéger le château. Et dites à l'intendant que je vais bientôt venir inspecter le domaine et qu'il s'apprête à me rendre des comptes.

Waldo arriva sur ces entrefaites.

— Que se passe-t-il ici ? s'exclama-t-il. Je venais parler à mes hommes. De quel droit donnes-tu des ordres à mon capitaine des gardes ?

— Ce ne sont plus tes hommes, répondit calmement Drake. Je suis le nouveau comte de Lleyn. Ils viennent tous de me rendre hommage.

— Tous ? demanda Waldo, estomaqué.

— Oui, tous. Je leur ai ordonné de retourner à Lleyn. Ici, à Windhurst, il n'y a pas de quoi nourrir autant d'hommes.

— Attendez ! hurla Waldo à l'adresse de messire Hugh. Je vous donne l'ordre de rester.

— Nous sommes désormais au service du Chevalier Noir, répondit posément messire Hugh. Messire Drake est un preux, nous sommes fiers de l'avoir pour seigneur. Vous n'avez plus d'ordre à nous donner.

Ayant dit ce qu'il avait à dire, messire Hugh salua Drake et fit signe à ses hommes de retourner à leur campement.

— Tu me paieras ça, Drake, dit Waldo entre ses dents. Tu crois que tout est à toi, mais il y a Raven. Elle est ma femme. Tu l'auras peut-être… mais morte. Retiens bien ce que je viens de te dire.

Sur ce, il tourna les talons. Si Drake avait pu savoir ce qu'il méditait, il l'aurait tué sur place.

La grande salle du donjon s'était remplie à l'heure du dîner. Le roi fit son entrée, avec les deux prêtres sur ses talons. Il avait l'air soucieux. Raven se demanda s'il avait déjà pris sa décision. Assise auprès de Drake, elle s'efforçait de paraître calme malgré son anxiété. Waldo ne la quittait pas des yeux. Il n'avait pas été invité à la table d'honneur, Dieu merci, mais sa seule présence dans la pièce suffisait à gâter l'atmosphère.

Tout en dégustant le morceau de gibier que Drake avait posé sur son tranchoir, elle regarda Duff. Il était assis à côté de dame Willa et lui faisait la conversation. Elle semblait à l'aise avec lui. À la manière dont elle le regardait, on aurait même dit qu'il lui plaisait. Ce qui n'avait rien d'inconcevable, étant donné qu'il était plutôt beau garçon et d'un caractère facile. Ç'aurait même été la crème des hommes s'il n'y avait eu Waldo pour l'inciter à faire des choses contraires à son tempérament.

Quelle n'avait pas été la surprise de Raven lorsque Duff était venu lui demander pardon. Il avait regretté de l'avoir forcée à épouser un homme qui lui faisait horreur et il avait juré de ne plus jamais lui nuire. Ils avaient fait la paix et Duff avait dit à Raven qu'elle serait toujours la bienvenue à Klyme et qu'il la protégerait contre Waldo si elle le lui demandait.

Raven pensait que Duff allait changer du tout au tout maintenant qu'il avait échappé à la maléfique influence de Waldo. Apparemment, dame Willa n'avait pas été longue à découvrir les bons côtés de Duff.

Une idée traversa l'esprit de Raven. Duff n'était pas fiancé. Pour autant qu'elle sache, il n'avait pas de concubine. Il était en âge de se marier. Lorsqu'elle vit dame Willa rosir à un compliment que Duff lui fit, elle se dit qu'il y avait de l'espoir.

Drake, la voyant sourire, se pencha pour lui parler à l'oreille.

— Qu'y a-t-il de si amusant ?

— Regarde Duff et Willa, répondit Raven. Ils ont l'air de bien s'entendre.

Drake jeta un coup d'œil dans leur direction et sourit à son tour.

— Tu penses qu'elle aime mieux Duff que moi ?

— Sincèrement, je l'espère. Je ferais peut-être bien de lui demander son avis. Je pense que le roi veut le bonheur de sa pupille et Duff a besoin d'une épouse.

Drake la regarda tendrement.

— J'ai toujours su que tu étais finaude.

Après le repas, le roi tint de nouveau conseil avec les prêtres. Drake partit s'exercer à la quintaine avec ses chevaliers. Waldo demanda qu'on selle son cheval et sortit faire un tour. Duff rejoignit Drake dans la lice.

Raven aborda Willa avant qu'elle ne quitte la grande salle.

— Puis-je vous dire quelques mots, dame Willa ?

L'espace d'un moment, elle crut que Willa allait refuser de lui parler. Mais Willa finit par accepter, quoique de mauvais gré.

— De quoi voulez-vous parler ?

Raven entra directement dans le vif du sujet.

— J'ai l'impression que vous plaisez beaucoup à mon frère.

— Votre frère est un galant homme. Il ne m'effraie pas comme…

Il fallut que Raven achève elle-même la phrase.

— Comme le Chevalier Noir ?

Willa acquiesça d'un battement de ses longs cils.

— Dans ce cas, pourquoi tenez-vous tant à l'épouser ?

— Je n'y tiens pas, repartit Willa. C'est pour plaire au roi. Mais je ne m'attendais pas à ce que le Chevalier Noir soit aussi… *hum !*… viril. J'avais espéré quelqu'un comme… *hum !*… messire Duff. Mais je vais obéir au roi et m'efforcer d'être une bonne épouse pour messire Drake. Avez-vous l'intention de partir avec votre frère ? Je ne me réjouis pas de ce mariage mais ce n'est pas pour cela que je vais accepter que mon mari entretienne une maîtresse.

— Il se pourrait que ce mariage n'enchante pas non plus votre futur mari, suggéra Raven. Drake ne renoncera jamais à moi. Si vous préférez vraiment Duff, vous devriez le faire savoir au roi. Duff est un aussi beau parti que Drake. Il est de très haut lignage et sa fortune est immense. Et il fera un meilleur mari, car il ne sera pas tenté d'avoir des concubines.

— La fortune de messire Drake surpasse celle de messire Duff, maintenant qu'il est comte de Lleyn, dit Willa d'un ton songeur. Avec la mienne, cela fera une puissante alliance.

— Et au lit, gente demoiselle ? Serez-vous capable de supporter ses assauts ? Pour moi qui le connais, je peux vous assurer qu'ils sont rudes et fréquents.

Willa pâlit.

— J'ai déjà eu l'opportunité de l'informer qu'une fois que je serai enceinte je ne voudrai plus de lui dans mon lit. Et que je ne serai disposée à refaire *ça* que s'il veut un autre enfant.

Raven éclata de rire.

— J'imagine facilement ce qu'il vous a répondu.

— Est-il donc insatiable ? demanda Willa, visiblement choquée.

— Oui, mais ce n'est pas nécessairement une mauvaise chose.

Willa fit la grimace.

— Pour moi, si.

— Alors, je vous suggère de jeter votre dévolu sur quelqu'un d'autre. Sur messire Duff, précisément. C'est le genre d'homme capable de se plier aux exigences d'une chaste épouse. Messire Waldo l'a entraîné sur le mauvais chemin. Mais Duff a fait amende honorable et je crois sincèrement qu'il va changer de vie. Vous êtes exactement le genre de femme qu'il lui faut pour l'empêcher de suivre des dévoyés comme Waldo.

— Vous le pensez vraiment ? demanda Willa. De fait, j'ai l'impression que messire Duff me trouve à son goût. Et il est loin de me déplaire.

— Dans ce cas, vous savez ce qui vous reste à faire, dit Raven.

— Tout cela, c'est pour Drake, n'est-ce pas ? Vous le voulez pour vous toute seule ?

— Oui, répondit Raven. Mais pas pour moi toute seule, ajouta-t-elle en se passant la main sur le ventre. Pour moi *et mon bébé*. Nous avons tous les deux besoin de lui.

Sur ce, elle s'éloigna, le cœur léger et le sourire aux lèvres.

Ce soir-là, le roi parut d'excellente humeur. Le pont-levis était resté baissé et la herse levée pour que les hommes qui campaient de l'autre côté des douves puissent aller et venir à leur guise. La grande salle était pleine. Pendant le banquet, Édouard parla de chose et d'autre mais ne dit rien, ni à propos du sort qu'il réservait à Raven, ni de la conversation qu'il avait eue avec dame Willa pendant l'après-midi. Mais il avait l'œil malicieux. Raven aurait bien aimé savoir ce que cela voulait dire et elle se rongea les sangs d'un bout à l'autre de l'interminable repas.

La présence de Drake à ses côtés, pour une fois, ne suffit pas à la rassurer. Lorsque le dernier jongleur eut chanté son dernier chant, le roi se leva et réclama le silence.

— Je propose de boire à la santé du maître de céans, dit-il en se tournant vers Drake. Longue vie à messire Drake de Lleyn et de Windhurst !

Un tonnerre de vivats et de hourras retentit dans l'immense salle. Le roi but une gorgée et puis se tourna vers Raven.

— Et, ajouta-t-il, longue vie à la nouvelle comtesse de Lleyn et de Windhurst !

Au fond de la salle, Waldo lâcha sa coupe de vin et un affreux juron. Tous les regards se tournèrent vers lui et le silence se fit.

— Approchez, messire Waldo ! ordonna Édouard.

Waldo accourut, les dents serrées, le menton levé, l'air pugnace.

— Sire, vous ne pouvez pas faire ça ! lança-t-il en se plantant hardiment devant le roi. Mon mariage avec Raven est légal et indissoluble.

— Il n'a pas été consommé, rétorqua Édouard. Ma décision est prise. Puisque ma présence ne s'impose plus, j'ai décidé de partir demain. Je n'avais pas l'intention de rester à Windhurst aussi longtemps. Je suis pressé. Certains des seigneurs ici présents savent déjà pourquoi.

— Les prêtres sont-ils du même avis que vous ? demanda Waldo. Sont-ils d'accord pour faire fi d'un mariage dont la légalité n'est pas contestable ?

— Ils sont d'accord avec moi. La légalité du mariage est contestable pour autant qu'il n'a pas été consommé. Comme roi, j'ai le pouvoir de l'annuler et c'est ce que je fais.

— Mais, le pape… commença Waldo imprudemment.

— Il suffit, messire Waldo ! dit le roi en l'interrompant d'une voix terrible. Je vous rappelle que nous sommes en Angleterre, un pays où il n'a jamais fait bon invoquer le pape contre l'autorité royale. Votre mariage avec Raven puait l'inceste. Et si le pape n'en a pas été incommodé, moi, si. De plus, vous aviez omis de me demander l'autorisation de vous marier…

— Et dame Willa ? demanda Waldo. N'était-elle pas promise à Drake ?

— C'est un projet que j'avais conçu seul sous mon royal bonnet, répondit le roi. Mais il n'a plu à personne. Il semblerait que dame Willa préfère quelqu'un d'autre, poursuivit-il en gratifiant sa pupille d'un sourire emprunt d'une tendresse toute paternelle. Messire Duff m'a tantôt demandé sa main.

— Duff ! s'exclama Waldo. Cette larve !

Édouard leva une main impérieuse.

— Taisez-vous ! ordonna-t-il. Vous êtes un félon. J'avais une décision à prendre et je l'ai prise. Maintenant, hors de ma vue !

Défiguré par la colère, Waldo salua avec beaucoup plus d'insolence que de respect et s'en alla.

— Ce soir, messeigneurs, il ne s'agit pas seulement d'un banquet mais d'une célébration, annonça pompeusement le roi. Je demande au père Ambrose et au père Bernard de me rejoindre.

Les deux prêtres se levèrent de leur banc et s'approchèrent.

— Je ne veux pas quitter Windhurst sans avoir eu la joie d'assister au mariage de messire Drake avec dame Raven et de messire Duff avec dame Willa.

Duff, fièrement, et Willa, timidement, se laissèrent conduire par les propres écuyers du roi jusqu'au centre de la salle où, au terme d'une très brève cérémonie, ils furent déclarés unis par les liens sacrés du mariage. Après quoi, l'assistance fit une ovation aux nouveaux époux. Raven fut la première à féliciter son frère et sa belle-sœur. Elle était ravie que Duff ait échappé à la mauvaise influence de Waldo pour devenir enfin lui-même. Duff avait fait beaucoup de choses qu'elle avait du mal à lui pardonner mais elle espérait qu'avec le temps les griefs finiraient par s'oublier.

Puis, ce fut le tour de Drake et Raven. Malgré son bonheur, Raven était en proie à des mauvais pressentiments. Elle se disait que c'était à cause de sa grossesse. Elle avait entendu dire que les femmes enceintes ont facilement des idées noires et des lubies. Mais il y avait aussi le fait que, tant que Waldo vivrait, elle ne serait jamais en paix : pas morte la bête, pas mort le venin.

— Qu'est-ce qui ne va pas, ma chérie ? lui demanda Drake en la voyant s'assombrir. Tu as des regrets ?

— Mais non, voyons ! Devenir ta femme, c'est ce dont j'ai toujours rêvé !

— Alors, quoi ?

Incapable de fournir une explication sensée, Raven se mordit les lèvres.

— C'est un je-ne-sais-quoi, dit-elle à tout hasard.

— Un je-ne-sais-quoi qui a nom Waldo ?

— Oui, reconnut-elle. Il me fait peur. Il rôdera toujours autour de nous avec l'idée de nous faire du mal.

— Je peux lui tenir tête. Il n'a plus aucun pouvoir. Il n'est pas sans le sou mais il ne dispose plus des ressources du comté de Lleyn.

— Que va-t-il faire ?

— Se réfugier dans son petit domaine près d'York pour y lécher ses plaies. Fais comme moi, oublie-le. Il ne te fera plus jamais de mal, je te le promets.

Un instant plus tard, le rêve de Raven se réalisa. Elle devint l'épouse du Chevalier Noir. Les yeux remplis de larmes, elle échangea avec Drake un long baiser tandis que l'assistance les acclamait. Puis, au mépris de tout protocole, Drake souleva Raven dans ses bras et la porta jusqu'à leur chambre au sommet du donjon et ne s'en sépara que pour la déposer sur le lit.

— C'est notre nuit de noces qui commence, Raven, murmura-t-il d'une voix sourde en glissant une main sous sa robe. Et je vais tellement bien t'aimer que, ce mariage-là, aucune autorité sur terre ne pourra jamais l'annuler pour non-consommation !

19

Ce qui vient du diable retourne au diable.

Drake fut réveillé en sursaut par les cloches qui sonnaient le tocsin. Il sauta à bas du lit et s'habilla promptement. Comme il ne savait pas quel genre de catastrophe l'attendait, guerre, émeute ou incendie, il prit son épée à tout hasard et s'apprêta à sortir. C'est alors qu'il vit les vagues de lumière orange qui déferlaient contre les fenêtres et il comprit.

Il posa son épée, enfila une cuirasse et courut vers la porte. Mais la voix de Raven arrêta son élan.

— Drake, que se passe-t-il ?

Au même moment, quelqu'un se mit à cogner du poing contre la porte.

— Drake, c'est John, il y a le feu dans la cour intérieure. Le poulailler est déjà en cendres et les cuisines sont menacées.

Le cœur de Drake se mit à battre à coups redoublés.

— Faites la chaîne avec des seaux, ordonna-t-il à travers la porte. Je descends tout de suite.

— Attends-moi, dit Raven en commençant à repousser la couverture.

— Ne bouge surtout pas, mon amour, répondit Drake. Reste dans le donjon, tu y seras en sécurité.

Raven acquiesça à contrecœur. Drake l'embrassa sur les lèvres et se dépêcha de sortir. Elle se leva bientôt et s'habilla en toute hâte, afin d'être prête si l'on avait besoin d'elle en bas. Puis, elle alla regarder par la fenêtre.

Les rougeoiements de l'incendie, sur fond de ciel noir, avaient quelque chose d'infernal.

De l'endroit où elle était, elle ne pouvait pas voir le poulailler. Il était de l'autre côté du donjon, séparé de la cuisine par un appentis dont le toit de chaume risquait de s'embraser à la moindre flammèche. Que le vent se lève et c'était tous les bâtiments de la cour intérieure qui partiraient en fumée.

Pendant qu'elle s'inquiétait, la porte de la chambre s'ouvrit sans qu'elle l'entende. Elle ne sentit pas non plus que quelqu'un s'approchait dans son dos. En fait, elle ne s'aperçut de rien jusqu'à ce qu'une large main s'abatte sur sa bouche et qu'un bras musculeux s'enroule autour de sa taille.

— Eh bien, *ma chère épouse,* nous voici enfin seuls, dit une voix doucereuse tout contre son oreille.

Waldo ! Prise de frayeur, elle essaya de lui donner des coups de pied dans les tibias mais que pouvaient ses délicates pantoufles contre les jambières de Waldo ?

Il la secoua méchamment.

— Essaie encore une fois et je te tue, gronda-t-il.

Soudain, il enleva la main qui servait de bâillon à Raven. Libre d'appeler à l'aide, elle entrouvrit la bouche… et ravala son cri en sentant la pointe d'un couteau contre son ventre, à l'endroit où dormait son bébé.

— Qu'est-ce que tu veux ?

— Cela me semble évident, murmura Waldo.

Il sortit de sa poche une corde et lui commanda de mettre les mains derrière le dos. Craignant pour la vie de son bébé, elle obéit. Après lui avoir lié les poignets, il la renversa sur le lit.

— Si tu me touches, je crie, menaça-t-elle, pensant qu'il envisageait de la violer.

— Tu pourrais hurler comme un âne sans que personne t'entende, répondit-il. Ils sont tous en train de combattre l'incendie et les murs sont épais. Mais, si c'est ce qui t'affole, rassure-toi, je n'en veux pas à ton entrecuisse, poursuivit-il en s'agenouillant pour lui lier les chevilles. Drake n'a qu'un point faible et c'est toi. La pire chose qui puisse lui arriver, c'est de te perdre. Je pourrais te tuer maintenant mais ce serait trop facile. J'ai d'autres projets en tête. Tu vas mourir de mort lente. Et Drake n'aura plus qu'à crever de chagrin.

Raven fut tentée de céder au désespoir. Waldo avait raison. Elle aurait pu crier à tue-tête sans que personne l'entende. Mais, pour avoir une chance de survie, elle devait garder son sang-froid.

— Où allons-nous ?

— Tu le sauras toujours assez tôt.

Apercevant un manteau qui pendait à un crochet, il s'en empara, ainsi que d'une écharpe de soie qui traînait sur un banc. Raven n'eut pas le temps de lui demander ce qu'il comptait faire de l'écharpe car il s'en servit tout de suite pour la bâillonner.

— Comme cela, je ne serai plus obligé d'écouter ton caquetage.

Il la força à se relever, l'enveloppa dans son manteau, lui couvrit la tête avec la capuche et la hissa sur son épaule comme un sac de blé. Raven, dans cette position, ne voyait plus grand-chose, à part les talons de Waldo.

Il ouvrit la porte et jeta un coup d'œil dans le couloir.

— Il n'y a personne nulle part, se réjouit-il.

Son épaule labourait le ventre de Raven et, lorsqu'il s'engagea dans l'escalier, les secousses lui arrachèrent des plaintes que le bâillon étouffait. Elle essaya de lui donner des coups de pied mais le bougre l'avait bien ligotée.

Au rez-de-chaussée, la grande salle était déserte. La déception de Raven se transforma en panique lorsqu'elle se rendit compte que tout le monde, y compris les serviteurs, était dans la cour, en train de combattre le feu. Waldo traversa la grande salle et ouvrit la porte. En sentant l'air frais sur ses joues, Raven releva la tête et vit des gens qui couraient avec des seaux et ne s'occupaient que de lutter contre l'incendie. Elle se considéra comme perdue. Waldo allait réussir à l'enlever sans que personne s'aperçoive de rien !

Waldo, tournant le dos aux bâtiments en feu, s'en alla vers les écuries. Soudain, Raven comprit que l'incendie n'était pas accidentel. Celui qui avait mis le feu avait bien choisi l'endroit et le moment. C'était un habile coquin. C'était Waldo.

Une fois dans l'écurie, Raven put constater que le cheval de Waldo était déjà prêt. Il la jeta sur l'encolure de l'animal et se mit en selle. Puis, il fit prendre à sa monture le chemin de la sortie. Le pont-levis était baissé et la herse levée pour permettre aux chevaliers qui campaient hors les murs de se déplacer librement. Au grand désarroi de Raven, les gardes avaient abandonné leur poste pour combattre le feu, comme tout le monde dans le château.

Lorsqu'ils eurent franchi le pont-levis, Raven comprit que plus rien ne pourrait empêcher Waldo d'accomplir sa vengeance. Drake ne verrait jamais son enfant. Elle serait morte avant d'accoucher.

Waldo longea un moment la falaise, et puis il engagea son cheval dans un sentier qui descendait en pente douce jusqu'à la plage. L'océan se fracassait sur les rochers, le vent mugissait. Raven se demanda si l'intention de Waldo n'était pas de la noyer.

Le bruit du ressac devint de plus en plus assourdissant. Raven sentit le picotement glacé des embruns sur ses joues.

— Nous y sommes presque, dit Waldo par-dessus le bruit des flots.

Où ? pensa Raven, éperdue. Lorsque Waldo tira sur les rênes, elle craignit d'avoir vu juste et que Waldo n'aille effectivement la noyer. Il n'en fut rien. Une fois descendu de cheval, il la mit sur son épaule et partit, non pas vers la mer mais vers la falaise. Il s'engagea dans un sentier très pentu. Quelques centaines de pas plus loin, tout pantelant, il laissa tomber Raven sur le sol. Elle se retrouva quelque part où il faisait tellement noir qu'elle se crut dans la gueule de l'enfer.

Une lumière jaillit de Dieu sait où. Waldo apparut, une torche à la main. Raven se dit qu'il avait tout prévu.

— Comme tu peux le constater, dit-il, nous sommes dans une grotte. Je l'ai trouvée par hasard tantôt en me promenant. Je ne pouvais pas rêver mieux. C'est ici que je vais t'abandonner, pour que tu y meures de faim et de soif. On ne te retrouvera peut-être jamais.

Raven essaya de le maudire malgré son bâillon, ce qui le fit rire à gorge déployée.

— Drake ne songera jamais à venir te chercher ici, dit-il en la narguant.

Il s'agenouilla devant elle, l'aida à s'asseoir et lui ôta son bâillon.

— Personne ne pourra t'entendre, les vagues font trop de bruit, reprit-il. Que penses-tu de mon plan, Raven de Klyme ? Il est ingénieux, n'est-ce pas ?

Raven inspira profondément, rassembla le peu de salive qui lui restait dans la bouche et cracha au visage de Waldo. Lui, vert de rage, commença par s'essuyer la joue et puis il la gifla du revers de la main. La violence du coup la fit reculer.

— Tu es le diable incarné !

— C'est maintenant que tu t'en aperçois ?

— Pourquoi fais-tu tout cela ?

— Parce que je déteste Drake. Et parce que la meilleure façon de l'atteindre, c'est à travers toi. Mettre le feu au château, c'était une bonne idée, avoue-le.

— C'est l'œuvre d'un démon.

Il se redressa et la toisa de haut en bas.

— J'espère que tu aimes la solitude, Raven. Parce que c'est ce qui t'attend. La solitude, et puis la mort.

— Attends, ne pars pas comme cela. Je suis enceinte. Vas-tu immoler un enfant innocent sous prétexte que tu détestes ses parents ?

— Un enfant ! s'exclama gaiement Waldo. C'est encore mieux que je n'espérais ! Drake le sait-il ?

Raven acquiesça d'un hochement de tête.

— Un enfant! répéta Waldo. Je ne me serais jamais attendu à une telle aubaine! Ah, Dieu, que la vengeance a de charme!

Raven le regarda avec des yeux ronds d'horreur. Elle n'aurait jamais imaginé qu'on puisse être aussi diabolique. Et elle était plus que jamais disposée à croire qu'il avait tué Daria.

— Avant que tu ne m'abandonnes à mon triste sort, dit-elle, j'ai une question à te poser. Mais je ne sais pas si tu vas avoir le cran de me répondre.

— Pose-la toujours, nous verrons bien.

— As-tu tué Daria?

C'était brutal et Waldo réfléchit un long moment avant de répondre.

— Puisque tu tiens à le savoir, dit-il enfin, et que tu ne resteras pas en vie assez longtemps pour le répéter à tous les vents, je ne vois pas d'inconvénient à te l'avouer. Oui, j'ai tué Daria.

Raven se mit en fureur.

— Monstre! Pourquoi? Qu'avait-elle fait pour mériter de mourir?

— Elle en savait trop. J'avais peur qu'elle ne parle.

— À propos de quoi? Rien n'est assez important pour justifier un crime.

— Tu crois cela? Alors, laisse-moi te dire exactement pourquoi j'ai été obligé d'empoisonner Daria. Ma mère est morte peu de temps après mon mariage avec Daria. Sur son lit de mort, cette idiote a fait un aveu à Basil. Elle lui a dit qu'elle était enceinte d'un autre homme lorsqu'elle l'avait épousé. Cet enfant du péché, c'était moi. C'est d'ailleurs pourquoi le père de ma mère tenait tant à ce que le mariage ait lieu sans retard.

Raven ravala son souffle.

— Tout le monde pense que tu es un bâtard parce que le mariage de tes parents était entaché de nullité. Mais c'est pire que cela! Tu n'es même pas le fils de Basil?

— Non, et quand il l'a su, il a décidé de désigner Drake comme son seul et unique héritier. Je devais à tout prix empêcher cela, comprends-tu ?

— Alors, tu l'as tué ? dit Raven. Il n'est pas mort dans un accident de chasse ?

— J'ai manigancé sa mort pour l'empêcher de me déshériter. N'importe qui d'autre à ma place en aurait fait autant, non ? J'ai payé quelqu'un pour qu'il tue Basil en s'arrangeant pour que cela ressemble au forfait de quelque braconnier. Par malheur, Daria a surpris une conversation entre moi et l'assassin à gages. Elle en a entendu assez pour comprendre ce qui s'était passé. Elle tenait ma vie entre ses mains, j'avais le droit de prendre la sienne.

Raven était accablée.

— Tu es un démon, dit-elle dans un soupir. Tu as tué deux personnes pour protéger le secret de ta naissance. Et puis, tu as essayé de tuer Drake, par crainte qu'il ne découvre un jour la vérité et ne récupère son héritage.

— Oui, et tu n'as pas encore tout entendu. C'est toi que j'ai toujours voulu, Raven. Mais Basil m'a fiancé à Daria sans que j'aie eu mon mot à dire et ton père t'a promise à Aric.

— Dans ce cas, la mort d'Aric n'a pas dû beaucoup te chagriner.

Waldo ricana.

— Crois-tu que la mort d'Aric soit due au hasard ? Il est mort en héros sur le champ de bataille. Mais c'est un de mes archers qui l'a tué, pas un arbalétrier ennemi.

Raven frémit de dégoût.

— Sainte Vierge ! Tu as fait assassiner Aric ?

— Oui. J'étais prêt à tout pour t'avoir, Raven. J'ai attendu des années la dispense du pape, j'ai dépensé des fortunes pour graisser la patte à quelques cardinaux influents. Et tu en as choisi un autre. Tu as signé ton arrêt de mort le jour où tu as forniqué avec le Chevalier Noir.

Cela dit, il tourna les talons.

— Non ! s'écria Raven. Je t'en conjure, ne me laisse pas mourir ici.

— Adieu, Raven ! répondit-il en lui jetant un dernier regard. Ta mort sera pour Drake la pire des tortures. Penses-y pendant ton agonie.

L'instant d'après, la grotte se retrouva plongée dans l'obscurité. Raven commença par crier, et puis elle éclata en sanglots.

Waldo retourna au château, content de lui. Il franchit le pont-levis sans encombre. Ah, il avait bien travaillé ! En entrant dans la cour intérieure, il vit que le feu était éteint presque partout. Il sourit. Ç'avait été une riche idée d'allumer cet incendie. Il avait fait diversion… sans compter les bâtiments réduits en cendres.

Waldo ramena son cheval à l'écurie, lui ôta sa selle et le bouchonna sommairement. Puis, il se faufila jusqu'au donjon. La grande salle était toujours aussi déserte. Il retourna dans sa chambre préparer son bagage. Le temps qu'il redescende, quelques serviteurs étaient revenus et se hâtaient de préparer à manger pour la horde d'affamés qui n'allait pas tarder à se ruer sur eux.

Waldo sortit dans la cour. L'aube commençait à poindre à travers les nuages. Il se mit en quête de Drake. Il voulait que Drake le voie partir seul, afin de ne pas être soupçonné quand on s'apercevrait de la disparition de Raven.

Lorsque Drake le vit venir, il remarqua tout de suite que ses vêtements n'étaient ni sales ni froissés et il en conclut que Waldo était resté à l'abri pendant que tout le monde s'escrimait contre l'incendie.

— Je viens te faire mes adieux, messire Drake, comte de Lleyn et de Windhurst et autres lieux circonvoisins, annonça Waldo avec panache. J'espère bien ne plus jamais te revoir.

Drake pensait de même.

— Où étais-tu quand nous avions besoin de toi ? Tu n'as pas entendu le tocsin ?

— Si, je l'ai très bien entendu. Mais pourquoi aiderais-je quelqu'un qui m'a spolié ?

— Ah, messire Drake, vous voici !

Le roi apparut, en habit de voyage.

— Je suis sur le départ, annonça-t-il. Les devoirs de la couronne m'appellent où vous savez. Il est temps que moi et ma suite nous vous laissions en paix. Vous savez ce qu'on dit, les invités sont comme le poisson, après trois jours, ils puent… même les invités royaux.

— Sire, répondit Drake en riant, je vous jure qu'il n'y avait aucun danger que votre Grâce m'offusque jamais les narines. Je vous suis infiniment reconnaissant pour tout ce que vous avez fait pour moi. Me ferez-vous la joie de déjeuner avec moi ?

— Non, je dois partir sans tarder. Mais vos serviteurs nous ont donné de quoi manger en route.

— Sire, tout ce qui est à moi est à vous, dit Drake.

— Moi aussi, votre Grâce, je quitte Windhurst ce matin même, dit Waldo.

— Faites, messire, lui répondit Édouard en le congédiant d'un geste de la main. Au plaisir de ne jamais vous revoir.

Le roi et son contingent de chevaliers et d'hommes d'armes s'en allèrent sur-le-champ. Duff avait déjà annoncé son intention de partir le jour même, et Drake comprenait fort bien sa hâte de se retrouver seul avec sa jeune épouse.

Les hommes étaient en train de se rassembler dans la grande salle pour manger. Drake s'arrêta près du puits pour faire un brin de toilette, puis il retourna dans le donjon, pressé d'annoncer à Raven que les feux étaient tous éteints, qu'il n'y avait ni morts ni blessés et que les dégâts seraient vite réparés. Il était content que, pour une fois, elle lui ait obéi et soit restée sagement dans son lit.

La porte de la chambre était entrouverte. Il entra et l'appela, s'attendant à ce qu'elle accoure et lui saute au cou. Rien de tel ne se produisit.

— Raven, où es-tu, ma chérie ?

Pensant qu'elle était partie « là où le roi va tout seul », comme disait joliment dame Willa, il se déshabilla, persuadé qu'elle serait revenue avant qu'il n'ait fini de se changer. Comme Raven n'apparaissait toujours pas, il craignit qu'elle ne soit malade. Il courut jusqu'au petit endroit et trouva la pièce vide. Il se dit qu'il n'y avait aucune raison de s'inquiéter, qu'elle était sans doute dans la cour avec les femmes qui installaient une cuisine de fortune en attendant que l'autre soit réparée.

Ne la trouvant pas dans la cour, cette fois, il prit peur. Il ordonna à ses hommes de fouiller le château. Il interrogea Duff et Willa, mais ils n'avaient pas revu Raven depuis la veille au soir.

— Où est Waldo? demanda Duff. Je n'ai pas confiance en lui.

— Moi non plus, répondit Drake. Waldo a quitté Windhurst tôt ce matin. Je lui ai parlé juste avant son départ. Il était seul.

L'un après l'autre, les hommes de Drake revinrent, tous également bredouilles. Raven n'était pas dans le château. Drake, tout en sachant que Raven ne se serait jamais aventurée seule en dehors du château, fit quand même fouiller les alentours.

— Que penses-tu qu'il lui soit arrivé? demanda Duff lorsqu'ils se retrouvèrent tous dans la grande salle après leurs vaines recherches.

— Waldo, répondit Drake. Ça ne peut être que lui.

— N'as-tu pas dit qu'il était parti seul?

— Oui, mais j'ai quand même des doutes. Waldo n'était pas dans la cour avec ceux qui essayaient d'éteindre l'incendie. La grande salle était déserte. Le feu occupait tous les esprits. Il n'y avait même plus de sentinelles près du pont-levis. Je pense maintenant que le feu a été allumé exprès pour faire diversion. C'est le genre de chose dont Waldo est tout à fait capable si cela peut servir ses noirs desseins.

— Oui, approuva Duff, Waldo a toujours été perfide. J'ai vu de quoi il était capable. S'il a enlevé Raven, Dieu sait ce qu'il va lui faire.

Waldo chevauchait comme s'il avait le diable à ses trousses. Drake n'était pas idiot. Il allait finir par se douter que c'était lui qui était responsable de la disparition de Raven, et il se lancerait à sa poursuite. Par chance, il avait plusieurs heures d'avance et il espérait tromper Drake en n'allant pas à York. Il filait vers le sud, vers Exeter, où il sauterait dans le premier navire en partance pour Bayeux ou bien pour la Bretagne. Il avait intérêt à quitter l'Angleterre avant que l'affaire s'ébruite et que le roi le mette hors la loi.

Huit cavaliers, dont Drake, messire John et messire Richard, quittèrent Windhurst et partirent au triple galop vers le nord. Duff avait proposé de venir avec eux mais Drake avait préféré qu'il reste au château, pour le cas où Raven réapparaîtrait. Ils chevauchèrent pendant deux heures jusqu'à ce que tout à coup Drake arrête son cheval et saute à terre. Mû par une force qu'il était seul à ressentir, il se tourna vers le sud. Il savait que ses hommes seraient surpris par son étrange comportement mais tant pis. La vie de Raven était en jeu. S'il s'était trompé sur la destination de Waldo, Raven risquait d'en mourir.

— Que se passe-t-il, Drake ? demanda messire John.

— Waldo n'est pas parti vers le nord, répondit Drake d'un ton assuré.

— Tu penses qu'il est parti à Londres ?

— Non, pas à Londres.

— Alors, où ça ?

Une voix tintait à son oreille. Une voix qu'il était seul à entendre. Grand-mère Nola ? Et cette voix disait : « Va vers le sud, c'est là qu'est ta proie. »

Drake parut se pétrifier.

— Qu'est-ce qui ne va pas ? s'écria John. Es-tu malade ?

— Malade ? Moi ? répondit Drake en revenant à lui. Non, je vais bien. Seulement, voilà : Waldo est parti vers le sud.

— Vers le sud, mais…

— Fais-moi confiance, John.

— Tu penses qu'il a emmené Raven avec lui ?

Drake soupira.

— Je n'en sais rien.

Il entendit un grondement, et puis, de nouveau, la mystérieuse voix. La réponse était claire.

— Non, ma femme n'est pas avec Waldo. Mais il sait où elle est.

L'expression de son regard aurait effrayé Lucifer lui-même. Drake se remit en selle, éperonna son destrier et partit vers le sud.

Waldo ralentit pour laisser souffler son cheval. Il savait qu'il était proche du rivage, car il entendait le bruit des vagues et il sentait l'air marin. Il sourit. Il était presque arrivé à Exeter. Sous peu, il voguerait vers la France, où il serait provisoirement en sûreté. Son seul regret, c'était de n'avoir jamais couché avec Raven. Il aurait pu la prendre de force avant de l'abandonner dans la grotte, mais le temps pressait et, de toute façon, même si le danger lui en avait donné l'envie, le froid lui en avait coupé les moyens.

Il était euphorique. Que c'était bon d'avoir vaincu le Chevalier Noir, l'enfant chéri d'Édouard ! Il n'avait reculé devant rien pour empêcher Drake d'hériter du comté de Lleyn, et il avait échoué. Mais il avait réussi à priver Drake de quelque chose qui lui était infiniment plus précieux que tous les titres et toutes les richesses du monde.

Pour atteindre la rive, il n'avait plus qu'une petite forêt à traverser. Il trouva un sentier bien entretenu qui allait le mener jusqu'à Exeter. « Bientôt, pensa-t-il, je serai hors d'atteinte de la vengeance de Drake et de la justice du roi. »

Certain d'avoir gagné, il devint moins vigilant. C'était oublier que les forêts sont fréquentées par toutes sortes de malandrins et de ruffians. Il fut surpris quand deux hommes tombés des arbres lui firent vider les étriers. Avant d'avoir eu le temps de dégainer son épée, il se retrouva avec un poignard sous la gorge.

— La bourse ou la vie, dit l'un des voleurs, un chauve à cou de taureau.

Waldo répugnait à se laisser dépouiller de l'escarcelle cachée sous sa tunique et qui représentait sa sauvegarde contre les caprices du sort.

— Je ne suis qu'un pauvre homme, dit-il. Je n'ai rien à vous donner.

Les voleurs, ne le croyant pas, le forcèrent à se lever et le fouillèrent.

— Exactement ce que je pensais, dit l'homme au cou de taureau quand son compère trouva l'escarcelle bien gonflée et bien lourde. Il y a combien, là-dedans ?

L'autre ouvrit l'escarcelle et s'aperçut qu'elle était pleine de pièces d'or du meilleur aloi.

— Assez pour faire trois belles parts, répondit-il joyeusement. Maintenant, dépêchons-nous de filer.

— Et lui ? demanda l'homme au cou de taureau.

— Tue-le ou laisse-le en vie, cela n'a pas beaucoup d'importance.

L'homme au cou de taureau partit à reculons, ayant apparemment choisi de lui laisser la vie sauve. Mais Waldo, décidé à récupérer son or coûte que coûte, dégaina son épée et la lui plongea dans le ventre. L'homme poussa un cri d'ours blessé et se plia en deux. Waldo retira son épée et se rua sur l'autre brigand, pensant que c'était le seul qui restait. S'il avait bien écouté, il aurait entendu parler de faire *trois* parts. Le bénéficiaire de la troisième part en question, resté discret jusque-là, surgit derrière Waldo et lui passa son épée à travers le corps. Puis, les trois brigands, les deux valides et le blessé, s'enfuirent dans la forêt, tandis que Waldo, plus mort que vif, se vidait de son sang.

La nuit allait bientôt tomber. Drake et ses hommes avaient chevauché toute la journée. Les heures passant, Drake perdait peu à peu espoir de retrouver Raven vivante. Et s'il s'était trompé et que Waldo soit bel et bien parti vers le nord ?

— Monseigneur, nous ne sommes plus très loin du but, dit messire Richard. Je connais la région, j'y suis déjà venu. Il y a un sentier qui traverse cette forêt et Exeter se trouve juste de l'autre côté.

— Dépêche-toi de trouver ce sentier, dit Drake. On n'y voit déjà plus très clair. Si Waldo est à Exeter, nous lui mettrons facilement la main dessus. Il ne peut pas déjà avoir trouvé à s'embarquer.

La petite troupe s'engagea dans la forêt à la suite de messire Richard. Drake se posait toujours les mêmes questions : et si Waldo était parti à York ? Ou en Écosse ? Ou ailleurs ?

Soudain, un cheval apparut dans le sentier. Drake mit pied à terre et alla le prendre par la bride. Il reconnut le cheval que Waldo montait ce matin en quittant Windhurst.

Continuant à pied, Drake vit un homme couché face contre terre au milieu d'une mare de sang. Il le retourna et poussa un juron. Messire John arriva derrière lui.

— Qui est-ce ?

— Waldo.

— Est-il mort ?

Drake se pencha et posa l'oreille contre la poitrine de Waldo.

— Il respire, c'est tout ce que je peux dire.

Waldo poussa un grognement et ouvrit les yeux.

— Waldo, tu m'entends ? demanda Drake.

Pas de réponse.

— Waldo ! Pardieu ! Réponds ! Où est Raven ? Qu'en as-tu fait ?

Waldo essaya de parler mais sa voix était à peine audible.

— Drake ? Comment… as-tu fait pour… me retrouver ?

— Une intuition. Que t'est-il arrivé ?

— Des bandits de grand chemin. J'en ai estropié un.

Après un long silence, il ajouta :

— Est-ce que je vais mourir ?

Drake répondit crûment : « Oui. » Puis, il prit Waldo par le col et le redressa.

— Où est Raven ? As-tu envie d'arriver dans l'autre monde avec sa mort sur la conscience ? Elle attend un enfant.

Le torse percé de part en part, le visage livide, les lèvres exsangues, Waldo trouva encore la force de sourire.

— Tu ne la retrouveras jamais.

— Est-elle morte ?

— Non… pas encore.

Il toussa et cracha du sang.

— Où est-elle ? demanda Drake instamment.

Waldo poussait des râles d'agonisant. Le temps pressait.

— Allez, Waldo, soulage ta conscience, insista Drake. Où est-elle ?

Waldo dit encore quelques mots avant que la mort ne l'emporte :

— Soif… toute cette eau…

— Salaud ! lui cria Drake au moment où il rendit son dernier soupir. C'est le feu éternel qui t'attend.

— Il a demandé à boire, dit messire John.

Drake regarda Waldo, dont les yeux sans vie étaient grands ouverts. Il aurait voulu le ressusciter pour mieux le tuer lui-même. De l'eau ! Ce félon, qui n'avait jamais pris personne en pitié, avait utilisé son dernier souffle pour réclamer de l'eau !

Drake se redressa brusquement.

— Messire John, attache le corps de Waldo sur le dos de son cheval. Nous allons le ramener à Windhurst.

— Il y a un mort à dix pas de là, annonça l'un des hommes de Drake. Sans doute le brigand que Waldo disait avoir estropié. Que voulez-vous que nous en fassions, monseigneur ?

— Laissez-le aux bêtes sauvages et aux insectes.

20

Ennemis sont repos et gloire.

Lorsque la petite troupe franchit le pont-levis, Duff courut à leur rencontre. Il s'arrêta net lorsqu'il vit le cheval avec un cadavre sur son dos.

— C'est Waldo?

Drake hocha la tête.

— Est-il mort?

— Eh bien, oui.

— C'est toi qui l'as tué?

— Non. Et, par Dieu, je le regrette amèrement. Des brigands l'ont eu avant nous. Ça s'est passé dans la forêt près d'Exeter.

— Exeter! Mais je croyais que vous étiez partis vers le nord!

— Nous étions partis vers le nord. Et puis, soudain, j'ai eu l'intuition que nous faisions fausse route. J'ai pensé qu'au lieu d'aller à York il chercherait plutôt à quitter l'Angleterre. Alors, nous avons rebroussé chemin.

— Par Dieu, Drake! Avant de mourir, t'a-t-il dit où se trouve Raven? T'a-t-il dit seulement si elle est encore en vie?

Drake serra les poings.

— Avant de mourir, il n'a rien dit du tout. Ou plutôt si, il a demandé de l'eau. Je l'ai supplié de me dire ce qu'il avait fait de Raven et il m'a demandé à boire! Il s'est moqué de moi jusqu'au bout. Il a finalement réussi à me détruire.

— Il y a quelque chose qui m'étonne, Drake, repartit Duff en sourcillant. Je connaissais bien Waldo et je sais qu'il n'aurait jamais demandé d'eau. De la bière ou du vin, oui, mais pas d'eau. À ma connaissance, il n'en a jamais bu une goutte.

Qu'un mourant demande de l'eau, cela n'avait rien d'extraordinaire, même si, sur le moment, Drake avait trouvé étrange la requête de Waldo. Maintenant, à la lumière de ce que Duff venait de dire, Drake y réfléchit de nouveau. Waldo avait-il vraiment demandé à boire ? C'est ce que tout le monde avait compris. Mais qu'avait-il dit exactement ? *Soif* et puis *toute cette eau*... Ce n'était pas la même chose que *J'ai soif !* et *À boire !*

De l'eau, il y en avait beaucoup tout autour de Windhurst !

— Waldo ne peut pas l'avoir emmenée bien loin ! dit brusquement Drake. Pourquoi n'y ai-je pas pensé plus tôt ?

— Tu crois qu'il l'a noyée ? demanda Duff.

— Non. Il m'a dit qu'elle était encore en vie. Je commence à comprendre. Il l'a laissée quelque part où il y a beaucoup d'eau.

Messire John, qui n'avait pas perdu un mot de la conversation, intervint.

— Pour le moment, c'est la marée haute mais, dès que la mer refluera, tous les hommes descendront sur la plage, ils fouilleront chaque grotte, retourneront chaque pierre. N'aie crainte, monseigneur, nous te retrouverons ta femme.

— Veille à ce que chaque homme ait un cor. Le premier qui la voit sonne deux fois.

Messire John partit alerter la garnison et dame Willa s'approcha à son tour.

— Je prie pour que vous la retrouviez en bonne santé, dit-elle. Nous avons eu de petits différends mais mon mariage avec Duff a tout changé, elle n'est plus ma rivale mais ma belle-sœur. J'espérais que nous pourrions faire la paix et devenir amies.

— Nous allons la retrouver, dame Willa, dit Drake.

Ce qu'il ne pouvait pas promettre, c'était de la retrouver saine et sauve. Il n'y avait pas moyen de savoir ce que Waldo lui avait fait.

D'après ses calculs, c'était la deuxième nuit qu'elle passait dans cette grotte. Elle avait faim et soif. La faim, elle pouvait s'en accommoder. Mais pas la soif. Elle avait essayé de lécher la paroi humide de la grotte mais le goût de moisi était atroce. Pour l'heure, ce n'était plus la faim ni la soif qui la tourmentaient. Elle était gelée et elle avait mal partout.

Elle vit, dans l'ouverture de la grotte, que le ciel commençait à s'éclaircir. L'aube se levait sur un nouveau jour de souffrance et de désespoir. Depuis qu'elle était là, elle avait eu le loisir de méditer sur son triste sort. Elle ne voulait pas que cette grotte soit son tombeau.

En prenant appui sur la paroi, elle essaya de se relever. La douleur dans ses jambes était épouvantable. Elle avait besoin de toute sa volonté pour tenir en équilibre sur ses deux pieds attachés.

Lorsqu'elle eut moins mal et commença à se sentir plus stable, elle partit en sautillant vers la sortie. La lumière de l'aube, pourtant tamisée par les nuages, lui parut aveuglante. Elle battit des paupières et regarda vers le bas. La plage avait disparu sous des flots écumants. Raven se demanda comment elle allait pouvoir descendre le long de cette pente sans le secours de ses bras ni de ses jambes. De toute façon, tant que la mer ne se serait pas retirée, ce n'était pas la peine d'essayer.

Elle regarda en l'air et se rendit compte que personne ne pourrait l'apercevoir depuis le sommet de la falaise. Le salut se trouvait en contrebas. Il fallait qu'elle atteigne la plage. Mais, en descendant, elle risquait de tomber, au détriment de son bébé. Que faire ? Que ne pas faire ?

Elle s'appuya contre la falaise pour attendre la marée basse. La paroi était tout hérissée de pierres. Elle se blessa sur l'une d'entre elles, qui avait des arêtes plus vives que les autres. En regardant sa coupure, elle eut une idée. Si cette pierre pouvait lui entailler la chair aussi proprement, elle pouvait servir à couper la corde autour de ses poignets. Elle s'assit par terre, le dos à la paroi, et chercha à frotter ses liens contre le tranchant. Ses premiers essais furent infructueux car son manteau l'entravait. À regret, car il faisait froid, elle s'en débarrassa à coup de haussements d'épaules et le repoussa avec les pieds. Il tomba dans l'eau et fut entraîné vers le large.

Un peu plus libre de ses mouvements, elle essaya de nouveau, avec l'énergie du désespoir. Une éternité passa avant que les liens cèdent et, quand ils cédèrent, oh ! quelle douleur dans les bras ! Les larmes aux yeux, elle essaya de détacher ses chevilles mais ses mains pendaient au bout de ses bras comme deux gants vides.

Elle se redressa et regarda de nouveau le sentier abrupt. Atteindre la plage sans dommage, avec les chevilles attachées, tiendrait du miracle. Mais elle était obligée d'essayer. Elle fit un saut, un autre. À chaque fois, elle gagnait un peu de terrain. Le raidillon n'était pas très long mais fertile en chausse-trapes.

Elle continua d'avancer par bonds. Finalement, la chance l'abandonna. Une pierre se dérobant sous ses pieds, elle tomba violemment sur le sol, glissa, roula, dévala ce qui restait de la pente, atterrit dans le sable humide et perdit connaissance.

Drake avait déjà fouillé plusieurs grottes et il commençait à désespérer lorsqu'il vit une femme étendue sur le sable. Il reconnut Raven à ses cheveux, courut s'agenouiller à côté d'elle et murmura son nom. Comme elle ne répondait pas, il la serra dans ses bras. Elle était glacée comme une morte. Il crut qu'il arrivait trop tard.

Soudain, comme par miracle, elle poussa un soupir. Se reprenant à espérer, il écarta les longues mèches de cheveux qui lui masquaient le visage. Elle était livide, avec les paupières violettes et les lèvres exsangues, mais elle était vivante. Ses vêtements mouillés lui collaient au corps. Il ôta son manteau, l'enroula autour d'elle et la frictionna. Voyant qu'elle avait les chevilles attachées, il coupa ses liens. Puis, il sonna deux fois du cor.

Tout le monde accourut. Drake envoya un messager au village pour quérir la sage-femme et un autre au château pour prévenir de son arrivée et demander qu'on prépare à manger, à boire, des couvertures, un bain chaud et des serviettes. Il tint à porter lui-même Raven jusqu'à sa chambre et se chargea seul de la ramener à la vie.

Il commença par la déposer sur le lit et, le plus délicatement qu'il put, lui ôta ses habits mouillés. À chaque bleu et à chaque entaille qu'il découvrait sur son joli corps, il maudissait Waldo. Lorsqu'elle fut nue, il la mit dans la baignoire. C'est là qu'elle revint à elle et ouvrit la bouche pour crier. Mais aucun son n'en sortit.

— Tu as mal quelque part, chérie ?

Elle voulut parler mais ne réussit qu'à remuer les lèvres comme un poisson hors de l'eau.

— As-tu soif ?

Elle acquiesça d'un battement de cils mais, quand il lui approcha des lèvres une coupe de bière, elle ne parvint pas à boire plus de quelques gouttes. Cependant, malgré sa fatigue, elle reprit peu à peu des couleurs et bientôt elle recouvra l'usage de la parole.

— Où as-tu mal ? Que t'a-t-il fait ? demanda Drake.

— Il m'a attaquée dans ma chambre mais, à part pour me ligoter, il ne m'a pas touchée, répondit-elle d'une voix encore très faible. Il a eu l'occasion de me prendre de force mais il ne l'a pas fait, je ne sais pas pourquoi.

Drake savait qu'il n'aurait pas moins aimé Raven si Waldo l'avait violée mais il poussa quand même un soupir de soulagement.

— Il m'a abandonnée pieds et poings liés dans une grotte en disant que j'allais mourir de faim et de soif, poursuivit-elle. J'ai pensé que tu ne me retrouverais jamais. C'est Waldo qui t'a dit où j'étais ?

— Waldo est mort, annonça Drake tout uniment. Puisse-t-il brûler en enfer jusqu'à la fin des temps.

— Toute charité chrétienne mise à part, c'est ce que je lui souhaite aussi, dit Raven.

— Ce bain chaud te fait-il du bien ?

— Oui, je ne suis plus aussi frigorifiée.

— Combien de temps es-tu restée sur cette plage ?

— Je n'en sais rien, répondit-elle en haussant les épaules. J'ai réussi à couper la corde qui me liait les mains en la frottant contre une pierre tranchante. Ensuite, j'avais les doigts trop gourds pour me détacher les chevilles. J'ai commencé à descendre le long du raidillon et puis j'ai trébuché et je suis tombée dans le vide. À partir de là, je ne me souviens plus de rien jusqu'au moment où je me suis réveillée dans cette baignoire.

Elle posa la main sur son ventre.

— Et mon bébé ? demanda-t-elle anxieusement.

— As-tu mal ?

Elle fit signe que non.

— Alors, il est toujours bien accroché. Pour en être sûr, j'ai envoyé chercher la sage-femme.

Après le bain, il fallut qu'il la porte jusqu'au lit car elle ne sentait toujours pas ses pieds. Lorsqu'elle fut couchée, il s'assit sur le bord du lit, la fit boire et manger. Puis, il proposa de la laisser se reposer mais elle voulut parler.

— Il y a des choses que tu dois savoir sans retard, dit-elle.

— Je t'écoute.

— Tout d'abord, Waldo n'est pas ton demi-frère.

Drake fut abasourdi par cette sortie.

— Qu'est-ce qui te fait dire cela ?

— C'est lui-même qui me l'a appris. Il était persuadé que j'allais mourir dans cette grotte alors il m'a avoué tous ses forfaits.

Elle lui raconta l'assassinat de Basil, celui de Daria, celui d'Aric. Drake fut écœuré par tant de vilenie.

— Maintenant, je comprends tout, dit-il. Quand nous étions jeunes, Waldo me détestait parce qu'il pensait que j'étais un bâtard, et ensuite, il m'a détesté doublement quand il a su que c'était moi l'enfant légitime et lui le bâtard. Il aurait été capable d'exterminer la moitié du genre humain pour préserver son secret. Dieu merci, il est mort.

— Est-ce toi qui l'as tué?

— Non, mais j'aurais bien aimé. Des bandits l'ont eu avant moi. Il a été tué dans une forêt non loin d'Exeter. Il allait sans doute essayer de passer en France. Nous l'avons ramené à Windhurst pour l'enterrer. C'est Balder qui s'en occupe. Je ne veux même pas connaître l'emplacement de la tombe.

Un coup à la porte annonça l'arrivée de la sage-femme. Elle était jeune, robuste et entreprenante. Elle pria Drake de se retirer, sur un ton qui ne lui laissait pas vraiment le choix, et lui ferma la porte au nez. Elle reparut un long moment plus tard pour annoncer que dame Raven n'avait pas perdu son bébé. Elle recommanda quinze jours de repos et dit qu'ensuite ce serait, comme pour tout le reste en ce bas monde, à la grâce de Dieu.

Épilogue

Souhait de roi, fils et fille.

Château de Lleyn, trois ans plus tard

Grand-mère Nola somnolait dans un fauteuil près du feu, épuisée par ses émotions. Raven venait d'accoucher. Drake entra dans la chambre. Un bambin de trois ans trottinait derrière lui. Il s'immobilisa au pied du lit et regarda la sage-femme, qui achevait de ranger ses instruments.

— Vous pouvez voir votre femme si vous le souhaitez, monseigneur, dit-elle. Mais essayez de ne pas la fatiguer. Elle a eu une rude journée. Mettre au monde des jumeaux, cela n'a jamais été une partie de plaisir.

— Je ne vais pas rester longtemps, promit Drake.

La sage-femme sortit sans bruit et referma la porte derrière elle. Lorsque Drake l'embrassa sur le front, Raven rouvrit les yeux et lui sourit.

— Les bébés sont minuscules, dit-elle.

— Puis-je les voir, maman ? demanda le petit garçon. Ce sont des petits frères ou des petites sœurs ?

— Un de chaque, répondit Raven en souriant tendrement à son fils.

Le petit Dillon ressemblait trait pour trait à Drake. Aux yeux de Raven, il possédait déjà, en abrégé, toutes les qualités qui rendaient son père si admirable.

— Les bébés se reposent dans leur berceau, ajouta-t-elle. Ils ont hâte de faire la connaissance de leur grand frère.

— Tu t'es surpassée, cette fois-ci, mon amour, dit Drake. Deux bébés d'un coup. Je n'en reviens pas.

— J'ai la fille que je voulais et tu as un second fils pour suivre ta trace. Comment allons-nous les appeler ?

— La fille, nous pourrions la baptiser Leta, comme ma mère. Qu'en dis-tu ?

— Oui. Et le garçon, Nyle, comme mon père ?

— D'accord. Il me tarde de les voir. Mais, d'abord, je voulais m'assurer que leur maman allait bien.

Il se pencha et lui effleura les lèvres avec les siennes. Il n'avait pas fini de se redresser qu'elle dormait déjà. Il la contempla un long moment, le cœur débordant d'amour. Puis, il s'approcha du berceau pour voir ses bébés. Leta, ses petits bras au-dessus de sa tête, dormait paisiblement tandis que Nyle suçait son pouce avec vigueur. Effaré de les voir si fragiles et vulnérables, Drake pria pour que Dieu leur prête vie.

Dillon fit la moue.

— Ils sont encore trop petits pour pouvoir jouer avec moi, dit-il, visiblement déçu par les nouveaux membres de la famille.

— Ils grandiront, prédit Drake en posant la main sur la tête du gamin. Avec l'aide de Dieu, ils grandiront.

— Puis-je aller jouer avec Trent ? demanda Dillon, que les bébés n'amusaient déjà plus. J'espère qu'il va rester longtemps. J'aime bien jouer avec lui.

Trent était le fils de Duff et de dame Willa, de quelques mois plus jeune que Dillon. Ils étaient venus à Lleyn en prévision de l'heureux événement.

— Vas-y, dit Drake machinalement, et le garçonnet décampa.

Il était toujours en admiration devant les nourrissons lorsque grand-mère Nola se réveilla et le rejoignit.

— Ils sont robustes, dit-elle en réponse à ses inquiétudes secrètes. Ils survivront.

Drake lui lança un regard étonné.

— Comment peux-tu en être sûre ? Souvent, les bébés meurent sans que l'on sache pourquoi.

— Pas ceux-là, affirma Nola avec un sourire rassurant. Je le sais. Tout comme je savais que tu devais partir vers le sud pour rattraper Waldo.

Elle lui donna une petite tape sur l'épaule et quitta la pièce. Éberlué par les mystérieux pouvoirs de sa grand-mère, Drake s'intéressa de nouveau à ses bébés. Après les avoir admirés tour à tour, il retourna au chevet de Raven. Elle dormait profondément. Il se pencha et l'embrassa sur les lèvres.

— Merci, mon amour, murmura-t-il. Merci de m'avoir donné de beaux enfants. Nous avons traversé bien des épreuves mais nous sommes là aujourd'hui. Nous avons survécu et prospéré. Je te jure que nos enfants et toi, vous passerez toujours avant tout dans mon cœur et dans ma vie.

AVENTURES
&PASSIONS

Vous souhaitez être informé en avant-première
de nos programmes, nos coups de cœur ou encore
de l'actualité de notre site J'ai lu pour elle ?

Abonnez-vous à notre *Newsletter* en vous connectant
sur **www.jailu.com**

Retrouvez-nous également sur Facebook pour avoir
des informations exclusives :
www.facebook/pages/aventures-et-passions
et sur le profil J'ai lu pour elle.

Découvrez les prochaines nouveautés
des différentes collections J'ai lu pour elle

AVENTURES
&PASSIONS

Le 4 avril

Inédit ***Les fantômes de Maiden Lane - 2 -***
Troubles plaisirs ⊗ **Elizabeth Hoyt**
Si Hero trouve son fiancé ennuyeux et dépourvu d'humour, elle s'y
est résolue jusqu'au moment où elle rencontre le frère de ce dernier, Griffin Remmington, en plein cœur du quartier St. Giles.
Choqué de croiser une si sage lady dans ces ruelles, Griffin insiste
pour l'escorter. Hero est stupéfaite : ce débauché aux mœurs
dépravées, opposé en tout point à ce qu'elle aime, éveille en elle
une folle envie d'aventures...

Les blessures du passé ⊗ **Lisa Kleypas**
Ce jour-là, lady Aline accueille un homme d'affaires new-yorkais
et ses associés. Parmi les invités, elle remarque un homme aux
cheveux noirs. Soudain, l'inconnu se retourne, leurs regards se
croisent. Lady Aline tressaille : McKenna est de retour ! Elle aurait
préféré ne jamais le revoir...

Passion d'une nuit d'été ⊗ **Eloïsa James**
Quand Charlotte Calverstill a accepté de se rendre au bal masqué
de Stuart Hill avec son amie Julia, elle était loin d'imaginer que sa
vie basculerait ! Irrésistiblement attirée par un inconnu, elle
s'abandonne à lui sans réserve. La voilà irrémédiablement
compromise... Trois ans plus tard, elle reconnaît son amant d'un
soir en la personne d'Alexander, duc de Sheffield.

Le 18 avril

Les archanges du diable - 1 -
Le cavalier de l'orage ☙ **Anne Gracie**
Après avoir récolté gloire et honneur sur les champs de bataille, Gabriel Fitzpaine aspire enfin à vivre en paix et s'installe dans la splendide demeure qu'il vient d'hériter. Mais le danger rôde toujours et semble le guetter à chaque seconde… Une nuit, le long des falaises, il croise une ravissante lady en détresse.

Terres d'Écosse - 1 - Prisonnière de ton cœur
☙ **Mary Wine**
Depuis la mort du roi, l'Écosse est en proie à de terribles complots. Avec effroi, lord Torin McLeren découvre que McBoyd, son voisin, conspire contre le royaume avec la complicité des Anglais. Pour Torin il n'y a qu'une façon d'éviter la guerre : enlever la fille de son ennemi, Shannon McBoyd, promise en mariage aux alliés de son père…

Les Lockhart - 2 - Le bijou convoité ☙ **Julia London**
Le précieux dragon d'or, jadis volé au clan des Lockhart, aurait été offert à une certaine Amelia ! Chargé de récupérer l'objet, Griffin Lockhart s'installe à Londres sous une fausse identité. Aux bals de la saison, à défaut de retrouver Amelia, il rencontre la belle Lucy Addison. Mais sa sœur, Anna, comprend bientôt qu'il n'est pas celui qu'il prétend être…

Le 18 avril

*P*assion intense
Des romans légers et coquins

Carrément sexy ⌘ **Erin McCarthy**
Après le décès brutal de son mari dans un accident de voiture, Tamara s'est promis de tirer un trait sur le monde des courses... Jusqu'à ce qu'elle rencontre Elec. Beau comme un dieu, il éveille instantanément en elle un brasier ardent. Mais voilà, Tamara est plus âgée que lui et mère de deux petits garçons... Jusqu'où l'entraînera la passion ?

Pris au jeu ⌘ **Nicole Jordan**
Provoqué au jeu par Damien Sinclair, le prince des Libertins, Aubrey Wyndham dilapide tout son héritage en quelques parties de dés. Pour récupérer l'argent, sa sœur Vanessa a une solution, implorer la bonté de Sinclair. Mais pourquoi ferait-il preuve de clémence envers elle ? Contre toute attente, le débauché lui propose un marché : il annulera la dette si elle se soumet à ses moindres caprices...

8451

Composition
CHESTEROC

Achevé d'imprimer en Italie
par GRAFICA VENETA
le 21 février 2012.

1er dépôt légal dans la collection : août 2007.
EAN 9782290040720

ÉDITIONS J'AI LU
87, quai Panhard-et-Levassor, 75013 Paris

Diffusion France et étranger : Flammarion